尚志钧本草文献全集

尚志钧 钧本草文献全集

本草古籍辑注丛书·第二辑

2020年度国家古籍整理出版专项经费资助项目

尚志钧／辑注

尚元胜 尚云飞／整理
尚元藕 任 何

尚志钧百年诞辰典藏

《绍兴本草》校注

〔宋〕王继先 等 撰

尚志钧 校注

北京科学技术出版社

图书在版编目（CIP）数据

本草古籍辑注丛书. 第二辑. 《绍兴本草》校注 / （宋）王继先等撰 ； 尚志钧校注. — 北京 ：北京科学技术出版社， 2021.10

ISBN 978-7-5714-1288-3

Ⅰ. ①本… Ⅱ. ①王… ②尚… Ⅲ. ①本草－中医典籍－注释 ②《绍兴本草》－注释 Ⅳ. ①R281.3

中国版本图书馆 CIP 数据核字（2020）第263473号

策划编辑：侍 伟 段 瑶
责任编辑：杨朝晖 董桂红
责任校对：贾 荣
图文制作：北京艺海正印广告有限公司
责任印制：李 茗
出 版 人：曾庆宇
出版发行：北京科学技术出版社
社 　 　址：北京西直门南大街 16 号
邮政编码：100035
电 　 　话：0086-10-66135495（总编室） 0086-10-66113227（发行部）
网 　 　址：www.bkydw.cn
印 　 　刷：北京捷迅佳彩印刷有限公司
开 　 　本：787 mm × 1092 mm 1/16
字 　 　数：585 千字
印 　 　张：32.75
版 　 　次：2021 年 10 月第 1 版
印 　 　次：2021 年 10 月第 1 次印刷
ISBN 978-7-5714-1288-3

定 　 　价：690.00 元

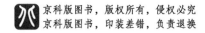

总前言

把工作放在日后做，是空的。一日不死，工作不止。

——尚志钧

　　千年中医，巨变振兴。真正的学者是将学术与生命紧密地联系在一起的，尚公直面人生的艰辛，以理性的思维、冷性的文字、激越的情怀著书立说，将一生奉献给了中医药学。站在中医药学发展的角度，纵观纷繁的沧桑医事，也许更可以使人获得理性的通明，使今天的中医药学术更加繁荣。

一

　　辑佚，在北宋已成为一门独立的学科。南宋·郑樵说："书有亡者，有虽亡而不亡者。"近代余嘉锡也说："东部藏书者书虽亡，而天下之书不必与之俱亡。"对于亡书，或原书已亡佚，但部分内容保存在史书、类书、方志、金石、古书注解、杂纂散抄之中的书，可以通过搜集诸书所征引的章句，窥其原貌，甚至可以通过类书总集，恢复原书旧貌。

　　孟子说："不专心致志，则不得也。"尚公下苦功数十年，终成本草大家，他辑复的《新修本草》填补了本草文献整复工作的空白。范行准先生早年指出："我们知道从事重辑《新修本草》者，中外不止一家，而俱未能问世。今尚先生竟能着其失鞭，使1300年前世界上第一部国家药典的原貌，灿然复见于世，是值得我们庆幸的一件事。"

对《吴氏本草经》《名医别录》《雷公炮炙论》《新修本草》《食疗本草》《日华子本草》《开宝本草》《本草图经》等主要的19部本草名著的辑复，是尚公最重要的学术成果。其中，《新修本草》是中国最早也是世界上最早的国家药典，文献价值极高，原书在国内久佚。清末，日本人发现其传抄卷子本10卷，尚缺10卷。清人李梦莹、近人范行准，及日本的小岛宝素、中尾万三、冈西为人等都曾试图对其进行辑复，但均未成功。尚公自1948年开始辑复《新修本草》，于1958年完成初稿，后又重辑，以油印本发行；后尚公再修改、补充之，并于1981年正式出版该书。尚公辑复《新修本草》，历时33年，援引各种参考书91种，做详细校记6319条。他先选定底本、主校本、旁校本和其他资料，再把各种古书中所载《新修本草》药物条文全部录出，加以比较互勘。他以最早的敦煌出土的《新修本草》残卷，及武田本《新修本草》、傅氏影刻本《新修本草》和罗振玉收藏的抄本《新修本草》为底本；《新修本草》所缺，即以《千金翼方》为底本；《千金翼方》亦缺，再以人民卫生出版社影印的《重修政和经史证类备用本草》为底本；最后以其他后出本为核校本核校之。尚公不仅校误字，还校书中有关错引、脱漏、增衍以及《神农本草经》文与《名医别录》文的混淆等。此外，他还对避讳字、通假字进行了解释，对全书进行了断句标点。他所辑复的《新修本草》还原了该书本来面貌，对找回后世本草脱漏佚失的资料有重要价值，如蒲公英治乳痈、蚤休解蛇毒、乌贼骨疗目翳等药物功效，在《新修本草》中即已有记述。此外，对《新修本草》进行辑复还有助于鉴别后世本草中资料的真伪，有助于校正后世本草的舛错，如《本草纲目》卷一"历代诸家本草"项"《名医别录》"条和"陶隐居《名医别录》合药分剂法则"项下所节录的注文，实为《本草经集注》的内容，并非《名医别录》的内容。

二

在驾驭大量本草文献史料上，尚公表现出极强的能力。他自觉地摆脱历史上不同时期本草文献资料谬误对遗佚本草辑复的干扰，力求通过目录学、版本学、校勘学、辑佚学、避讳学等多种学科的知识，结合具体对象和内容，手抄笔录，全面、系统地核实诸多文献记载，建立本草书籍、本草人物及单味药物3个系统的卡片档案，由源及流，追根问底，查清药物运用的概貌。在此基础上，他旁征博引，上下贯通，建成了一张辑佚医药方书的联合网图，进入了左右逢源、得心应手的学术研究佳境。32部本草文献的辑复本、校点本、注释集纂编写本，见证了其学术功底的深厚广博。

《神农本草经》原书已佚，尚公在校注该书时，首先理顺了其文献源流。尚公认为《汉书·艺文志》没有记载《神农本草经》，故可以推测《神农本草经》成书于东汉。《隋书·经籍志》记载《神农本草经》有6种，《本草经》有9种。其中有的《本草经》既含有最早的《神农本草经》文，亦含有名医增补的《名医名录》文。陶弘景将诸经中《神农本草经》文加以总结，收入《本草经集注》中，以朱笔书写，定为《神农本草经》文。尚公以《本草经集注》为分界点，把在《本草经集注》以前的多种《本草经》称为"陶弘景以前的《本草经》"，其存于宋以前类书和文、史、哲古文献的注文中；把收载于《本草经集注》中的《本草经》称为"陶弘景总结的《本草经》"，其存于历代主流本草专著中。经过勘比考订可知，"陶弘景以前的《本草经》"在内容上有产地、生境、药物性状、形态、生态、采收时月、剂型、七情畏恶等，并且含有名医增补的内容。"陶弘景总结的《本草经》"有产地但无药物性状、形态、生态和七情畏恶等内容。所以，尚公得出结论：现存的《证类本草》中的白字内容，向上推溯，是由陶弘景综合当时流行的多种《本草经》的本子而成的。明清时期国内外学者，又从《证类本草》白字内容辑成多种单行本《神农本草经》，这些文字实际上是陶弘景整理的，并不是原始古本《神农本草经》。尚公校点的《神农本草经》将文献源流系统、条理地展现出来，对不同时代、不同版本的《本草经》药物条文、内容、取材论断均甚得法，资料搜集甚广，并务求其本源。

三

就尚公具体的学术成就与贡献而言，《〈唐·新修本草〉（辑复本）》和《神农本草经校点》这2部传世之作，打通了一道长期令人望而生畏的难关。但仅靠对本草辑复的贡献和成就，还难以窥见尚公学问之全貌。下面就尚公学术思想之一端，进一步证实其学问之博大精深。

"药性趋向分类"是尚公提出的一种新的药性分类方法。尚公根据药物作用趋势将药物分为行、守两大类。行类又分为上行、下行、通行、化行 4 类。上行类药物功用以升散为主，如升举下陷、发散外邪；下行类药物功用以降下为主，如平喘止咳、泻下利水；通行类药物功用以通畅为主，如使气血通畅以止痛；化行类药物功用以转化为主，如将食积、痰饮通过转化，成为无害物质。守即固守，不固守即出现虚损，凡虚损宜补。守类又分为补益和收敛 2 类。各类再分若干小类，每小类先述概要、举药名，次述共同作用、用途，再次述各药其他作用。尚公积 50 多年研究本草之经验，使药物分类更科学，药性更清晰。他对 300 多种常用中药的药性作用直说引述，正说反证，浅说深论，描述得淋漓尽致，十分切合临床，这是尚公对本草学研究的一项创新。

尚公不仅在本草学领域有颇多建树，在临床领域也有所创新。如尚公在《脏腑病因条辨》一书中，以中医五脏、六腑和病因（风、寒、暑、湿、燥、火、气、血、痰、饮）为单元，对临床症状进行归类。例如，患者胃脘隐隐作痛，喜暖喜按，泛吐清水，四肢不温，舌质淡白，脉虚软。从症状分析，胃脘痛和吐清水说明病在胃；四肢不温是脾寒；脉软表示虚；舌质淡白为虚寒。辨证应是脾胃虚寒证。此证是由 3 个单元——脾、胃、寒组成，脾属脏，胃属腑，寒属病因。从上个例子可以看出，五脏、六腑和病因 3 个单元是组成多种证的基础。

综上可以看出尚公之博学多思，勤于实践、总结。

四

尚公集毕生精力和情感于本草文献，在古本草史料的世界寻寻觅觅，始终如一地刻苦钻研而终于成为本草文献的知音。《尚志钧本草文献研究集》"论文题录"部分收录了尚公 268 篇学术论文。这些论文的内容广博而深入，不仅有对古本草史料的广搜精求，也有对纸上遗文的爬梳考订和辨证精释，还有对新发掘的地下实物的阐释（如对马王堆出土《五十二病方》、敦煌出土残卷等的整理和运用）。在 268 篇学术论文中，关于李时珍和《本草纲目》的论文有《〈本草纲目〉版本简介》《〈本草纲目〉断句误例二则》《〈本草纲目·序例〉辨误两则》《〈本草纲目〉标注〈本经〉药物总数的讨论》《金陵版〈本草纲目〉引〈日华子本草〉误注例》等。

在学术思想方面，《本草文献研究的意义及作用》《本草文献研究的目的》等是"熔铸古今，学以致用"的实践，亦相当引人入胜。一方面，尚公自觉脱除旧染与时弊，融目录、版本、校勘、考据、章句、修辞之法于本草学之中；另一方面，其继承并发展中国学术传统中的优秀方法，并赋予它们新的时代内涵，使之超胜前人。这既彰显出尚公的本草学思想和风格，亦彰显出其著述之功力。

五

客观地讲，除分散在各综合本草著作的矿物药外，自唐以来，矿物药专著寥若晨星。唐·梅彪撰写的《石药尔雅》疏注了唐以前道家炼丹书所用的药物。王嘉荫编著的《本草纲目的矿物史料》仅收录了《本草纲目》正文及集解中所列有关矿物、岩石等 137 种；李焕编写的《矿物药浅谈》、谢崇源等主编的《药用矿物》分别介绍了 70 种和 50 种矿物药的性味功用等；郭兰忠主编的《矿物本草》收载了 108 种矿物药。尚公的《中国矿物药集纂》一书独树一帜，对矿物药进行了详尽而深入的论述。该书分上、下两篇，上篇为总论，分述历代主要矿物药发展概况、矿物药的分类、矿物药化学成分概述、矿物药化学成分与药效关系、矿物药的物理性状、矿物药有关中药的药性、有毒矿物药毒性、矿物药配伍宜忌、矿物药炮制加工和煎煮。下篇收载单味矿物药 1200 余种，几乎将矿物药搜罗殆尽。书末附珍贵的矿物药研究资料 10 篇。从尚公对历代本草专著矿物药文献的排检和整理，可见其编纂工作之认真及对矿物药资料学术别择之广博与细致。《中国矿物药集纂》一书不仅在文献整理方面有很大价值，而且在集纂方面亦有很大价值，其体大思精的特点，反映了尚公学术的创新，更能为中医药学术发展指出一条道路。

《中国矿物药集纂》展现的是尚公精彩而寂寞的本草人生。自 1977 年以来，尚公闭户不交人事，甘坐冷板凳，独得东坡"万人如海一身藏"的状态。诚如熊十力所云"不孤冷到极度，不堪与世谐和"。尚公堂堂巍巍做人，独立不苟为学，一生出版著作近 3000 万言，这些冷性文字蕴含着他激越的情怀及集毕生精力和情感于本草文献的决心。尚公在古本草史料的世界里寻寻觅觅，搜剔爬梳，终于成为本草文献的拓荒者和耕耘者。

六

写到这里，我需要交代一下关于本丛书的一些情况。立意编纂本丛书始于 2008 年冬日追悼尚公的余绪；形成具体计划，确定出版，是在 2017 年春月，其间经历了8个春秋。尚元藕学妹、尚元胜学弟全力支持和参与这项工作，谨在此，深致谢忱。北京科学技术出版社与我们不约而同地意识到"文章千古事"，出版尚公本草文献，利在当代，功在千秋。在合作过程中，北京科学技术出版社的工作人员精勤慎细，审校书稿，为本丛书的编校质量提供了有力保障。

一个时代有一个时代的学术观念，一个时代的学者有其处身时代的思想烙印。愿本丛书能在追求本草学术的途中与你相遇。

任　何

于合肥倚云居，戊戌春日

前　言

　　《绍兴本草》，即《绍兴校定经史证类备急本草》简称，由南宋政府组织医官王继先等在《大观本草》的基础上校定而成，于绍兴二十七年（1157）刊行。全书正文为 31 卷。凡由王继先所增的新药，皆冠以"绍兴新添" 4 字。

　　王应麟《玉海》云："绍兴二十七年八月十五日，王继先上校定《大观证类本草》三十二卷（编者注：含目录 1 卷，实乃 31 卷），《释音》一卷。诏秘省修润，付胄监镂板行之。"其后，南宋政府又将《绍兴本草》节略成 22 卷，于绍兴二十九年（1159）刊行。陈振孙《直斋书录解题》卷十三云："《绍兴校定本草》二十二卷，医官王继先等奉诏撰。绍兴二十九年上之，刻板修内司。"

　　32 卷本《绍兴本草》不见于后世书志记载，可能是因为它没有重刊过。22 卷本《绍兴本草》在后世书志中多有记载，如《文献通考·医籍考》记有"《绍兴校定本草》二十二卷"，明·陈第《世善堂藏书目录》卷下载"《校定本草》二十二卷王继先"，《国史经籍志》卷四下载"《绍兴校定本草》二十二卷王继先"，明·毛晋《汲古阁毛氏藏书目录》载"《绍兴校定本草》二十三卷医官王继先等"。

　　早期传入日本的《绍兴本草》可能是 22 卷本，仅含《绍兴本草》的药物正文、药图、绍兴校定文、绍兴新增药，不含《绍兴本草》的序例、药物注文、诸本草余药、人部药、有名无用药及《本草图经》所附的图和药等内容。

　　22 卷本《绍兴本草》在日本的传抄本有 20 多种，其中以日本文化八年（1811）伊藤弘美抄本为最佳，该本于日本天保七年（1836）由日本神谷克桢重抄

（以下简称神谷本）。北京大学图书馆藏有神谷本，1999 年由华夏出版社出版的《中国本草全书》第十五卷、第十六卷两卷，即据神谷本影印而成。

神谷本载药 700 余种，按矿物、植物、动物分类。矿物药按水、金、玉石等分类，植物药按草、谷、菜、果、木等分类，动物药按鱼、虫、禽、兽等分类。这种分类方式与《大观本草》不同，而与《本草纲目》相同，这说明抄写的人对药物的分类方式受到《本草纲目》的影响。

神谷本对各类药物的分类并不严格，其间互有掺杂，如木类中夹有草类药物，果类中夹有木类药物。有些药物按以类相从来分，例如薏苡仁，《大观本草》将其列在草部，《绍兴本草》将其移至米谷部。

神谷本对药物内容的编排格式如下：首列药物正文，次列药图，最后列绍兴校定文、绍兴新增药。少数药物正文后兼有部分注文，出自陶隐居、陈藏器、日华子、《唐本草》《食疗本草》等，但所记的文字都是片段式的。

由于王继先是个奸黠佞臣，其书亦为后人所贬低。陈振孙《直斋书录解题》云："《绍兴本草》二十二卷，医官王继先等奉诏撰。……每药为数语，辨说浅俚，无高论。"李时珍《本草纲目·历代诸家本草》在"本草别说"条下云："高宗绍兴末，命医官王继先等校正本草，亦有所附，皆浅俚，无高论。"

其实《绍兴本草》对药物性味、主治、炮制、产地、药用部位都有考订，对前代本草用药得失多从临床角度进行评论，有效者谓其用之有"的验"，无效者即说用之"未闻有验据"，这种评论在前代本草中是很少见的。又，该书中药图很精美，对药物基原考订很有参考价值。由于该书蒙尘很久，这些优点鲜为世人所知。

《绍兴本草》在国内少见，虽北京大学图书馆有收藏，乃属善本，一般人难以借阅，为此笔者予以点校注释。

总之，《绍兴本草》在学术和文献上很有价值，对研究宋代本草史及用药情况有很重要的参考价值。

因本人学术水平所限，错误和缺点难免，请读者批评指正。

尚志钧

于芜湖皖南医学院弋矶山医院

2000 年 10 月

校注说明

（一）南宋王继先校定的《绍兴本草》有 32 卷本和 22 卷本。后者早期传入日本，有 20 多种抄本，其中以 1811 年伊藤弘美抄本为最佳。1836 年，日本神谷克桢氏予以重抄。本书以神谷本为底本并加以校注。

（二）神谷本所记的正文，极少数是全文抄录，多数是选择性摘取。摘取文长短不一，最短的仅摘药名。对于药物正文未摘取的文字，本书校注时均出注说明之。例如，卷十六"565　猪苓"（药名前数字为本书药物编号）条，在《大观本草》中有一名、产地，而神谷本省之。

（三）对于《绍兴本草》的大部分校定文，神谷本冠有"绍兴校定"4 字，但是对于有些校定文，神谷本并未冠以"绍兴校定"4 字。本书根据下列情况判断并予以标记。

按，神谷本的引文，在《大观本草》《政和本草》中均可查出，所引的条目前皆冠有文献出处，如陶隐居、《图经》、陈藏器等。极少数引文没有文献出处标记，可是所引记文的内容、体例、行文语气均与"绍兴校定"文相似，据此可以确定此等记文当出于王继先所撰，本书即用"绍兴校定"4 字冠之。兹举例如下。

例一：卷十"357　紫葛"条，其条末有"紫葛，味甘、苦，寒，无毒是矣。采根皮为用，五月、六月采苗，日干"23 字。此 23 字无文献出处标记，观其内容和行文语气，与"绍兴校定"文同，本书即以"绍兴校定"4 字冠之，并出注说明。

例二：卷十"355　钓藤"条，其条末有"本经虽不载采何为用，但用枝茎及皮以疗小儿惊风，诸方用之颇验。今当作味苦、甘，微寒，无毒者是矣。京西与川蜀多产之"48字。此48字无文献标记，观其内容和行文语气，与"绍兴校定"文同，本书即以"绍兴校定"4字冠之。

（四）《永乐大典·医药集》所存"绍兴校定"文共19条，将各条或冠以"绍兴本草"，或冠以"绍兴本"。本书校注予以收录，按神谷本体例，改用"绍兴校定"4字冠之。此19条中仅有8条见录于神谷本，还有11条未见神谷本收载，说明神谷本所存"绍兴校定"文并不是《绍兴本草》中全部的"绍兴校定"文。

（五）神谷本目录中所列的药物数目与正文中所述药物数目不一致，本书校注时亦仍其旧，不再单独列出其目录。

（六）有的药物条文重出，本书校注时予以合并。例如，神谷本卷一47号为"炉甘石"条，在卷二"78　黑石脂"之后又重出"炉甘石"条，故将两条合并。

（七）神谷本中某些条目存在分条和并条的问题，本书校注时予以适当调整。

例如，神谷本卷四"150　赤箭"条并有"天麻"，本书校注时仍保持旧貌。神谷本卷十九从"681　阿胶"中分出"阿井"条，而"阿井"并非药物，不能独立成一条，故本书将"阿井"并入"阿胶"条内。又如，神谷本卷十九"704　野猪黄"条，其条末并有"豺皮"条全文，本书将"豺皮"条拨出，单独立为一条。

（八）神谷本中的药图与《大观本草》中的药图相比，两者虽在轮廓上相似，但在细节上差异很大。在植物图方面，神谷本所绘植物多是全株，有枝、叶、干、根；而《大观本草》绘图仅画出植物的部分结构，或枝叶或树干，未画出根。在动物图方面，对于动物形态、动物活动状况以及动物所处环境，两者绘图均不相同。例如犀，神谷本所绘犀足如牛蹄、羊蹄，而《大观本草》所绘犀足如猫犬爪。类似此类极多。

凡同一药物的药图差别较大的，校注时将两本书中的图并列，以资比较。

（九）有些药物品种类别相同，《大观本草》《政和本草》将其并列。例如，粗黄石与姜石是同类药，《大观本草》《政和本草》将此二药的图并列，而神谷本将此二药的图分置两处，将姜石图列在卷三"112　金牙"条后，将粗黄石图列在卷三末。姜石有图，又有记文；粗黄石仅有一图，无记文。本书据《大观本草》姜石所注"粗黄石附"，将粗黄石图移至姜石图旁，并出注说明。类似此例，有天麻、赤箭、施州小赤药等。

（十）神谷本所记文中，凡有讹误、脱漏、错简、颠倒等，本书校注时均予以改正。

（十一）神谷本所记文中，一些古病名、古地名，本书均加注释，附于当药条文之后。

（十二）本书各药名前的编号，是为读者检阅方便所加，不代表本书收载药数。

抄本更改药物目录的讨论

22 卷本、32 卷本《绍兴本草》的药物分类与《大观本草》相同，但神谷本《绍兴本草》的药物分类与《大观本草》不同。例如，神谷本卷一"26　生铁"条下"绍兴校定"文云："注说：生铁锈亦有主治，与上卷陈藏器余铁锈主治颇同。"查《大观本草》，生铁列在卷四，陈藏器余铁锈列在卷三，卷三是卷四的上卷，而"绍兴校定"文说铁锈主治与上卷（指卷三）陈藏器余铁锈主治颇同，说明《绍兴本草》药物目次与《大观本草》是一致的。但神谷本将"生铁"列在卷一，与"绍兴校定"文所云"生铁"条位置不符。由此可见，神谷本的药物目次是经过后人重排的。

《绍兴本草》对于药物的分类、分卷与《大观本草》相同，但神谷本对于药物的分类与《大观本草》不同，与《本草纲目》相同。这种分类重排是谁做的？现讨论如下。

关于神谷本卷次和药物目次的更改，疑是抄录人所为。神谷本是经过了两次抄录的，其书末记有两人抄录的时间，今摘录如下：

"右《绍兴校定经史证类备急本草》十九卷，文化八年辛未（1811 年，相当于清嘉庆十六年）十一月十三日誊写始业，同九年壬申（1812）九月十一日全业，伊藤弘美。"

"右天保七年丙申（1836）八月廿八日誊写始业，同年十月廿九日全业……神谷克桢。"

根据以上两个记文，可知神谷本是转录于伊藤弘美抄本。

从抄录时间长短来看，神谷本卷次和目次似是伊藤弘美所更改。伊藤弘美抄录费时 11 个月，而神谷克桢抄录费时仅 2 个月。神谷克桢 2 个月的抄录时间，无空更改卷次和目次，而伊藤弘美花费 11 个月时间，有足够时间更改卷次和目次。

神谷本的卷一到卷三为矿物药，卷四到卷十六为植物药，卷十七到卷十九为动物药。这种分类及排列与《本草纲目》极相似，说明神谷本的药物目次是据《本草纲目》药物目次重排的。按，早在 1714 年即日本正德四年就刊过《本草纲目》52 卷，到伊藤弘美已近百年了，这时《本草纲目》的药物目次是被日本药学界所熟知的，伊藤弘美有条件也有时间更改《绍兴本草》的卷次和目次。

由于神谷本的卷次和目次不是《绍兴本草》的原始卷次和目次，所以神谷本的卷次及各卷内药物目录不能代表《绍兴本草》的卷次和目次。

尽管神谷本的药物分类和排列次序不符合《绍兴本草》的实际情况，但神谷本抄录"绍兴校定"文的条目比其他残抄本要多，这对研究《绍兴本草》有很高的价值。

编校说明

（一）本书为尚志钧先生辑校的本草古籍。本次整理以尚志钧先生已出版的《绍兴本草校注》原书（以下简称"原书"）为基础书稿。

（二）原书有简化字，也有繁体字，本书统一使用简化字。本书在编辑加工时，主要依据国家语言文字工作委员会文字规范文件（《简化字总表》《异体字整理表》等）的规定以及《汉语大字典》的相关释义，在不影响原义的情况下，将原书中的繁体字、异体字、通假字等改为现行规范字，但在以下情况中做变通或特别处理。

1. 将原书文字进行简化时，若简化后字义容易淆错或不明晰，则慎重直接简化，如"癥瘕"之"癥"不简化为"症"。个别字词根据学界专家意见进行简化，如"禹餘粮"之"餘"只简化为"馀"而不作"余"。

2.《异体字整理表》等书中归并不当或关系有歧见的异体字，本书不做简单归并。如《异体字整理表》将"剉"并入"锉"，但"剉"（本草古籍中的"剉"为中草药切制的方法）与"锉"使用的工具、加工的方式与结果都不相同，故不予归并。

3. 尚志钧先生摘录古籍药名时为尊重古籍文字原貌，所写药名与现代规范药名不同的，本书不做改动。如"芒消""斑猫"等。但在非古籍引文部分，仍用现行规范名称表述。

4. 古书中特有的、习惯的用词，不改为现代用词。如"文理"不改为"纹理"。

（三）对于书稿中明显的错别字以及常识性错误，编辑加工时直接予以改正，不予出注。

（四）对于本书提到的诸多地名，因涉及复杂的地理、历史学知识，未轻易改动，以尊尚志钧先生文字原貌。对同一地名的重复标注，予以保留。同一地名不同时期所指代的地理位置可能有所不同，故校注中出现的同一地名解释不同时，不予改动。

（五）对于书稿中正文与校注文不一致的情况，因涉及复杂的文献考证知识，未轻易改动，以尊尚志钧先生文字原貌。如"591 鳖"中校注［2］，正文为"江陵府"，而校注中为"江宁府"，暂不予改动。

（六）对于书稿中部分引文，由于无从查证尚志钧先生当时所用版本，故尊原书，不予改动。

（七）本书校注中涉及诸多古籍，为方便阅读，对多次出现的著作只写简称，如《名医别录》简称《别录》，《经史证类大观本草》简称《大观》，《重修政和经史证类备用本草》简称《政和》，《本草纲目》简称《纲目》。

（八）为方便查找及统计，尊重并保留原书对古籍药物条文添加的编号。

在本书的编辑整理过程中，得到了尚志钧先生弟子郑金生研究员以及国内多位中医文献学者、古籍出版专家的悉心指教。由于本书体量巨大，且出版时间紧促，编辑水平有限，疏漏谬误恐所难免，欢迎广大读者批评指正，以期再版更正。

目　录

绍兴校定经史证类备急本草序

　　臣闻本草者，神农之书也。后世宗而行之，以为大典。盖悯有生之札瘥，思药石以拯济，而功莫大焉。上下数千百载，罔敢失坠。逮及嬴秦，焚灭先代之典籍，而此经混于医卜之书得不废。奈何汉晋之末，文籍散失。神农旧经所存者仅三卷，药止三百六十五种，致使后世不见圣人之全经，惜哉！梁陶氏隐居高尚，本神农旧经，附《名医别录》，朱墨分别，例举科条，又加注文。然而独智自思，偏方寡见，得失相半。逮唐之兴，苏恭表请修定，增益虽多，附会或紊，损益不分，寒热莫辨。洪惟皇宋隆兴，真人出宁，泽及四海，其仁如天。开宝中命卢多逊等重定，嘉祐中诏掌禹锡等补注，元祐陈承著立别说，大观中唐慎微集为《证类》。谨详古今注说，诸家论议，纷纭淆乱，异同颇多。虽唐注摭陶氏乖违，而反有阙失；今注举唐注谬误，而间有未尽。彼是此非，互相矛盾。考禹锡补注，慎微《证类》，又不过备录诸家异同，亦不能断其是非。其中性寒之物，而或云治寒；性热之物，而或云治热。或补药云泻，或泻药云补。其辨寒热补泻之性，理实倒置。及物之有毒者，而或云无毒；物之无毒者，而或云有毒。其辨有毒无毒之性，义亦相反。以至某药在诸方常用之验，而经注前后之未载；某药合外用与服饵之宜，而辨用的当之未详。传之既久，朱墨杂糅，不可既举。执而用之，所误至大，天下后世，何所折衷？举而正之，在于今日。恭惟圣主中兴，好生之德，寝兵措刑，固足以跻民于寿域，而俾无横夭之患矣。然且宸心轸虑，以谓本草之书，经注异同，治说讹谬，于是举祖宗开宝、嘉祐之故事，诏臣等俾加校定。仰以见圣人仁德之至也！今敢不研精覃思，博采方术，参校诸家，别其同异。若夫物性寒热补泻，有毒无毒，或理之倒置、义之相反者，辨其指归，务从至当。形像则本旧绘画，以大纲取识，则不敢臆说，执以有据，考名方五百余首，证舛错八千余字，而使用之者不惑，施之者必验，可以跻上寿，可以致十全。上裨圣政之万一，下以传之于将来，岂曰小补之

哉？臣等诚惶诚恐，顿首谨言。绍兴二十九年二月日上进

检阅校勘官翰林医候御医兼权太医局教授赐紫臣高绍功

检阅校勘官翰林医效诊御脉兼权太医局教授赐绯鱼袋臣柴源

检阅校勘官成和郎御医兼权太医局教授臣张孝直

详定校正官昭庆军承宣使太原郡开国侯食邑一千七百户食实封一百户致仕臣王继先

绍兴校定经史证类备急本草卷之一

1 腊雪

味甘，冷，无毒。解一切毒。治天行时气[1]温疫，小儿热痫狂啼，大人丹石发动，酒后暴热，黄疸，仍小温服之。藏淹一切果实，良。春雪有虫，水亦便败，所以不堪收之[2]。新补　见陈藏器及《日华子》[3]

绍兴校定：腊雪凝至阴之气也，故可以涤热。其春雪不堪。然主疗已载本经，味甘、性冷、无毒是矣。

【校注】

[1] **时气**　原作"地气"，郑杨本同，据《大观》《政和》改。

[2] **收之**　原脱，郑杨本同，据《大观》补。

[3] **见陈藏器及《日华子》**　原作"藏然及见陈日华子"，据《大观》《政和》改。

2 半天河水[1]

微寒。主鬼疰、狂，邪气，恶毒。

绍兴校定：半天河水，主疗备见经注。乃竹篱头上或高木穴中所盛雨露水也。其槐木间者，独称主治诸风，盖取其因槐气为用。本经止云微寒，而不载有无毒。《日华子》云平，无毒。窃详半天河水[2]本雨露之水，即非有毒之物，今当以味甘、平、无毒是也。

【校注】

[1] **水**　《大观》《政和》《纲目》俱无"水"字。

[2] **水**　原本旁注有"水"字，郑杨本脱。

3 泉水

味甘，平，无毒。主消渴，反胃，热痢热淋，小便赤涩。兼洗漆疮，射痈肿，令散。久服却温[1]，调中，下热气，利小便，并多饮之。又新汲水，《百一方》云：患心腹[2]冷病者，若男子病，令女人以一杯与饮，女子病，令男子以一杯与饮。又解合口椒毒[3]。又主食鱼肉，为骨所鲠。取一杯水，合口向水，张口取水气，鲠当自下。又主人忽被坠损肠出，以冷水喷之，令身噤，肠自入也。又腊日夜，令人持椒井傍，无与人语，内椒井中，服此水去温气。《博物志》亦云：凡诸饮水疗疾，皆取新汲清泉[4]，不用停污浊暖，非直无效，固亦损人。新补[5]

绍兴校定：泉水乃源泉通流之水，并新汲水及陈藏器余药内千里水、东流水、好井水、土石间泉水，虽各有主治，但宜以煎煮诸药，则胜于浊污水[6]。泉水[7]俱味甘、平、无毒是矣。

【校注】

[1] **却温** 原作"劫温"，据《大观》《政和》改。

[2] **腹** 原作"服"，据《大观》《政和》改。

[3] **合口椒毒** "合"原脱，据《大观》《政和》补。

[4] **清泉** 原作"沟泉"，据《大观》《政和》改。

[5] **新补** 其后原衍"沈存中笔谈"5字，据文理删。按，本条文字原出于《嘉祐本草》，非出于沈存中《笔谈》。

[6] **水** 原作"止"，龙谷本（1997年日本东京春阳堂影印龙谷大学藏残抄本）同，据文理改。

[7] **泉水** 原脱"水"字，据文理补。

4 井华水

味甘，平，无毒。主人九窍大惊出血，以水噀面。亦主口臭，正朝含之，吐弃厕下，数度即差。又，令好颜色，和朱砂服之。又，堪炼诸药石，投酒、醋令不腐。洗目肤翳，及酒后热痢。与诸水有异，其功极广。此水井中平旦第一汲者，《本经》注井苔条中略言之，今此重细解也。新补[1]

绍兴校定：井华水，平旦第一汲水也。取澄澈为用。经方所载疗疾之功不一，但取其味甘者佳，然未闻单服此而起疾也。性平，无毒是矣。

【校注】

[1] **新补** 原脱，郑杨本同，据本书例补。按，"新补"为《嘉祐本草》新增药的标注。

5 菊花水

味甘，温，无毒。除风，补衰，久服不老，令人好颜色。肥健益阳道，温中，去瘤疾。出南阳郦县北潭水。其源悉芳菊生被岸，水为菊味。盛洪之《荆州记》云：郦县菊水，太尉[1]胡广，久患风羸，常汲饮此水，后疾遂瘳。此菊甘美，广后收此菊实，播之京师，处处传植。《抱朴子》云：南阳郦县山中有甘谷水，所以甘者，谷上左右皆生甘菊。菊花堕其中，历世弥久，故水味为变甘。临此谷中居民，皆不穿井，悉食甘谷水。食无不寿考。故司空王畅、太尉刘宽、太傅袁隗等，皆为南阳太守，每到官，常使郦县月送甘谷水四十斛，以为饮食。此诸公多患风痹及眩冒，皆得愈。新补

绍兴校定：菊花水，性味、主治已载本经。乃南阳郦县菊潭之水也。盖以[2]彼处偶得之而疗疾。味甘，温，无毒者是矣。然在诸方稀见用之。

【校注】

[1] **太尉** 原作"大尉"，郑杨本同，据《大观》《政和》改。
[2] **以** 原作"似"，据文理改。

6 热汤

主忤死，先以衣三重，藉忤死人腹上，乃取铜器若瓦器，盛汤著衣上，汤冷者去衣，大冷者换汤即愈。又霍乱手足转筋，以铜器若瓦器[1]，盛汤熨之；亦可令蹋器，使脚底热彻；亦可以汤捋之，冷则易，用醋煮汤更良，煮蓼子及吴茱萸汁亦好。以绵絮及破毡角，脚以汤淋之，贵在热彻。又，缲丝汤：无毒，主蛔虫，热取一盏服之。此煮茧汁，为其杀虫故也。又，燖猪汤：无毒，主产后血刺，心痛欲死，取一盏温服之。新补 见《抱朴子》、陈藏器。

绍兴校定：热汤之用，取其热气通畅。本经虽有主疗之文，然未尝有专恃此而起疾者。复有醋汤、蓼子、吴茱萸[2]等汁，然主治颇同，但性味殊异。其缲丝汤、燖猪汤[3]，并云服饵、疗疾，皆未闻验据。但热汤固知性平、无毒是也。

【校注】

[1] **盛汤著衣上……以铜器若瓦器**　以上30字，原脱，据《大观》《政和》补。"若"，通"或"。

[2] **吴茱萸**　原作"茱萸"，据《大观》《政和》改。

[3] **燖猪汤**　昔日杀猪，于猪死后便将之放入开水中烫，以便刮去表毛。烫过猪的开水名"燖猪汤"。

7　浆水

味甘、酸，微温，无毒。主调中引气，宣和[1]强力，通关开胃，止渴，霍乱泄痢，消宿食。宜作粥，薄暮啜之，解烦，去睡，调理腑脏。粟米新熟、白花者佳。煎令醋[2]，止呕哕[3]，白人肤，体如缯帛[4]，为其常用，故人不齿其功。冰浆：至冷，妇人怀妊不可食之，食谱所忌也。

绍兴校定：浆水即蒸[5]米渍水，腐而所成。本经虽有主疗，然在起疾，即未闻恃此取效者，其味甘、酸，微温，无毒是也。

【校注】

[1] **宣和**　原作"宣和"，据《大观》《政和》改。

[2] **煎令醋**　"醋"即"酸"。意为煎后久放，令其变酸。

[3] **哕**　原作"岁"，据《大观》《政和》改。

[4] **缯帛**　丝织品的泛称，意为光滑柔嫩。

[5] **蒸**　原脱，据龙谷本补。

8　地浆

寒。主解中毒烦闷。

绍兴校定：地浆，解毒诸方有用之者。其法掘地为坎，水沃于中，澄取饮之。[1]是假土气为用尔，当以性平、无毒是也。

【校注】

[1] **其法掘地为坎，水沃于中，澄取饮之**　按，此法原出于陶弘景《本草经集注》。陶氏云："此掘地作坎，以水沃其中，搅令浊，俄顷取之，以解中诸毒。"

9　白垩垩[1]，乌恪切

味苦、辛，温，无毒。主女子寒热，癥瘕月闭，积聚，阴肿痛，漏下[2]，无子，泄痢。不可久服，伤五脏，令人羸瘦。一名白善。生邯郸山谷，采无时。

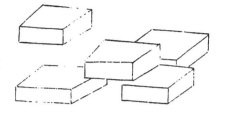

图 1　白垩

绍兴校定：白垩，世呼为白土子是也。然本经一名白善，即非江南烧金白善土，其入药治疾者，当取北地白土子为真[3]。人多用以洗衣油腻者即是。其疗妇人冲任不调方多用之。当从本经味苦、辛，温，无毒是矣。若唐本余云[4]近代以白瓷为之者，诚为误也矣。

【校注】

[1]　**垩**　《大观》《政和》无，郑杨本亦无。

[2]　**下**　原作"子"，据《大观》《政和》改。

[3]　**其入药治疾者，当取北地白土子为真**　以上 15 字原作"子为真"，据龙谷本改。

[4]　**唐本余云**　《大观》"白垩"条引作"唐本余注云"。按，"唐本余"是泛指《蜀本草》而言。

10　东壁土

主下部疮[1]，脱肛。

绍兴校定：东壁土，谓常先见日之土也，取其意尔。本经与诸注虽有主治之文，然但取效者，未闻也。当从土，性平、无毒是矣。

【校注】

[1]　**疮**　《大观》《政和》同，卷子本《新修》作"蜃疮"。

11　伏龙肝

味辛，微温。主妇人崩中，吐血[1]，止咳逆，止血，消痈肿毒气。

绍兴校定：伏龙肝，灶中黄土是也，岁久者为上。盖取其火锻久而力燥尔。本经味辛，微温，不云有无毒。《日华子》云微毒。窃详伏龙肝，诸方主疗甚多，然用之断下殊验，当从《药性论》云无毒是矣[2]。

【校注】

[1] **吐血** 《大观》《政和》同，卷子本《新修》作"吐下血"。

[2] **矣** 原脱，据本书文例补。

12 铛墨

主蛊毒，中恶，血运，吐血。以酒或水细研，温服之。亦涂金疮，生肌肉，止血，疮在面，慎[1]勿涂之，墨入肉如印。此铛下墨是也[2]。

绍兴校定：铛墨，诸铛、釜底积久火烟薰墨也。本经虽具主疗，而不载性味、有无毒。盖诸薪烧之，而烟气所成，即非有毒之物。又有百草霜，《图经》称为灶额上墨。今详与铛墨亦大同小异，当作一种通用矣。

【校注】

[1] **慎** 《政和》同，《大观》作"切"。

[2] **也** 其后，《大观》《政和》有"今附"2字，说明"铛墨"条原出于《开宝本草》。

13 锻灶灰[1]

主癥瘕坚积，去邪恶气。

绍兴校定：锻灶灰，乃锻铁灶下灰也。本经虽有主疗，而不载性味、有无毒。然诸灰皆有毒，今锻灶灰当以味苦、有毒为定。方家亦稀用之。

【校注】

[1] **锻灶灰** 本条重出于第43条"釭中膏"之后，重出条正文末衍"初出"2字。

14 乌古瓦

寒，无毒。以水煮及渍汁饮，止消渴。取屋上年深者良。

绍兴校定：乌古瓦乃屋上年深之瓦也。本经水煮或渍汁饮之，能止消渴，盖取其湿润之意。其性寒[1]、无毒者是矣。

【校注】

[1] **寒** 《日华子》云："冷。"

15 白瓷瓦屑

平，无毒。主妇人带下，白崩，止呕吐，破血，止血。水摩涂疮灭瘢。定州[1]者良，余皆不如。

绍兴校定：白瓷瓦屑，取瓷器为屑末也，以定州[1]者堪用。在方乃[2]是收固、止血之药，明非有毒。当从本经性平、无毒是矣。

【校注】

[1] **定州** 今河北定州。古代盛产瓷器，宋代宣和年间有定窑著称于世。

[2] **乃** 原作"及"，据文理改。

16 冬灰

味辛，微温。主黑子，去疣音尤、息肉、疽蚀、疥瘙。一名藜灰。生方谷川泽。

绍兴校定：冬灰，即浣衣黄灰，乃蒿藜灰是也。又有荻灰、桑灰等，皆淋汁作煎，以点黑痣疣赘，虽验，但损人皮肉多矣[1]。本经止载外用之法，若在注文入服饵之药者，今未闻用之[2]。当作味辛、微温、有毒是矣。

【校注】

[1] **冬灰，即浣衣黄灰……损人皮肉多矣** 此文系化裁陶弘景注文而成，并无新义。

[2] **之** 原脱，据文义补。

17 梁上尘

主腹痛，噎，中恶[1]，鼻衄，小儿软疮。

绍兴校定：梁上尘，取梁栋上久积尘也。高堂殿宇远烟火者为上，即无烟煤相杂尔。本经虽有主疗，而不载性味。今当从《日华子》平[2]、无毒者是也。

【校注】

[1] **中恶** 多指小儿突然见异物而惊吓昏倒。

[2] **平** 掌禹锡引《药对》作"微寒"。

18　金屑

味辛，平，有毒。主镇精神，坚骨髓，通利五脏，除邪毒气[1]。服之神仙。生益州，采无时。

图2　信州[2]生金

图3　益州[3]金屑

绍兴校定：金屑，生于附石水沙中。性味、主治已载本经，然称有毒，盖谓未经锻炼，生用而尚带石气。今方家多取经炼熟金作薄，及水煮金器取汁用之，当为无毒是也。论屑[4]者以谓作细碎尔，其熟金[5]亦可作之。

【校注】

[1] **气**　原脱，据《大观》《政和》补。

[2] **信州**　今江西上饶。

[3] **益州**　今四川成都。

[4] **屑**　原作"屠"，郑杨本同，据文理改。

[5] **金**　郑杨本脱。

19　银屑

味辛，平，有毒。主安五脏，定心神，止惊悸，除邪气。久服轻身长年。生永昌[1]，采无时。

绍兴校定：银屑，又附石而生。味、主治已载本经。言其有毒者，盖亦谓未经锻炼而生用矣。今医方

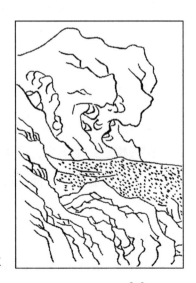

图4　饶州银屑[2]

多取见成银薄及水煮熟银取汁入药，当为无毒。然银屑，其熟银亦作之矣。

《绍兴本草》校注

【校注】

[1] **永昌** 今云南保山北。

[2] **饶州银屑** 以上4字原脱，据《大观》《政和》补。又"饶州"，即今江西鄱阳。

20　生银

寒，无毒。主热狂惊悸，发痫恍惚，夜卧不安，讝语，邪气鬼祟。服之明目镇心、安神定志。小儿诸热丹毒，并以水磨服，功胜紫雪。出饶州、乐平诸坑。生银矿中，状如硬锡文[1]理，粗错自然者真。

绍兴校定：生银，显非经火炼熟矣。然所产不一，其有渗溜土石间，成条状若老翁须者，亦有在矿中文理错杂如硬锡者，俱名生银也。性味、主治已载本经注。今详生银既未经锻炼，须带杂石气，当从《日华子》云微毒是矣。然在方家亦稀用生者。

图5　饶州[2]生银

【校注】

[1] **文** 原作"之"，据文理改。

[2] **饶州** 今江西鄱阳。

21　自然铜

味辛，平，无毒。疗折伤，散血，止痛，破积聚。生邕州山岩中出铜处，于坑中及石间采得。方圆不定，其色青黄如铜，不从矿炼，故号自然铜。

《图经》曰：又有不冶[1]而成者，形大小不定，皆出铜坑中，击之易碎，有黄赤、有青黑者，炼之乃成铜也。据如此说，虽分析颇精，而未见似乱丝者耳。又云：今市人多以鍮石为自然铜，烧之皆成青焰如硫黄者是也。此亦有二三种：一种有壳如馀粮，击破其中光明如鉴，色黄类鍮石也；一种青黄而有墙壁，或文一[2]如束针；一种碎理如团砂者，皆光明如铜，色多青白而赤少者，烧之皆成烟焰，顷刻都尽。今药[3]家多误以此为自然铜，市中所货往往是此。自然铜用多须煅，此乃畏火，不必形色，只此可辨也。

《雷公》云：石髓铅即自然铜也。凡使勿用方金牙，其方金牙真似石髓铅，若误饵，吐煞人。

《别说》云：谨按，今辰州川泽中出一种形圆似蛇含，大者如胡桃，小者如栗，外有[4]皮黑色光润，破之与鉎石无别，但比鉎石不作臭气尔，入药用之殊验。

图 6　信州[5]自然铜　　　　　　图 7　火山军[6]自然铜

绍兴校定：自然铜亦石类也。性味、主治已载本经。虽出产土地不一，取铜色明净者佳，色青者不堪。凡入方，须当火锻醋淬，研令极细用之。味辛、平、无毒是也。[7]又《雷公》说石髓铅即自然铜也，与方金牙真相似，若误饵之，吐煞人。窃详本草金牙与自然铜形色全不相类，然金牙本经味咸、无毒，亦不见有吐人之说。《雷公》之论似无考据。

【校注】

[1]　**冶**　《大观》作"治"。

[2]　**一**　《大观》《政和》无。

[3]　**药**　《政和》《纲目》作"医"。

[4]　**有**　《大观》《政和》作"青"。

[5]　**信州**　今江西上饶。

[6]　**火山军**　今山西河曲。

[7]　**性味、主治已载本经……无毒是也**　以上49字原脱，据龙谷本补。

22　铜矿石

味酸，寒，有小毒。主丁肿恶疮，驴马脊疮。臭腋，石上水磨取汁涂之。其疗肿末疮上良。

绍兴校定^[1]：铜矿石，未经锻炼，带石气之生铜也。其本经主疗皆外^[2]用之，既不可服饵，当从味酸、寒、有小毒为正。

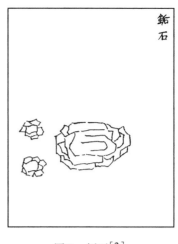

图8　鍮石^[3]

【校注】

[1]　**绍兴校定**　此文，神谷本原注在"自然铜"条眉批上。

[2]　**外**　原缺，据龙谷本补。

[3]　**鍮石**　即铜矿石。

23　铅

味甘，无毒。镇心安神，治伤寒毒气，反胃呕哕^[1]，蛇蝎所咬，炙熨之。

绍兴校定：铅，所产土地不一，以蜀郡平泽者佳。经方虽载主疗溃服之法，若生用之即为有毒。若溃服之，当从本经味甘、无毒是矣。然但近世诸方亦稀用之。

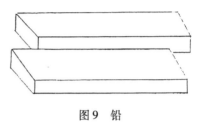

图9　铅

【校注】

[1]　**哕**　原作"喆"，据《大观》《政和》改。

24　粉锡

味辛，寒，无毒。主伏尸毒螫_{音释}，杀三虫，去鳖瘕，疗恶疮，堕胎，止小便利。一名解锡。

绍兴校定：粉锡，诸方称胡粉者是也。盖取铅烧之为粉，色白而光者佳。正名称粉锡者，但恐锡字之误矣。本经虽有主治，然近世治痢诸方用之多验，及外疗疮疡，时亦为用。既因铅锻而成，当作味辛、寒、有小毒为定。

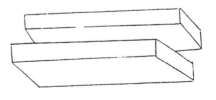

图10　锡

25　蜜陀僧

味咸、辛，平，有小毒[1]。主久痢、五痔、金疮[2]，面上瘢䵟，面膏药用之。

绍兴校定：蜜陀僧，性味、主疗已载本经。《图经》云：是银铅脚。今人多取铅丹火锻所成。其银铅脚者，多自闽越中来也。或云自波斯国来者，亦须自银铅而成。当从本经有小毒。《日华子》云无毒者，非也[3]。

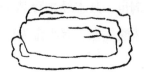

图 11　广州蜜陀僧

【校注】

[1] **小毒**　卷子本《新修》作"少毒"。

[2] **金疮**　卷子本《新修》作"金创"。

[3] **非也**　其后原有"铁精：平，微温。主明目，化铜。疗惊悸，定心气，小儿风痫，阴㿉脱肛"24字。因本书"马衔"条后另有"铁精"条，故今将此24字拔出，并入"铁精"条中。

26　生铁

微寒。主疗下部及脱肛。

绍兴校定：生铁及铁作器用之物，及铁初出矿者，俱名生铁。主治已载本经，而不云有无毒。今生铁在方，多以酒淬取汁为用，不正入圆散。比之秤锤，不经火锻炼，当作微寒、无毒是矣。注说：生铁锈亦有主治，与上卷陈藏器余铁锈主治颇同。

图 12　生铁

27　钢铁

味甘，无毒。主金疮，烦满，热中，膈胸气塞[1]，食不化[2]。一名跳音条铁。今注解在铁精条[3]。

绍兴校定：钢铁，诸有锋刃[4]而坚者，通名钢铁。《图经》以谓取生鍒相杂而成之，在方多以水磨取汁为用。性味、主治已载本经，其无毒是矣。

图 13　钢铁

【校注】

[1] **气塞**　原作"气寒"，据《大观》《政和》改。

［2］**食不化** "食"，原脱，据《大观》《政和》补。

［3］**条** 其后，《大观》《政和》有"下"字。

［4］**诸有锋刃** 《本草图经》作"用以作刀剑锋刃"。

28 铁

主坚肌耐痛。

绍兴校定：铁之种类多矣，生铁自有一种。今单言铁者，乃熟铁也，显经锻炼之物。况在方止淬渍为用，即无末服之法[1]。当作味辛、无毒为定。《日华子》云有毒者，非也。

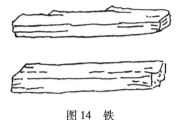

图14 铁

【校注】

［1］**末服之法** "末"，原作"未"，据药理改。

29 铁浆

铁精注中[1]陶为铁落是铁浆，苏云非也。按，铁浆取诸铁于器中，以水浸之，经久色青沫出，即堪染皂，兼解诸物毒入腹。服之亦镇心、明目，主癫痫发热，急黄，狂走，六畜癫狂，人为蛇、犬、虎、狼、毒刺、恶虫等啮，服之毒不入内。[2]

绍兴校定：铁浆，以诸铁渍水为浆，所渍者为用。主疗已载本经，然不说性味有无。既可解毒，当以性平、无毒是也。

【校注】

［1］**铁精注中** 原作"铁法中"，据《大观》改。

［2］**按，铁浆取诸铁……服之毒不入内** 以上68字原出《大观》《政和》"铁精"条下掌禹锡引陈藏器《本草拾遗》文。

30 秤锤

主贼风，止产后血瘕腹痛及喉痹热塞[1]。并烧令赤，投酒中，及热饮之。时人呼血瘕为儿枕，产后即起，痛不可忍。无锤用斧。

绍兴校定：秤锤主治已载本经，并不云性味、有无毒。今用之酒淬饮汁者，止假其铁之气味尔。但不正入圆散[2]，亦非专起疾之物。当从陈藏器味辛、温、无毒者是矣。

【校注】

[1] 塞 原作"寒"，据《大观》《政和》改。

[2] 圆散 即丸散，为药物剂型名。"丸"，因避宋钦宗赵桓讳，改为"圆"。

31 铁华粉

味咸，平，无毒。主安心神，坚骨髓，强志力，除风邪，养血气，延年变白，去百病，随体[1]所冷热。合和诸药，用枣膏为丸。作铁华粉法：取钢锻作叶，如匕或团，平面磨错，令光净，以盐水洒之，于醋瓮中，阴处埋之一百日，铁上衣生，铁华成矣。刮取，更细捣筛入乳钵，研如面，和合[2]诸药为丸散。此是铁之精华，功用强于铁粉也。

绍兴校定：铁华粉，主疗、造作制用已载本经，既安心神，养血气，当从味咸，平，无毒是矣。

【校注】

[1] 随体 "随"，原作"堕"，据《大观》《政和》改。"体"，《大观》脱。

[2] 合 郑杨本脱。

32 铁粉

味咸，平，无毒。主安心神，坚骨髓，除百病。变白，润肌肤，令人不老，体健能食，久服令人身重肌黑[1]。合和[2]诸药各有所主。其造作粉，飞炼有法，文多不载，人多取杂铁作屑飞之，令体重，真钢则不尔。其针砂，市人错鑢铁为屑，和砂飞为粉卖之，飞炼家亦莫辨也。

绍兴校定：铁粉，本经说飞炼以成，而不载造作之法。今人多以杂铁或鑢铁为屑，和针砂为之，即不及钢铁飞炼成者。主治已载本经，味咸，平，无毒是矣。然亦不可久服之。

【校注】

[1] 肌黑 《大观》《政和》作"肥黑"。

[2] 合和 《政和》、郑杨本脱"和"字。

33 铁落

味辛、甘，平，无毒。主风热恶疮、疡疽疮痂疥气在皮肤中，除胸膈中热气，食不下，止烦，去黑子。一名铁液。可以染皂。生牧羊平泽及祊音伴城或析城。采无时。

绍兴校定：铁落，《图经》云乃烧铁赤沸，砧上打落细皮，俗亦呼为铁华。性味、主治已载本经，在方止是渍水为用，其无毒[1]者是矣。

【校注】

[1] **无毒** 郑杨本脱"无"字。

34 车辖

无毒。主喉痹及喉中热塞。烧令赤，投酒中，及热饮之。今附

绍兴校定：车辖，乃辖车轮铁也。据本经治喉痹及喉中热塞，酒淬饮汁[1]，盖通利之意。在喉痹热塞[2]，用酒治之，似乎非宜。今当从[3]烧赤，内水中饮之，庶使主治无相违，其无毒者是矣，然方家亦稀用之[4]。

【校注】

[1] **汁** 郑杨本讹作"计"。
[2] **塞** 原作"寒"，据本条上文改。
[3] **从** 郑杨本作"以"。
[4] **用之** 其后，原本有"一种唐本余"5个小字。按，此5个小字属下文"银膏"条的标题，当删。

35 银膏

味辛，大寒[1]。主热风心虚，惊痫恍惚狂走，膈上热，头面热风冲心上下。安神定志，镇心明目，利水道，治人心风，健忘。其法以白锡和银薄及水银合成之，亦甚补牙齿缺落，又当凝硬如银，合炼有法。

绍兴校定：银膏，然本经虽以水银、白锡、银薄三物合和而成，亦不见制造之法。又况水银不得近牙齿，发肿，善脱齿，复云补牙齿缺落者，乃见此一种无可执据之药，况方家亦不闻用之。本经味辛，大寒，不云有无毒。窃详以水银、白锡合

和，即当以有毒是矣。

【校注】

[1] **大寒** 其后，《纲目》有"无毒"2字。

36 马衔

无毒。主难产，小儿痫。产妇临产时手持之，亦煮汁服一盏。此马勒口铁也。《本经》马条注中已略言之[1]。

绍兴校定：马衔，亦[2]熟铁也。主治已载本经，盖取其滑利之意。在方多淬渍用之，余稀见入药。当从经注性平，无毒是矣。

【校注】

[1] **言之** 其后，《大观》《政和》有"今附"2字。

[2] **亦** 原作旁注，据《永乐大典·医药集》页634引《绍兴本草》文补。

37 铁精

平，微温[1]。主明目，化铜。疗惊悸，定心气，小儿风痫，阴癀脱肛。[2]

绍兴校定：铁精，方家名为铁精粉也。乃锻铁灶中飞出如尘，紫色轻虚者即是。《日华子》云犁镵尖浸水名为铁粉，其说显误。在本经说定心止悸，当以性平，无毒者是矣。

【校注】

[1] **微温** 郑杨本无。

[2] **铁精……脱肛** 以上24字原续在"蜜陀僧"条末，今拔出移并于此条中。此条原仅有"铁精：平，主明目，化铜"8字。

38 铅丹

味辛，微寒。主吐逆[1]胃反，惊痫癫疾，除热下气，止小便利，除毒热脐挛，金疮溢血[2]。炼化还成九光，久服通神明。一名铅华，生于铅。生蜀郡平泽。

绍兴校定：铅丹，俗名黄丹也。以铅为之。唐注称炒锡作之者，诚为误矣。又本经虽具主疗，而云微寒，未见有无毒，但近世外用者多。窃详铅丹，本硫黄、消石炒铅而成，当从微寒而有小毒。若复制熬而用之者，当作性平而无毒矣。

【校注】

[1] **吐逆** 《大观》作"咳逆"。

[2] **溢血** "血"，原脱，据《大观》《政和》补。

39 赤铜屑

以醋和如麦饭，袋盛，先刺腋[1]下脉，去血封之，攻腋臭神效。又熬使极热，投酒中，服五合，日三，主贼风反折。又烧赤铜五斤，内[2]酒二斗中，百遍，服同前，主贼风甚验。

绍兴校定：赤铜屑，乃经火去矿之铜，即非熟炼之物。盖取色赤而作屑。本经虽有主治，然但不云性味、有无毒。《日华子》云苦，平，微毒。今详凡火锻以酒淬服之，则为无毒，若不锻淬服之，则为有毒。经注[3]接骨补伤，疗心痛等疾，当作味苦，微温是也。

【校注】

[1] **腋** 原作"腹"，郑杨本亦作"腹"，据《大观》《政和》改。

[2] **内** 原讹作"肉"，据《大观》《政和》改。

[3] **经注** 指《绍兴本草》注，非《神农本草经》注。

40 锡铜镜鼻

臣禹锡等谨按，月闭通用药云：锡铜镜鼻平[1]。主女子血闭、癥瘕，伏肠[2]绝孕及伏尸邪气。生桂阳山谷。

绍兴校定：锡铜镜鼻，主疗本经具载，而不云性味、有无毒。《药诀》云味酸。但此物以锡铜合成之，其服饵之家凡用之，多以淬而借气，当云无毒，末服之即有毒矣。既疗癥瘕[3]等疾，明非性冷之药。今当作味酸，性温为定，诸注云性寒与冷者非矣。

【校注】

[1] **平** 原作"乎"，据《大观》《政和》改。

[2] **肠** 卷子本《新修》作"腹"。

[3] 癥瘕 原作"癣癣"，据本条上文改。

41 铜青

平，微毒。治妇人血气心痛，合金疮，止血，明目，去肤赤息肉。生铜皆有青，青则铜之精华，铜器上绿色是。北庭署[1]者最佳。治目时淘洗用。

绍兴校定：铜青者，今称铜绿是矣。诸铜皆可作之。若在服饵者取吐，然用之亦稀。当从本经性平，微毒是也。

【校注】

[1] 署 原作"署"，据《大观》《政和》改。

42 车脂

主卒心痛、中恶气，以温酒调及热搅服之。又主妇人妒乳、乳痈，取脂熬令热涂之，亦和热酒服。

绍兴校定：车脂，即车辖口积久油尘脂也。在服饵则治中恶、心痛。在涂傅则疗妒乳、乳痈[1]。本经不载性味、有无毒，然既[2]是也。

【校注】

[1] 乳痈 "乳"，郑杨本脱。

[2] 既 其后，疑原本有脱文。

43 釭[1]音工中膏

主逆产，以膏画儿脚底即正。又主中风、发狂，取膏如鸡子大，以热醋搅令消，服之。

绍兴校定：釭中膏，此车釭内脂膏也，亦是油尘所化。以其与车脂内外稍别，故主疗小异，本一物矣。本经不载性味、有无毒。在方涂傅或化服者，当同车脂，味辛，无毒也。

【校注】

[1] 釭 古代木车上套在车轴末端的铁帽状圆窝。将釭涂上油脂，有利于车轴滚动。

44 铜弩牙[1]

主妇人产难血闭，月水不通，阴阳隔塞。

绍兴校定：铜弩牙，亦经火炼之铜也。主治之意，取其快利为用。在方皆烧淬饮汁，盖不可末服之也。本经不载性味、有无毒。《日华子》云平，微毒。今既淬汁服之，当作无毒是也。

【校注】

[1] **铜弩牙** 古代弓臂安置机械发射箭的设备为弩。弩上有夹制箭柄在固定处的零件为弩牙。"牙"，卷子本《新修》讹作"可"。

45 铅霜

冷[1]，无毒。消痰，止惊悸，解酒毒，疗胸膈烦闷、中风痰实，止渴。

绍兴校定：铅霜，以铅造作之，其法备载《图经》。以其色白，故又名铅白霜也。详本经主疗，当从性冷，无毒是矣。

【校注】

[1] **冷** 其前，《纲目》有"甘、酸"2字。

46 古文钱

平[1]。治翳障，明目，疗风赤眼。盐卤浸用，妇人横[2]逆产，心腹痛，月隔，五淋，烧以醋淬用。

绍兴校定：古文钱，乃熟铜也。本经虽有主疗，而不载味及有无毒。窃详古文钱又铜锡相杂而成，据经注所载，皆借气为用，当作味辛，无毒是也。

【校注】

[1] **平** 《纲目》作"辛，平，有毒"。
[2] **横** 《政和》作"撗"。

47 炉甘石[1]

味辛，微寒，有毒。主眼睑眦赤烂、痒痛、多泪，消瘀肉，退翳晕，能制铜为鍮石[2]，采无时。用之烧赤，以黄连水淬七遍，净地上去火毒一宿，次细研如粉，点目眦良。本草并不载此一种，今宜添入。生河东[3]山谷，然江淮亦产，唯太原者佳。绍兴新添

【校注】

[1] **炉甘石** 本条亦见于卷二"黑石脂"与"桃花石"之间。其书眉注云："卷一重复。"但神谷本仍将"炉甘石"列在卷一。又，《纲目》收载"炉甘石"，并注其出处为"纲目"，说明李时珍未见过《绍兴本草》。

[2] **鍮石** 即黄铜。

[3] **河东** 今山西地区。

48 锡蔺脂[1]

味甘、微咸，有小毒。镇坠风痰邪实，通利经络，消散癖结，诸方中颇用之。其形块大小不定，重紫黑色。表亦有如涂金，破之者有墙壁，产铅锡处皆有之，乃锡之矿也。入药当锻淬为用。本草不载，今宜添入。绍兴新添

【校注】

[1] **锡蔺脂** 《纲目》作"锡吝脂"。李时珍写《纲目》时未见过《绍兴本草》，故注"锡吝脂"出处为"纲目"。按，《普济方》治小儿天吊多涎搐搦不定方中有本品。

49 玉屑

味甘，平，无毒。主除胃中热，喘息烦满，止渴。屑如麻豆服之，久服轻身长年。生蓝田[1]，采无时[2]。

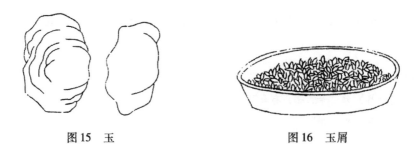

图 15　玉　　　　　　　　　　图 16　玉屑

绍兴校定：玉屑，碎玉为屑也。主疗已载本经，但洁白如猪膏，叩之鸣者佳。味甘，平，无毒者是矣。

【校注】

[1] **蓝田** 今陕西蓝田。

[2] **采无时** 其后,《大观》《政和》有"恶鹿角"3字。

50 玉泉

味甘,平,无毒。主五脏百病,柔筋强骨,安魂魄,长肌肉,益气,利血脉。疗妇人带下十二病,除气癃[1]音隆,明耳目。久服耐寒暑,不饥渴,不老神仙,轻身长年。人临死服五斤[2],死三年色不变。一名玉札。生蓝田山谷。采无时。

绍兴校定:玉泉,乃玉之自然泉液也。主治已载本经,味甘,平,无毒是矣。虽生蓝田山谷,但世之罕得,故方家稀用。注云以仙室池中者为善,仙室之论,亦无可据。或说杂以他药、他玉为液,以代玉泉,诚非真玉泉也。诸方亦罕用之。

图 17 玉泉

【校注】

[1] **气癃** 即气淋。虚者症见小腹坠胀、尿出无力;实者症见小便涩滞,而脐下胀满痛。

[2] **斤** 原讹作"化",据《大观》《政和》改。

51 青琅玕

味辛,平,无毒。主身痒,火疮[1]痈伤,白秃,疥[2]瘙,死肌,浸淫在皮肤中。煮炼服之,起阴气。可化为丹。一名石珠,一名青珠。生蜀郡[3]平泽。采无时[4]。

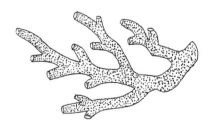

图 18 青琅玕

绍兴校定:青琅玕,虽经注所著出产不一,大抵石之类,状如珊瑚,色青者佳。诸注称以作玻璃、琉璃者误矣。主疗已载本经,其味辛,平,无毒者是也。虽古方间而有用,但近世稀用之。

[1] **火疮** 卷子本《新修》作"大疮"。

[2] **疥** 原脱,据《大观》《政和》补。

[3] **蜀郡** 今四川成都地区。

[4] **采无时** 其后,《大观》《政和》有"杀锡毒,得水银良,畏鸡骨"。

52 珊瑚

味甘,平,无毒。主宿血,去目中翳,鼻衄,末[1]吹鼻中。生南海。

绍兴校定:珊瑚,性味、主治已载本经,生南海。明润如红玉者佳。既可作点洗目药,其云无毒是矣。

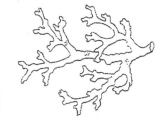

图19 广州[2]珊瑚

【校注】

[1] **末** 原作"未",据《大观》《政和》改。

[2] **广州** 今广东广州。

53 云母

味甘,平,无毒。主身皮死肌,中风寒热,如在车船上,除邪气,安五脏,益子精,明目,下气,坚肌,续绝补中,疗五劳七伤,虚损少气,止痢。久服轻身延年,悦泽不老,耐寒暑,志高,神仙。一名云珠,色多赤;一名云华,五色具;一名云英,色多青;一名云液,色多白;一名云砂,色青黄;一名磷石,色正白。生泰山山谷,齐鲁山及琅琊北定山石间。二[1]月采[2]。

图20 江州[3]云母　　　　图21 兖州[4]云母

绍兴校定:云母主治已载本经,因其五色,遂有五名。但取纯白轻薄者为上,杂黑重浊者不堪入药。凡用必须炼之成粉,乃[5]可服饵。当从本经味甘,平,无毒是矣。未经制炼者,当从《药性论》有小毒为定。然近世亦稀用之。

【校注】

[1] 二　原作"一"，据《大观》《政和》改。

[2] 采　其后，《大观》《政和》有"泽泻为之使，畏鮀甲及流水"。

[3] 江州　今江西九江。

[4] 兖州　今山东兖州。

[5] 乃　原作"及"，据龙谷本改。

54　白石英

味甘、辛，微温，无毒。主消渴，阴痿不足，咳逆，胸膈久寒，益气，除风湿痹，疗肺痿下气，利小便，补五脏，通日月光。久服轻身长年，耐寒热。生华阴山谷及泰山，大如指，长二三寸，六面如削，白澈有光，其黄端白棱名[1]黄石英，赤端名赤石英，青端名青石英，黑端名黑石英。二月采，亦无时。

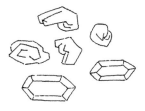

图22　泽州[2]白石英

绍兴校定：白石英，乃石之英华也。益气疗肺疾，诚为要药。《日华子》云其补益随脏色而治，此乃一家之说。然世之所用者，唯白石英。主治肺病，经验不惑，明矣。当从本经味甘、辛，微温，无毒是也。除白石英、紫石英外，余色石英并无专主治正文。

【校注】

[1] 名　其前，郑杨本有"一"字。

[2] 泽州　今山西晋城。

55　紫石英

味甘、辛，温[1]，无毒。主心腹咳逆邪气，补不足，女子风寒在子宫，绝孕十年无子，疗上气心腹痛，寒热邪气、结气，补心气不足，定惊悸，安魂魄，填下焦，止消渴，除胃中久寒，散痈，令人悦泽。久服温中，轻身延年。生泰山山谷。采无时。

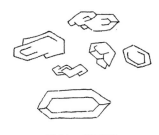

图23　紫石英

绍兴校定：紫石英与白石英形质小大颇同，但其色紫者，故名紫石英也。《图经》云其力倍于白石英，乃论药攻疾而力有轻重矣，非谓与白石英主治一同，缘皆名石英，故言之。又本经云主女子风寒在子宫及补心气不足，则其性温明矣。李氏[2]复云大寒者，甚非也。当从味甘、辛，温，无毒是矣。

【校注】

[1] **辛，温** 郑杨本作"平"。

[2] **李氏** 郑杨本作"季氏"。

56 菩萨石

平，无毒。解药毒、蛊毒及金石药发动，作痈疽渴疾，消扑损瘀血，止热狂惊痫，通月经，解风肿，除淋，并水磨服。蛇虫蜂蝎、狼犬毒箭等所伤，并末傅之，良[1]。

绍兴校定：菩萨石，据《谈苑》所说形质甚详，以本经考之，主疗亦备。既能解诸毒，其性平、无毒者明矣。

【校注】

[1] **良** 其后原衍"绍兴校定"4字，此4字与下文重，故删。

57 马脑

味辛，寒，无毒。主辟恶，熨[1]目赤烂。红色似马脑，亦美石之类，重宝也。生西国玉石间，来中国者皆以为器。亦云马脑珠是马口中吐出，多是胡人谬言，以贵之耳。新补 见陈藏器

陈藏器：马脑出日本国，用研木不热[2]为上，研木热[3]非真也。[4]

绍兴校定：马脑，性味、主治及无毒之文并载本经，然但可从熨[1]目为用，亦未闻入服饵之药矣。

【校注】

[1] **熨** 原作"慰"，据《大观》《政和》改。

[2] **研木不热** 原作"研水石热"，据《大观》《政和》《纲目》改。

[3] **研木热** 原作"研不热"，据《大观》《政和》《纲目》改。

[4] **陈藏器：马脑……非真也** 以上22字，郑杨本无。

58 砺石

无毒。主破宿血，下石淋，除癥结，伏鬼物恶气。一名磨石。烧赤[1]热投酒中饮之，即今之磨刀石。取迳傅蠮螉[2]溺疮有效。又不欲人蹋之，令人患带下，未知所由。又有越砥石，极细，磨汁滴目，除障暗。烧赤投酒中，破血瘕痛。功状极同，名又相近，应是砺矣。《禹贡》注云：砥细于砺，皆磨石也。**新补 见陈藏器**

绍兴校定：砺石，即今之磨刀石也。又有越砥石一种，其状颇细于砺，而主治一同，本经云应是砺[3]矣。况诸石皆可磨刀，今定当取越砥石正作砺石用，庶使有准。主治已载本经，无毒者是矣。

【校注】

[1] **赤** 原讹作"未"，据《大观》《政和》改。

[2] **蠮螉** 为革翅目昆虫的统称。

[3] **砺** 原讹作"磨"，据上文改。

59 苍石

味甘，平，有毒[1]。主寒热，下气，瘘蚀，杀禽兽[2]。生西城[3]。采无时。

绍兴校定：苍石，据《图经》及唐注并称礜石中色青者。本经虽有性味、主疗之文，但诸方不复见用。既能毒杀禽兽，其有毒明矣。

【校注】

[1] **有毒** 卷子本《新修》作"无毒"。

[2] **杀禽兽** 卷子本《新修》作"杀飞禽鼠"。

[3] **西城** 原作"西域"，《纲目》"特生礜石"条引《别录》曰同。今据《大观》《政和》改。按，《大观》《政和》"苍石"条引"唐本注"云："苍石并生西城，在汉川金州也。"唐代金州即今陕西安康。

60 淋石

无毒。主石淋。此是患石淋人或于溺中出者，如小石。水磨服之，当得碎石，随溺出。

绍兴校定：淋石，即病淋人所下之石也。然本经虽有主疗及无毒之文，但治病之药，取其精英者为上[1]，此甚非起疾之药矣。

【校注】

［1］**上** 原作"止"，据文理改。

绍兴校定经史证类备急本草卷之一终

绍兴校定经史证类备急本草卷之二

61 丹砂

味甘，微寒，无毒。主身体五脏百病，养精神，安魂魄，益气明目，通血脉，止烦满消渴，益精神[1]，悦泽人面，杀精魅邪恶鬼，除中恶腹痛，毒气疥瘘诸疮。久服通神明，不老，轻身神仙，能化为汞[2]。作[3]末名真朱，光色如云母，可折[4]者良。生符陵[5]山谷。采无时。

图 24　辰州[6]丹砂

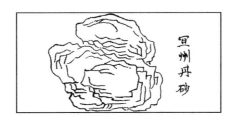

图 25　宜州[7]丹砂

绍兴校定：丹砂，即朱砂是也，以其色名之。主治已载本经，唯产辰州光明铁色者佳。本经味甘，微寒，无毒。而注说或称有毒。按古方小儿初生有服朱蜜法，即知无毒明矣。在方生用之，即微寒、无毒。若经火锻炼之，即性变大热而有毒矣。又《别说》云：信州[8]一种极有大者，光芒墙壁，略类[9]宜州所产，然皆有砒气，破之作土砒色。其伤人[10]之说不可不疑之。今详生砒形色然亦有色红者，但比之丹砂，殊难杂矣。

【校注】

[1] 益精神　"精"原脱，据《大观》《政和》补。

[2] 汞　原讹作"永"，据《大观》《政和》改。

[3] 作　原脱，据《大观》《政和》补。

［4］**折**　《大观》《政和》作"析"。

［5］**符陵**　今重庆彭水。

［6］**辰州**　今湖南沅陵。

［7］**宜州**　今广西宜州。

［8］**信州**　今江西上饶。

［9］**类**　原脱，据龙谷本补。

［10］**人**　原讹作"入"，据文理改。

62　水银[1]

味辛，寒，有毒。主疗瘘[2]痂音加疡音羊白秃，杀皮肤中虱[3]，堕胎，除热，以傅男子阴，阴[4]消无气，杀金银铜锡毒，镕化还复为丹。久服神仙不死。一名汞。生符陵[5]平土，出于丹砂[6]。

图26　取水银朱砂　　　　　图27　锻水银炉

绍兴校定：水银所产，出自丹砂。其造作之法，备载《图经》，而但有精粗矣。乃至阴之物，其味辛，寒者是也。然主疗备于本经，以性为至毒，不可妄用，其伤人甚速。《日华子》云无毒者，明乃无字之误。方皆以他药制炼用之，今当从《药性论》有大毒是矣。

【校注】

［1］**水银**　其后，郑杨本有"朱砂"2字。按，原本作"取水银朱砂"5字，此5字乃朱砂的药图标题，非本条文的标题。按《大观》《政和》，本条文标题应作"水银"。

［2］**疗瘘**　卷子本《新修》作"疗癯"。

［3］**虱**　卷子本《新修》作"虫虱"。

［4］**阴**　原脱，据《大观》《政和》补。

［5］**符陵**　今重庆彭水。

［6］**丹砂**　原讹为"丹阳"，据《大观》《政和》改。

63　水银粉

味辛，冷，无毒。畏磁石、石黄。通大肠，转小儿疳并瘰疬，杀疮疥癣虫及鼻上酒齄，风疮燥痒[1]。又名汞粉、轻粉、峭粉。忌一切血。

绍兴校定：水银粉，飞炼水银而为轻粉，今称腻粉是也。主治已载本经，其云无毒，但恐无字之误。既自水银而成，当以味辛，冷，有毒为定。服饵之家，动伤牙齿者众矣。

【校注】

[1] **燥痒** 《大观》同，《政和》、郑杨本作"瘙痒"。

64 灵砂[1]

味甘，性温，无毒。主五脏百病，养神，安魂魄，益气明目，通血脉，止烦满，益精神，杀精魅恶鬼气[2]。久服通神明，不老轻身神仙，令人心灵。一名二气砂。水银一两，硫黄六铢细研，先炒作青砂头，后入水火既济炉，抽之如束针纹者成就也。恶磁石，畏咸水[3]。

绍兴校定：灵砂，以水银、硫黄二物锻成。本经云甘，温，无毒，窃详水银、硫黄俱是有毒之物，虽经锻炼，今当以性温、有毒为定。详正文主疗之外，而近世用之，其升降阴阳，止逆定吐，最为要药也。

【校注】

[1] **灵砂** 即人工制造的硫化汞。
[2] **恶鬼气** "鬼"，原脱，据《大观》《政和》补。
[3] **畏咸水** 其后原衍"茅亭话"3字。此3字，按《大观》《政和》应属下文标题，非本文内容，当删。

65 雄黄

味苦、甘，平，寒[1]，大温[2]，有毒。主寒热鼠瘘，恶疮疽痔死肌，疗疥虫䘌疮，目痛，鼻中息肉及绝筋破骨，百节中大风，积聚癖气，中恶腹痛，鬼疰，杀精物恶气[3]、邪气、百虫毒，胜五兵，杀诸蛇虺毒，解藜芦毒。悦泽人面。炼食之轻身神仙，饵服之皆飞入人脑中，胜鬼神，延年益寿，保中不饥。得铜可作金，一名黄食石。生武都[4]山谷，敦煌[5]山之阳。采无时。

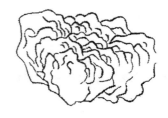

图28 阶州[6]水窟雄黄　　　　图29 阶州[6]雄黄

绍兴校定：雄黄，出产、主疗已载本经。入药当取形块明澈，色如鸡[7]冠，不夹石者佳，余者不堪。本经云味苦、甘，平、寒，复云大温，盖谓经火炼者，其性变温，若生用者，其性则寒，皆为有毒。陈藏器余内又有石黄一条，乃雄黄之粗恶者尔。

【校注】

[1] **平，寒** 按《大观》《政和》，属《本经》药性。

[2] **大温** 按《大观》《政和》，属《别录》药性。此与注 [1]"平，寒"药性正相反。

[3] **恶气** 《大观》《政和》作"恶鬼"。

[4] **武都** 今甘肃武都。

[5] **敦煌** 今甘肃敦煌。

[6] **阶州** 今甘肃陇西。

[7] **鸡** 郑杨本作"雄"。

66　雌黄[1]

味辛、甘，平，大寒[2]，有毒。主恶疮头秃痂疥，杀毒虫虱身痒，邪气诸毒，蚀鼻中息肉，下部蛋疮[3]，身面白驳[4]，散皮肤死肌及恍惚邪气，杀蜂蛇毒。炼之久服，轻身，增年不老，令人脑满。生武都[5]山谷，与雄黄同山生。其阴山有金，金精薰则生雌黄。采无时。

图30 阶州[6]雌黄

绍兴校定：雌黄，主疗具于本经，但取成片如生金色、可折者佳。服饵家多以同雄黄锻炼用之。若外疗疾，皆生用之，未闻服饵生用也。其性即寒，经火炼之即热，皆味辛、甘，有毒是矣。

【校注】

[1] **雌黄** 郑杨本作"阶州雌黄"4字。按，此4字原属雌黄药图名，非本条药物正名。

[2] **平，大寒** 平与大寒是两种药性，前者为《本经》药性，后者为《别录》药性。

[3] **䘌疮** 即阴蚀，指妇女阴户生疮。

[4] **白驳** 即皮肤白斑。

[5] **武都** 今甘肃武都。

[6] **阶州** 今甘肃陇西。

67 石膏

味辛、甘，微寒、大寒[1]，无毒。主中风寒热，心下逆气惊喘，口干舌焦不能息，腹[2]中坚痛，除邪气[3]，产乳[4]，金疮，除时气，头痛身热，三焦大热，皮肤热，肠胃中膈气，解肌发汗，止消渴烦逆，腹胀暴气，喘息咽热。亦可作浴汤。一名细石，细理白泽者良，黄者令人淋。生齐山[5]山谷及齐庐山[6]、鲁蒙山[7]。采无时。

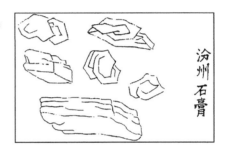

图31 汾州[8]石膏

绍兴校定：石膏，主治已载本经，与方解石形质相类，但细理莹白者为石膏[9]。方解石则敲之块块形方而解，以此有异尔，其主疗亦不远矣。然方家所用，亦各分之。今当作味辛、甘，寒，无毒是矣。

【校注】

[1] **微寒、大寒** "微寒"为《本经》药性，"大寒"为《别录》药性。又郑杨本脱"大寒"2字。

[2] **腹** 原作"胲"，据《大观》《政和》改。

[3] **邪气** 《大观》《政和》作"邪鬼"。郑杨本亦作"邪鬼"。

[4] **产乳** 指妇女怀孕足月生产。

[5] **齐山** 在今山东历城。

[6] **齐庐山** 在今山东诸城。

[7] **鲁蒙山** 今山东鲁山及蒙阴县。

[8] **汾州** 今山西汾阳。

[9] **但细理莹白者为石膏** 以上9字，郑杨本脱。

68　长石[1]

味辛、苦，寒，无毒。主身热，胃中结气，四肢寒厥[2]，利小便，通血脉，明目，去翳眇，下三虫[3]，杀蛊毒[4]，止消渴，下气，除胁肋肺间邪气。久服不饥。一名方石，一名土石，一名直石。理如马齿，方而润泽，玉色。生长子[5]山谷及泰山、临淄[6]，采无时。

图32　潞州[7]长石

绍兴校定：长石与理石、方解石、石膏，凡四种，经注具形质甚明。若在方则治风除热，功力不远。本经云长石文理如马齿，方而润泽，当从本经味辛、苦，寒，无毒是也。又今医方所用未闻单称长石者，但只云长理石。盖治病之方，取其已验之药。既四石其性与主治亦不远，若用石膏，即的当无疑，而经验可据也。

【校注】

[1] **长石** 其前，郑杨本有"潞州"2字。按，"潞州长石"4字为长石药图名，非本条药物正名。

[2] **寒厥** 手足逆冷为寒厥。按，长石性寒，应治热厥，不应治寒厥。

[3] **下三虫** "下"，卷子本《新修》作"去"。"三虫"，《诸病源候论》卷18认为是长虫、赤虫、蛲虫的合称。

[4] **杀蛊毒** "杀蛊"，原脱，据《大观》《政和》补。

[5] **长子** 今山西长治。

[6] **泰山、临淄** 泰山，今山东泰安。临淄，今山东临淄。

[7] **潞州** 今山西长治。

69　理石

味辛、甘，寒、大寒[1]，无毒。主身热，利胃，解烦，益精明目，破积聚，去三虫，除荣卫[2]中去来大热、结热，解烦毒，止消渴及中风痿痹。一名立制石，一名肌石。如石膏顺理而细。生汉中[3]山谷及卢山[4]。采无时。

绍兴校定：理石状如石膏，顺理而细，主治、性味亦与石膏不远矣。唐注复云市人刮去皮以代寒水石，并以当礜石，甚不相似，其说显误。但理石乃性寒去热之药，当作味辛、甘，寒，无毒者是矣。详主疗内云益精一说，亦未见其验。

【校注】

[1] **寒、大寒**　"寒"为《本经》药性，"大寒"为《别录》药性。

[2] **荣卫**　"荣"，指特种精华物质，能造血，以荣养机体。"卫"，即保卫，指能固表，以防御病邪的侵入。

[3] **汉中**　今陕西汉中。

[4] **卢山**　今山东诸城。

70　方解石

味苦、辛，大寒，无毒。主胸中留热结气，黄疸[1]，通血脉，去蛊毒。一名黄石。生方山。采无时[2]。

绍兴校定：方解石，其状碎之，则随大小而皆方，色明莹者佳。然与石膏性及主治方[3]不远，但形质少异尔。本经云味苦、辛，大寒，无毒是也。又陶注称为长石者误矣，不唯长石自有条例，其云方解者显非一物也。

【校注】

[1] **疸**　原讹作"疸"，据《大观》《政和》改。

[2] **时**　其后，《大观》《政和》有"恶巴豆"3字。

[3] **方**　原作"石"，据文理改。

71　滑石[1]

味甘，寒、大寒[2]，无毒。主身热泄澼，女子乳难，癃音隆闭，利小便，荡胃中积聚寒热，益精气，通九窍六腑津液，去留结，止渴，令人利中。久服轻身耐饥长年。一名液石，一名共石，一名脱石，一名番石。生赭阳[3]山谷及泰山[4]，或掖[5]北白山[6]，或卷[7]羌柯切山。采无时。

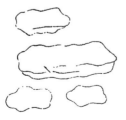　

图33　道州[8]滑石　　　图34　濠州[9]滑石

绍兴校定：滑石，除热利闭塞。方家所用者多。然本经云益精一说，未闻其验。所产桂府，白腻者佳，青绿[10]者不堪。当作味甘，寒，无毒是矣。

【校注】

[1] **滑石** 其前，郑杨本有"道州"2字。按，"道州滑石"4字为滑石药图名，非本条药物正名。

[2] **寒、大寒** 按《大观》《政和》，"寒"为《本经》药性，"大寒"为《别录》药性。

[3] **赭阳** 今河南叶县。

[4] **泰山** 今山东泰山。

[5] **掖** 今山东莱州。

[6] **山** 原脱，据《大观》《政和》补。

[7] **卷** 今河南原阳。

[8] **道州** 今湖南道县。

[9] **漳州** 今安徽地区。

[10] **青绿** 原讹作"音缘"，据龙谷本改。

72 不灰木[1]

大寒。主热痱疮，和枣叶、石灰为粉傅身。出上党[2]。如烂木，烧之不燃，石类也。

图35 潞州[3]不灰木

绍兴校定：不灰木，石类也。以其形如烂木，烧之不燃，故以为名。本经止云大寒，主热痱疮，而不云入服饵。今若外用之，当以性寒，无毒是矣。

【校注】

[1] **不灰木** 郑杨本作"潞州不灰木"。按，此5字为不灰木药图名，非本条药物正名。

[2] **上党** 今山西长子。

[3] **潞州** 今山西长治。

73 石脂[1]

青石、赤石、黄石、白石、黑石脂等。味甘，平。主黄疸，泄痢，肠澼脓血，阴蚀下血，赤白邪气，痈肿疽痔，恶疮头疡，疥瘙。久服补髓益气，肥健不饥，轻身延年。五石脂，名随五色，补五脏。生南山[2]之阳山谷中。

绍兴校定：五种色石脂，本神农旧经，生南山之阳。性味俱甘、平者，谓其所产土地一同故也。至于后世乃复疏为五种，由是出产不同，性味亦异。然观其大要，皆以补益固敛为用。入药当取色理鲜、缀唇者佳，并为无毒是矣。

【校注】

[1] **石脂** 本条原缺，据龙谷本补。

[2] **南山** 即秦岭终南山。

74 青石脂[1]

味酸，平，无毒。主养肝胆气，明目，疗黄疸，泄痢肠澼，女子带下百病，及疽痔恶疮。久服补髓益气，不饥延年。生齐区山[2]及海崖。采无时。

绍兴校定：青石脂，以其色青而名[3]之。主疗具于本经，酸，平，无毒是也。考五色石脂多入药者，唯[4]赤、白二种，自余三种，今罕用之。

【校注】

[1] **青石脂** 本条原缺，据龙谷本补。

[2] **齐区山** 今山东历城。

[3] **名** 其后，原重出"名"字，据文理删。

[4] **唯** 原讹作"喉"，据文理改。

75 赤石脂[1]

味甘、酸、辛，大温，无毒。主养心气，明目，益精。疗腹痛泄澼[2]，下痢赤白、小便利及痈疽疮痔，女子崩中漏下，产难胞衣不出。久服补髓，好[3]颜色，益智，不饥，轻身延年。生济南[4]、射阳[5]及泰山[6]之阴。采无时[7]。

绍兴校定：赤石脂，方家所用多矣。治痢及女子崩漏，固敛之功甚验。今以出河东潞州者佳。本经云味甘、酸、辛，大温，无毒是也。鲜腻缀唇者为胜。

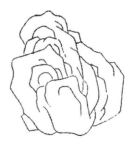

图36 潞州[8]赤石脂

【校注】

[1] **赤石脂** 其前，郑杨本有"潞州"2字。按，"潞州赤石脂"为赤石脂药图名，非本条药物正名。

[2] **泄澼** 腹泻时伴有澼澼声，故名泄澼。

[3] **好** 原讹作"如"，据《大观》《政和》改。

[4] **济南** 今山东济南。

[5] **射阳** 今江苏淮安。

[6] **泰山** 今山东泰山。

[7] **时** 其后，《大观》《政和》有"恶大黄，畏芫花"。

[8] **潞州** 今山西长治。

76 白石脂[1]

味甘、酸，平，无毒。主养肺气，厚肠，补骨髓。疗五脏惊悸不足，心下烦，止腹痛，下水，小肠澼热溏，便脓血，女子崩中、漏下、赤白沃，排痈疽疮痔。久服安心不饥，轻身长年。生泰山之阴。采无时。

图37 潞州[2]白石脂

绍兴校定：白石脂，多用于断下诸方。其味甘、酸，性平，无毒是矣。出泰山之阴，鲜腻而缀唇者佳。

【校注】

[1] **白石脂** 其前，郑杨本有"潞州"2字。按，"潞州白石脂"为白石脂药图名，非本条药物正名。

[2] **潞州** 今山西长治。

77 黄石脂

味苦，平，无毒。主养脾气，安五脏，调中，大人小儿泄痢肠澼[1]，下脓血，去白虫，除黄疸、痈疽虫。久服轻身延年。生嵩高山[2]，色如莺雏。采无时。

绍兴校定：黄石脂，五石脂之一也。虽有主疗之文，然方家稀入药用。当从本经苦，平，无毒为正。

【校注】

[1] **澼** 郑杨本脱。

[2] **嵩高山** 今河南登封。

78　黑石脂

味咸，平，无毒。主养肾气，强阴，主阴蚀疮，止肠澼泄痢，疗[1]口痛咽痛。久服益气不饥延年。一名石涅，一名石墨。出颍川、阳城[2]。采无时。

绍兴校定：黑石脂，性味、主疗本经具载，今稀见用于方也。窃详五石脂皆固敛之药，其性温平甚明。注文引季氏[3]，复云小寒者，误矣。

【校注】

[1]　**疗**　郑杨本脱。

[2]　**颍川、阳城**　颍川，即今河南禹州。阳城，即今河南登封。

[3]　**季氏**　《纲目》作"李氏"，即李当之简称。

79　桃华石[1]

味甘，温，无毒。主大肠中冷脓血痢，久服令人肌热能食。

绍兴校定：桃华石，形色、主疗虽与赤石脂相类，其实两物也。但舐之不著舌者与赤石脂有异耳。以其温肠止痢，当从本经味甘，温，无毒是也。

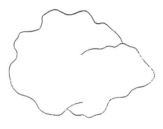

图38　信阳军[2]桃华石

【校注】

[1]　**桃华石**　郑杨本作"信阳军桃华石"。按，此名为桃华石药图名，非本条药物正名。

[2]　**信阳军**　今河南信阳。

80　井泉石

大寒，无毒。主诸热，治眼肿痛，解心脏热结，消去肿毒及疗小儿热疳、雀目、青盲。得大黄、栀子治眼睑肿；得决明、菊花，疗小儿眼疳生翳膜甚良，亦治热嗽。近道处处有之，以出饶阳郡[1]者为胜。生田野间地中，穿地深丈余得，如土色，圆方、长短、大小不等，内实而外则重重相叠。采无时。用之当细研为粉，不尔使人淋。又有一种如姜石，时人多指为井泉石者，非是。新定

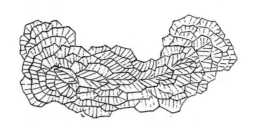

图 39　深州[2]井泉石

绍兴校定：井泉石虽所产土地不一，而北地者为佳。以其掘地丈余得之，故谓之井泉石也。形色、主疗已载本经，当云性寒，无毒者是矣。

【校注】

[1]　**饶阳郡**　郑杨本作"饶郡阳"。

[2]　**深州**　今河北深州。

81　无名异

味甘，平。主金疮折伤内损，止痛，生肌肉，出大食国。生于石上，状如黑石炭，蕃人以油炼如黳石，嚼之如饧。无名异无毒[1]。

图 40　广州[2]无名异

图 41　宜州[3]无名异

绍兴校定：无名异，石类也。所产大食国及广南山中，形块小大不定，其色黑褐，性味、主疗具于本经，乃无毒之药尔。或云无名异有草石二种，以其形可验，明非草者矣。

【校注】

[1]　**无名异无毒**　以上5字，按《大观》《政和》出"日华子注"。其前，神谷本省去"日华子云"4字。

[2]　**广州**　今广东广州。

[3]　**宜州**　今广西宜州。

82 石钟乳

味甘，温，无毒。主咳逆上气，明目益精，安五脏，通百节，利九窍，下乳汁，益气，补虚损。疗脚弱疼冷，下焦伤竭。强阴，久服延年益寿，好颜色不老，令人有子。不炼服之令人淋。一名公乳，一名芦石，一名夏石。生少室[1]山谷及泰山[2]。采无时。

绍兴校定：石钟乳，性味、主治已载本经。在石穴堂中，石液凝而为乳，用之当取状如鹅翎管或碎如爪甲，轻薄光明者佳。煮炼研成粉，极细为用，则曰无毒；若不炼服之，令人淋，则为有毒。今定石钟乳制炼如法，即性热、无毒，其不经制炼及制炼不如法者，并有小毒矣。

图 42　道州[3]石钟乳

【校注】

[1] **少室**　今河南登封。

[2] **泰山**　今山东泰山。

[3] **道州**　今湖南道县。

83 孔公蘖

味辛，温，无毒。主伤食不化，邪结气，恶疮疽瘘痔，利九窍，下乳汁，男子阴疮，女子[1]阴蚀及伤食病，常欲眠睡。一名通石，殷蘖根也。青黄色。生梁山[2]山谷。

绍兴校定：孔公蘖，即钟乳根也。主治已载本经，其称为殷蘖根者，误矣。然殷蘖在上，盘屈如姜；钟乳在下，通明如鹅管；孔公蘖在中，形如牛羊角也。唐注所说甚[3]明，然诸方用之，皆以酒渍。当从味辛，温，无毒。若生用入药，亦有毒矣。

【校注】

[1] **女子**　郑杨本误作"子女"。

[2] **梁山**　今陕西大荔。

[3] **蓋** 原讹作"共",据文理改。

84 殷孽

味辛,温,无毒。主烂伤瘀血,泄痢寒热,鼠瘘、瘰痕[1]结气,脚冷疼弱[2]。一名姜石,钟乳根也。生赵国[3]山谷,又梁山[4]及南海。采无时。

绍兴校定:殷孽与孔公孽及钟乳,在石室中,但分高下、清浊,形质在异尔。钟乳在下,形如鹅管而莹明;孔公孽在中[5],形如牛羊角而稍浊;殷孽在上,附石盘屈如姜。此一物而分三名。以诸方多用钟乳者,盖谓取其精英矣。二孽主治已载本经,皆酒渍而可用。当从味辛,温,无毒。若生用入药,即有毒矣。

【校注】

[1] **瘰痕** 郑杨本脱。

[2] **脚冷疼弱** 郑杨本作"脚疼冷弱"。

[3] **赵国** 今河北冀州。

[4] **梁山** 今陕西大荔。

[5] **形如鹅管而莹明;孔公孽在中** 以上12字,郑杨本脱。

85 土阴孽[1]

味咸,无毒。主妇人阴蚀[2],大热干痂。生高山崖上之阴,色白如脂。采无时。

绍兴校定:土阴孽,本经及陶注并称生高山崖上,唐本及别注以谓生土窟穴中。虽云与殷孽相类,今方家罕见入药,及近世亦少识之。当从本经味咸,无毒为正。

【校注】

[1] **土阴孽** "阴",《纲目》作"殷"。

[2] **阴蚀** 即妇女阴户生疮。"阴",原脱,据《大观》《政和》补。

86 石脑

味甘,温,无毒。主风寒虚损,腰脚[1]疼痹,安五脏,益气。一名石饴饼。生名山土石中。采无时。

绍兴校定：石脑，医方中亦罕用之。据本经载性味、主疗，及注云类钟乳，显见性温明矣。然当须制炼而可用，即为无毒，若生用之不得为无毒也。

【校注】

[1] **腰脚** 刘《大观》同，柯《大观》作"脚腰"。

87 石脑油

主小儿惊风，化涎。可和诸药作丸服，宜以瓷器贮之，不可近金银器。虽至完密[1]，直尔透之。道家多用，俗方亦不甚须。新定

绍兴校定：石脑油，本经不载所出州土及性味、有无毒。今山东及海南皆有之，状如竹沥。冬月微凝，上舌紧者为佳。虽名石脑油，但恐附石而生水中液，非自然石中所出矣。其云治小儿惊风、化涎，即知性寒，多饵亦可为害。今医方罕使，唯丹灶家时用之，当云味辛，寒，有毒为定。

【校注】

[1] **密** 郑杨本脱。

88 石灰

味辛，温。主疽疡疥瘙，热气恶疮，癞疾死肌，堕眉，杀痔虫，去黑子息肉，疗髓骨疽。一名恶灰，一名希灰。生中山[1]川谷。

绍兴校定：石灰，锻石为灰，味辛、性热而复利。在本经主疗，唯以外用之，其有毒明矣。《日华子》云无毒者，非也。

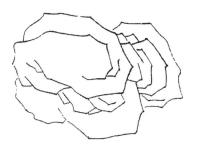

图 43 石灰

【校注】

[1] **中山** 今河北定州。

89 阳起石

味咸，微温，无毒。主崩中漏下，破子脏中血，癥瘕结气，寒热腹痛，无子，

阴痿不起，补不足，疗男子茎头寒，阴下湿痒，去臭汗，消水肿。久服不饥，令人有子。一名石生，一名羊起石，云母根也。生齐山[1]山谷及琅琊[2]，或云山、阳起山。采无时。

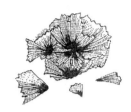

图44 齐州[3]阳起石

图45 青州[4]阳起石

绍兴校定：阳起石，出产土地不一，形块小大不等，但以出[5]齐州色莹白有撮纹者佳，又一种出青州，无撮纹者不堪。凡入药当须火煅用之。主治已载本经。李氏云小寒即误也，当云味咸，性热，无毒是矣。

【校注】

[1] **齐山** 在今山东历城。

[2] **琅琊** 今山东诸城海边诸小岛。

[3] **齐州** 今山东历城。

[4] **青州** 今山东北部沿莱州湾地区。

[5] **出** 郑杨本脱。

90 磁石

味辛、咸，寒，无毒。主周痹臣禹锡等谨按，《蜀本》注云：凡痹，随血脉上下，不能左右去者为周痹[1]风湿，肢节中痛，不可持物，洗洗酸痟[2]，除大热，烦满及耳聋。养肾脏，强骨气，益精除烦，通关节，消痈肿，鼠瘘，颈核喉痛，小儿惊痫。炼水饮之，亦令人有子。一名玄石，一名处石。生泰山[3]川谷及磁山[4]山阴，有铁处则生其阳。采无时。

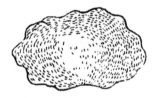

图46 磁州[5]磁石

绍兴校定：磁石，本经主治有炼水饮之者，当从性寒，无毒。若经火煅错者，即为性温，无毒。然皆益阴强肾，当从经[6]而用之。其味辛、咸。但吸铁有力者佳。

【校注】

[1] **臣禹锡等……为周痹** 以上26字，原作双行小字注文。郑杨本无。

[2] **酸痛** 《周礼·天官·疾医》注："酸削也。"

[3] **泰山** 今山东泰山。

[4] **磁山** 在今河北磁县。

[5] **磁州** 今河北磁县。

[6] **经** 原作"宜"，据文理改。

91 玄石

味咸，温，无毒。主大人小儿惊痫，女子绝孕，小腹冷痛，少精身重，服之令人有子。一名玄水石，一名处石。生泰山之阳，山阴有铜，铜者雌，玄者雄[1]。

图47 玄石

绍兴校定：玄石与磁石，主治一也，但其[2]色黑而不能吸铁为异尔。本经云味咸，温，无毒是矣。然方家亦稀用之。

【校注】

[1] **玄者雄** 人卫本《政和》作"黑者雄"。

[2] **其** 郑杨本无。

92 代赭

味苦、甘，寒，无毒。主鬼疰贼风、蛊毒，杀精物恶鬼，腹中毒邪气，女子赤沃漏下，带下百病，产难，胞衣不出，堕[1]胎，养血气，除[2]五脏血脉中热，血痹血瘀，大人小儿惊气入腹，及阴痿不起。一名须丸，一名血师。生齐国[3]山谷，赤红青色，如鸡冠者有泽，染[4]爪甲[5]不渝者良。采无时。

图48 代赭

绍兴校定：代赭，石类也。出产、形色、主疗，本经具载，取色如铁色朱砂，形坚实而有浮沤下者佳。故俗谓之丁头代赭。方家入[6]药多锻淬用之。本经云苦、甘，寒，无毒是[7]也。其有方用赤土者，与代赭自是两种尔。

【校注】

[1] 堕 原讹作"随",据《大观》《政和》改。

[2] 除 原作"邪",据《大观》《政和》改。

[3] 弈国 今山东北部。

[4] 桼 郑杨本脱。

[5] 甲 原讹作"申",据文理改。

[6] 入 原脱,据文理补。

[7] 是 郑杨本脱。

93 禹馀粮

味甘,寒、平,无毒。主咳逆,寒热烦满,下赤白[1],血闭,癥瘕大热,疗小腹痛结烦疼,炼饵服之不饥,轻身延年。一名白馀粮。生东海池泽及山岛中或池泽中。

图49 禹馀粮

陶隐居云:今多出东阳,形如鹅鸭卵,外有壳重叠,中有黄细末如蒲黄,无砂者为佳。《仙经》服食用之。南人又呼平泽中有一种藤,叶如菝葜,根作块有节,似菝葜而色赤,根形似薯蓣,谓为禹馀粮。言昔禹行山乏食,采此以充粮,而弃其余,此云白馀粮也。生池泽复有仿佛。或疑今石者,即是太一也。张华云:地多蓼者,必有馀粮,今庐江间便是也。适有人于铜官采空青于石坎,大得黄赤色石,极似今之馀粮,而色过赤好,疑此是太一也。彼人呼为雌黄,试涂物,正如雄黄色尔。[2]

绍兴校定:禹馀粮,石类也。故本经列之石部中。或云是草类者,非此禹馀粮也。女人断下药多用之。其状壳生重迭,中有黄末,若生用之,即当从本经,其性寒。今诸方所用,多以烧煅醋淬,然后入药。当作性平,其[3]味甘,无毒是矣。

【校注】

[1] 白 其后,郑杨本有"沃"字。

[2] 陶隐居云……正如雄黄色尔 以上一段注文,郑杨本无。又神谷本"太乙馀粮"条下所列"禹馀粮附"的文字与此处文字全同,显系重出。

[3] 其 原作"俱",据文理改。

94 太乙馀粮

味甘,平,无毒。主咳逆上气,癥瘕血闭,漏下。除邪气,肢节不利,大饱绝力身重。久服耐寒暑，不饥，轻身，飞行千里，神仙。一名石脑。生泰山[1]山谷。九月采。

绍兴校定：太一馀粮与禹馀粮本一物也，特以形色为别尔。主疗之文本经俱[2]载。入药亦当煅淬用之。按唐本注云：或青或白，或赤或黄，年多变赤，因赤[3]渐紫，自赤及紫，俱名太一。其诸色通谓之馀粮。今定太乙馀粮，赤紫者为是。味甘，平，无毒。其名太一之说，虽具陈藏器，然唐注甚[4]明[5]。

【校注】

[1] **泰山**　今山东泰山。

[2] **俱**　原作"具"，据文理改。

[3] **赤**　原脱，据陶隐居注"太一禹馀粮"文补。

[4] **甚**　原讹作"其"，据文理改。

[5] **明**　本条后重出"禹馀粮附"一条，该条文字与"禹馀粮"条末所引陶隐居注文全同。

95　石中黄子[1]

味甘，平，无毒。久服轻身，延年不老。此禹馀粮壳中未成馀粮黄浊水也，出馀粮处有之。陶云芝品中有石中黄子，非也。

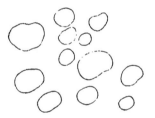

图50　河中府[2]石中黄子

绍兴校定：石中黄子与禹馀粮大同而小异，本经云禹馀粮黄浊水也。旧说以初破时取而饮之，今所用即是久而坚凝者尔，其中有水者罕得之矣。本经并无疗疾之说，当从禹馀粮主疗。其味甘，平，无毒是也。

【校注】

[1] **石中黄子**　郑杨本作"河中府石中黄子"。

[2] **河中府**　今山西永济。

96　空青

味甘、酸、寒、大寒[1]，无毒。主青盲、耳聋，明目，利九窍，通血脉，养精神，益肝气。疗目赤痛，去肤翳，止泪出，利水道，下乳汁，通关节，破坚积。久服轻身，延年不老，令人不忘，志高神仙，能化钢铁铅锡作金。生益州[2]山谷及越巂[3]山有铜处，铜精熏则生空青，其腹中空。三月中旬采，亦无时。

图51 信州[4]空青

绍兴校定：空青谓其色青而中空，故名空青也。形如杨梅，色青翠可爱。疗诸目疾甚验。虽云其中有水，能愈目盲，然亦未闻见有水者，其无水者亦少得之。此物即非大寒，今当作味甘酸、寒、无毒是也。若其色带白而中实者，即非空青矣。

【校注】

［1］**寒、大寒** 以上3字，郑杨本脱。"大寒"，原脱，据《大观》《政和》补。本条校定文亦提及"此物即非大寒"，说明本条正文应有"大寒"2字。又"寒"为《本经》药性，"大寒"为《别录》药性。

［2］**益州** 四川省古称。

［3］**越巂** 今四川西昌。

［4］**信州** 今江西上饶。

97 曾青

味酸，小寒，无毒。主目痛，止泪出，风痹，利关节，通九窍，破癥坚积聚，养肝胆，除寒热，杀白虫，疗头风、脑中寒，止烦渴，补不足，盛阴气。久服轻身不老，能化金铜。生蜀[1]中山谷及越巂山。采无时。

图52 曾青

绍兴校定：曾青所出与空青同山，但中实而不空，累相缀然。二青在治目方中用之皆验。今空青世罕有，唯曾青疗目疾多用之。当从本经味酸，小寒，无毒是矣。

【校注】

［1］**蜀** 今四川省。

98 绿青

味酸，寒，无毒。主益气，疗鼽音求鼻[1]，止泄痢。生山之阴穴中，色青白。

图 53　信州^[2]绿青

绍兴校定：绿青，其色带绿，故亦名石绿也。俗用绘画则其色可爱。古方分吐之药亦用之。味酸，性寒。既能取吐者，宜当有小毒矣。

【校注】

[1] **衄鼻**　鼻出血。

[2] **信州**　今江西上饶。

99　白青

味甘、酸、咸，平，无毒。主明目，利九窍，耳聋，心下邪气，令人吐，杀诸毒三虫。久服通神明，轻身延年不老，可消为铜剑，辟五兵^[1]。生豫章^[2]山谷。采无时。

绍兴校定：白青，以空青、曾青较之，色青带白，其腹不空者为是，形块小大不定也。本经主疗亦同空青，明目。又以取吐为用，当以味甘、酸、咸，小毒为定，但古今方中稀用之。

【校注】

[1] **五兵**　古代五种兵器。各书所注不一，一般泛指戈、矛、剑、戟、弓矢。

[2] **豫章**　今江西南昌。

100　扁_{音褊}青

味甘，平，无毒。主目痛，明目，折跌_{音迭}痈肿，金疮不瘳^[1]_{音抽}，破积聚，解毒气，利精神，去寒热风痹，及丈夫茎中百病，益精。久服轻身不老。生朱崖^[2]山谷、武都^[3]、朱_{音殊}提^[4]_{音时}。采无时。

绍兴校定：扁青与诸青皆石之类也。其出产、主治具载本经。然比之绿青、白青，即无取吐之说。当从本经味甘平，无毒为正。若唐注直指为绿青者，未见的据。今方家亦罕用之。

【校注】

[1] **不瘳** 不痊愈。

[2] **朱崖** 今海南琼山。

[3] **武都** 今甘肃武都。

[4] **朱提** 今云南昭通。

绍兴校定经史证类备急本草卷之二终

绍兴校定经史证类备急本草卷之三

101 石胆

味酸、辛，寒，有毒。主明目，目痛，金疮，诸痫痉巨郢切，女子阴蚀痛[1]，石淋寒热，崩中下血，诸邪毒气，令人有子，散癥积[2]，咳逆上气，及鼠瘘[3]，恶疮。炼饵服之，不老，久服增寿神仙，能化铁为铜成金银。一名毕石，一名黑石，一名棋石，一名铜勒。生羌道山谷[4]、羌里句青山。二月庚子、辛丑日采。

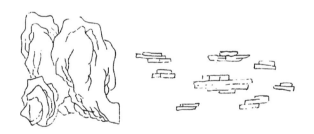

图54　信州[5]石胆

绍兴校定：石胆，主治、出产已载本经。然未经制炼者乃名石胆，已经制炼而成者即名胆矾。此一种之物，但分精粗。然方家所用，多以称胆矾用之。其味极烈[6]，亦可作分吐之药。当从本经味酸、辛，寒，有毒是矣。

【校注】

[1] **阴蚀痛**　妇女阴户生疮痛。

[2] **积**　原讹作"秷"，据《大观》《政和》改。

[3] **鼠瘘**　即瘰疬。

[4] **羌道山谷**　以上4字，郑杨本脱。"羌道"，即今甘肃岷县。

[5] **信州** 今江西上饶。

[6] **烈** 原讹作"列",据龙谷本改。

102 礜石

味辛、甘,大热,生温熟热[1],有毒。主寒热鼠瘘,蚀疮,死肌,风痹,腹中坚癖邪气,除热明目,下气,除膈中热,止消渴,益肝气,破积聚,痼冷腹痛,去鼻中息肉。久服则[2]杀人及百兽。一名青分石,一名立制石,一名固羊石,一名白礜石,一名太白石,一名泽乳,一名食盐。生汉中[3]山谷及少室[4]。采无时。

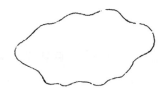
图55 阶州[5]礜石

图56 潞州[6]礜石

绍兴校定:礜性味具于本经,乃大热、有毒之药。其形坚而白,小大块不一,四面如粘碎方颗[7]粒者佳。每用须大火锻之,治诸痼冷殊验。然其性热,又以大火锻之。其本经云除热下气,除膈中热,止消渴,似非所宜。况前后诸方岂有疗热而用礜石者!后人不可不识之矣。

【校注】

[1] **熟热** 《大观》《政和》同。卷子本《新修》、郑杨本作"热寒"。

[2] **则** 原讹作"败",据《大观》《政和》改。

[3] **汉中** 今陕西汉中。

[4] **少室** 今河南登封。

[5] **阶州** 今甘肃陇西。

[6] **潞州** 今山西长治。

[7] **颗** 郑杨本脱。

103 特生礜石

味甘,温,有毒。主明目,利耳,腹内绝寒,破坚结及鼠瘘,杀百虫恶兽。久服延年。一名苍礜石,一名鼠毒。生西城[1]。采无时。

绍兴校定:特生礜石,陶注谓鹳伏卵时,取此石围绕,以助暖气生之意,故称特生。然与白礜石相类，而得之者少。今诸方止以白礜石入药，而罕见用此。既是礜石，即当以味甘，温，无毒。主瘤冷、积聚，轻身延年。多食令人热。

【校注】

[1] **西城** 原作"西域"，《大观》《政和》同，但卷子本《新修》作"西城"，据此改。按，唐本注"苍石"云"西城在汉川金州"。即今陕西安康。

104 握雪礜石

味甘，温，无毒。主瘤冷、积聚，轻身延年。多食[1]令人热。治大风疮[2]。

绍兴校定：握雪礜石，以谓细软如面，故有握雪之称。虽同得礜石之名，而形质甚异。且礜石至坚，今云细软如面，明非一种。但主疗之文与礜石颇同。当以味甘，大热，有毒为定。今方家未闻用矣。

【校注】

[1] **多食** 卷子本《新修》作"多服"。

[2] **治大风疮** 以上4字，《大观》《政和》无。

105 砒霜

味苦、酸，有毒。主诸疟，风痰在胸膈，可作吐药。不可久服，能伤人。飞炼砒黄而成，造作别有法。

图57 信州[1]砒霜　　　　　图58 《大观》《政和》砒霜[2]

绍兴校定：砒霜至毒之物，世所共知。其造作之法，本经不载，但将生砒而飞炼成霜矣。虽有疗病之说，但害人者多矣。在服饵不用为善，即非常毒之物。今定砒霜味苦、酸，有大毒是矣。

【校注】

[1] **信州** 今江西上饶。

[2] **《大观》《政和》砒霜** 此图与《绍兴本草》砒霜图差异很大。

106 金星石

寒，无毒。主脾肺壅毒，及主肺损吐血，嗽血，下热涩，解众毒。今多出濠州。又有银星石，主疗与金星石大体相似。

图59 并州[1]金星石　　　图60 并州银星石　　　图61 濠州银星石[2]

绍兴校定：金星石与银星石，皆色青，而上有细点如金、银星也。二种主疗已载本经，诸方亦稀用之。本经云解众毒，当从性寒，无毒是矣。

【校注】

[1] **并州** 今山西太原。

[2] **濠州银星石** 濠州，即今安徽凤阳地区。"石"字后原本注云"以异本补之"。

107 婆娑石

主解一切药毒，瘴疫[1]，热闷头痛。生南海[2]。胡人采得之，无斑点，有金星，磨成乳汁者为上。又有豆斑石，虽亦解毒，功力不及。复有鄂绿，有文理，磨铁成铜色[3]，人多以此为之，非真也。凡欲验真者，以水磨点鸡冠热血[4]，当化成水是也。此即俗谓之摩挲石也。今附

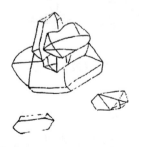

图62 《绍兴本草》婆娑石　　　图63 《大观》《政和》婆娑石[5]

绍兴校定：婆娑石，生南海，辨验真伪，已载本经。既能解一切药毒，当作性平，无毒者是矣。

【校注】

[1] **瘴疫** 泛指恶性疟疾。

[2] **南海** 广东以南的海。

[3] **磨铁成铜色** 说明鄂绿含铜离子，当其与铁相磨时，铜离子被铁所置换，还原成金属铜，即成铜色。

[4] **鸡冠热血** 《政和》同，《大观》作"鸡热血"。

[5] **《大观》《政和》婆娑石** 此图与《绍兴本草》婆娑石图有异，故附于此，以资比较。

108 礞石

治食积不消，留滞在脏腑，宿食癥块久不差，及小儿食积羸瘦，妇人积年食癥，攻刺心腹，得硇砂、巴豆、大黄、京[1]三棱等良。可作丸服用之，细研为粉。一名青礞石。新定

绍兴校定：礞石，本经治食积不消等疾，而近世诸方疗下痢挟滞作痛，诚累验之药。虽不载性味、有无毒。据除积理痛，当作性温，微毒为定。唯色青而腻者佳。

【校注】

[1] **京** 郑杨本脱。

109 石床[1]

味甘，温，无毒。酒渍服，与殷孽同[2]。一名乳床，一名逆石。

绍兴校定：石床，亦出自[3]钟乳之下，然又分此一种。在方即无炼制之法，止可渍酒服饵。本经云味甘，温，无毒是也。然固非精英起疾之物矣。

【校注】

[1] **床** 原作"状"，据《大观》《政和》改。下同。

[2] **同** 其后，卷子本《新修》有"一名同石"。

[3] **自** 郑杨本无。

110 肤青[1]

味辛、咸，平，无毒。主蛊毒[2]及蛇、菜、肉诸毒，恶疮。不可久服，令人瘦。一名推青，一名推石。生益州[3]川谷。

绍兴校定：肤青亦石类也。本经虽有性味、主治及云无毒，然世以罕识，方家亦无见用矣。

【校注】

[1] **肤青** 《纲目》"白青"条附录作"绿肤青"。又"青"原作"𪷪"，据《大观》《政和》改。

[2] **蛊毒** 原作"虫毒"，据《大观》《政和》改。

[3] **益州** 今四川省。

111 花乳石[1]

主金疮止血，又疗产妇血运[2]，恶血。出陕、华诸郡[3]。色正黄，形之大小方圆无定。欲服者，当以大火烧之，金疮止血，正尔刮末[4]傅之即合，仍不作脓溃。或云花乳石。

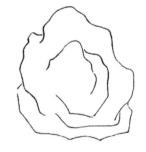

图64 陕州[5]花蕊石

绍兴校定：花乳石即花蕊石也。《图经》载色如硫黄，似乎未当，但此石其体坚重，色皆青[6]绿，虽小大方圆不定，破之内有浅黑点及间有晕相杂者是矣。然本经虽具主疗，而不载性味者、有无毒。凡欲入药，须火锻之可用。当以性平，无毒为定。若生用之即有毒矣。

【校注】

[1] **花乳石** 《大观》《政和》以"花乳石"为本条药物正名，神谷本以"陕州花蕊石"为本条药物正名，从《大观》《政和》为正。

[2] **产妇血运** 指产妇失血而昏厥。

[3] **陕、华诸郡** 陕郡，即今河南陕州地区。华郡，即今湖北宜县地区。

[4] **末** 原讹作"未"，据《大观》《政和》改。

[5] **陕州** 今河南陕州地区。

[6] **青** 原作"𪷪"，据文理改。

112　金牙

味咸，无毒。主鬼疰、毒蛊、诸疰[1]。生蜀郡[2]，如金色者良。

绍兴校定：金牙者，石之类也。出产、性味、主治已载本经。但取其色类粗金，大小方如牙状是也。非金色者不堪入药。古方治八风五痹[3]，用金牙酒，皆碎如米粒，渍酒饮之。其入圆[4]散者亦当淬而用之。当作味咸，平，无毒者是矣。

图65　金牙

【校注】

[1]　**诸疰**　原作"诸症"，据《大观》《政和》改。

[2]　**蜀郡**　今四川成都地区。

[3]　**痹**　神谷本旁注作"疰"，龙谷本同。

[4]　**圆**　即"丸"。宋代刻书因避宋钦宗赵桓（凡与"桓"音近）讳而改。

113　姜石

味咸，寒，无毒。主热豌豆疮，丁毒等肿。生土石间，状如姜，有五种，色白者最良。所在有之，以烂不碜插在切者好。齐州[1]历城东者良。唐本先附

绍兴校定：姜石，乃沙姜石也，唯色白者佳。本经与《图经》[3]主疗并外傅疮肿，方亦稀用于服饵。当从味咸，寒，无毒是矣。

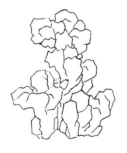

图66　齐州姜石[2]

【校注】

[1]　**齐州**　今山东济南地区。

[2]　**齐州姜石**　按，《大观》《政和》姜石旁有粗黄石图，但是神谷本将粗黄石图列在卷三末，此与《大观》《政和》将姜石、粗黄石两图并列不同。

[3]　**本经与《图经》**　此处"本经"不是指古本《神农本草经》，而是指《唐本草》，因本条正文注明出处为"唐本先附"。"《图经》"，指苏颂的《本草图经》。

〔附〕 粗黄石[1]

【校注】

[1] **粗黄石** 神谷本单独立为一条，列在卷三末，仅有一图，无记文。《大观》《政和》将"粗黄石"附在"姜石"条下，其目录注云："粗黄石附。"据此，本书将"粗黄石"从卷三末移至"姜石"条下，作为姜石附品。《大观》"姜石"条引《本草图经》曰："北齐马嗣明医杨遵彦背疮，取粗理黄石如鹅卵大，猛烈火烧令赤，内酽醋中，因有屑落醋里，频烧淬石，至尽，取屑暴干，捣筛和醋涂之，立愈。刘禹锡谓之炼石法，用之傅疮肿无不愈者。"

图 67　粗黄石[2]

[2] **粗黄石** 此图，神谷本列在卷三末，《大观》《政和》列在"姜石"条药图旁。本书校注时，亦将此图从卷三末移至"姜石"条下。

114　石燕

以水煮汁饮之，主淋有效。妇人难产，两手各把一枚立验。出零陵[1]。

图 68　永州[2]石燕

图 69　《大观》《政和》永州石燕[3]

绍兴校定：石燕，经注所说出产不一，大抵止是石类。主疗已具经注中，而本经不载性味、有无毒。然可治淋，当从《日华子》性凉、无毒为定。若称活[4]物所化，即无考据。

【校注】

[1] **零陵** 今湖南零陵。

[2] **永州** 今湖南零陵地区。

[3] **《大观》《政和》永州石燕** 此为《大观》《政和》图，今附录于此，借以同《绍兴本草》图对比。

[4] **活** 原作"治"，据龙谷本改。

115　石蚕

无毒。主金疮，止血，生肌，破石淋，血结。摩服之，当下碎石。生海岸石傍，状如蚕，其实石也。

绍兴校定：石蚕本石类，其形颇类蚕也。主治虽具本经[1]，亦是稀用之药。本经云无毒。又《药诀[2]》云苦热，有毒。据止血、生肌，又破石淋，即非性热、有毒。今当以味苦、辛，无毒为定。谨详虫鱼部复有石蚕一种，与此石蚕[3]名同实异也。

【校注】

[1] **本经** 此"本经"非古本《神农本草经》，而是指《开宝本草》。因石蚕是《开宝本草》新增药，非古本《神农本草经》药。

[2] **药诀** 原作"药谈"，据龙谷本改。又《大观》《政和》"石蚕"条注引掌禹锡文，亦作"药诀"。

[3] **石蚕** 原讹作"石燕"，据龙谷本改。

116　石花

味甘，温，无毒。酒渍服，主腰脚风冷，与殷孽同。一名乳花。

绍兴校定：石花，本[1]出自钟乳之下，而本经又分此一种，性味、主治亦与钟乳不远，然无制炼之法。用之渍酒。当从味甘，温，无毒。今方家罕用之。

【校注】

[1] **本** 原讹作"木"，据文理改。

117　石蟹

味咸，寒，无毒。主青盲，目淫，肤翳，及丁翳，漆疮。生南海[1]。又云是寻常蟹尔，年月深久，水沫相著，因化成石，每遇海潮即飘出。又一般入洞穴年深者亦然。皆细研水飞过，入诸药相佐，用点目良。

图 70　南恩州[2]石蟹　　　　图 71　《大观》《政和》南恩州石蟹[3]

绍兴校定：主治已载本经，此乃石类也。其状全如蟹，而小大不等。治目方中多用之。当从味咸，寒，无毒。又注说浮石一种，乃治淋涩一良药也。亦海中水沫之所结，久而性硬，其无[4]毒则一矣。

【校注】

[1] **南海**　今广东沿海。

[2] **南恩州**　今广东阳江。

[3] **《大观》《政和》南恩州石蟹**　此图与《绍兴本草》南恩州石蟹图有异。

[4] **无**　郑杨本脱。

118　蛇黄

主心痛疰忤[1]，石淋，产难，小儿惊痫。以水煮研服汁。出岭南[2]，蛇腹中得之，圆重如锡，黄黑青杂色[3]。

《图经》云：是蛇冬蛰时所含土，到春发蛰吐之。而云与旧说不同，未知孰是。[4]

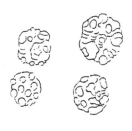

图 72　越州[5]蛇黄　　　　图 73　《大观》《政和》越州蛇黄[6]

绍兴校定：蛇黄，主治已载本经，又称蛇腹中得之。《图经》以谓蛇冬蛰时[7]所含之土，到春发蛰即吐之。其说不同。若以牛黄比论之，甚无可据，但恐山石间蛇穴之傍，自有一种，止是石类也。诸方须以火锻淬用之，即当从《日华子》云冷、无毒是矣。若生用即有蛇气之毒也。

【校注】

[1] **疰忤**　见《诸病源候论》卷24。疰者，住也，言其病连滞停住，死后又注易旁人；忤者，

犯也。因犯忤得之成痓，故名痓忤。

［2］**岭南** 指今广东、福建一带。

［3］**青杂色** 郑杨本作"者"。

［4］**《图经》云……未知孰是** 以上28字，郑杨本无。

［5］**越州** 今浙江绍兴地区。

［6］**《大观》《政和》越州蛇黄** 此图与《绍兴本草》越州蛇黄图异。

［7］**冬蛰时** 从冬蛰日起天气变冷，进入冬季，一般低等动物如蛇、虫、鱼等不吃食物，呈蛰伏状（即进入冬眠阶段）。

119 食盐

味咸，温，无毒。主杀鬼蛊，邪痓[1]毒气，下部蟨疮[2]，伤寒寒热，吐胸中痰癖，止心腹卒痛，坚肌骨。多食伤肺，喜咳。

图74 海盐

图75 解盐[3]

绍兴校定：食盐，其种有三，谓解盐[3]、海盐及蜀井盐也。其采取造作之法，《图经》载之详矣。自余外国等盐，种类甚多。大要食盐三种，主疗功力并同，俱性温，无毒。《本经》云多食伤肺，喜咳。盖谓味极浓厚，而食之过其节也。或云有小毒者，非也。今当从味咸，温，无毒是矣。

【校注】

[1] **鬼盎，邪痓** 原作"鬼痓盎邪"，据《大观》《政和》改。

[2] **蜃疮** 指妇女阴户生疮。

[3] **解盐** 即解州所产的盐。解州，在今山西解州。

120 戎盐 [1]

味咸，寒，无毒。主明目，目痛，益气，坚肌骨，去毒虫[2]，心腹痛，溺血、吐血、齿舌血出。一名胡盐。生胡盐山[3]及西羌、北地[4]、酒泉、福禄城[5]东南角。北海青[6]，南海赤。十月采。

绍兴校定：戎盐，其所载出产甚多，然西蕃所出者，其形成块，色明净者佳。本经虽有主治，而但助益水脏，用之多验。当作味咸，平，无毒是矣。

【校注】

[1] **戎盐** 即岩盐，因产于戎地（我国西北地区），故名。

[2] **去毒虫** 卷子本《新修》同，《大观》《政和》作"去毒盎"。又"毒"原作"晉"，据文理改。

[3] **胡盐山** 今甘肃境内秦岭山脉。

[4] **西羌、北地** 西羌，即今甘肃岷县南；北地，即今甘肃宁县。

[5] **酒泉、福禄城** 酒泉，即今甘肃酒泉；福禄城，即今甘肃成县。

[6] **青** 原作"晉"，据文理改。

121 光明盐

味咸、甘，平，无毒。主头面诸风，目赤痛，多眵音蚩泪。生盐州五原[1]，盐池下凿取之。大者如升，皆正方光澈。一名石盐[2]。

绍兴校定：光明盐，形色、主治、性味及无毒之文已载本经。或生盐池下，或出山石中，不由煎炼以成，乃自然生此一种矣。《图经》云医方所不用者是也。

【校注】

［1］**五原** 今内蒙古五原县。

［2］**石盐** 郑杨本作"石盘"。

122 卤咸[1]

味苦、咸，寒，无毒。主大热，消渴，狂烦，除邪，及下蛊毒，柔肌肤，去五脏肠胃留热结气，心下坚，食已呕逆喘满，明目，目痛。生河东[2]盐池。

绍兴校定：卤咸，此即碱土也。主治已载本经。陶注指为煎盐釜下凝滓，未可为据。《本经》云生河东盐池，必[3]因水涸而有之。当从味苦、咸，寒，无毒为正。然诸方罕用之。

【校注】

［1］**卤咸** 即卤碱。

［2］**河东** 黄河流经山西、陕西之间，呈南北线。山西省境在黄河以东，故统称河东。

［3］**必** 原讹作"心"，据文理改。

123 大盐

味甘、咸，无毒。主肠胃结热，喘逆，胸中病[1]，令人吐。生邯郸[2]及河东池泽。

绍兴校定：大盐，即河东印盐也。生池泽中，成块而大，然与解盐大同小异尔。以其治肠中结热，故本经称为性寒。其食盐多食皆能取吐，今本经云令人吐者，盖亦谓过多所致。当从味甘、咸，寒，无毒是也。

【校注】

［1］**病** 《大观》《政和》同，郑杨本作"痛"。

［2］**邯郸** 今河北邯郸。

124 绿盐

味咸、苦、辛，平，无毒。主目赤泪出，肤翳眵暗。

绍兴校定：绿盐，但色绿，亦诸盐中一种矣。有出产外国，自然生者，有取光明盐合铜屑、硇[1]砂而造之者，诸注无辨别之说。在主疗乃外用治目疾之药。虽云呕[2]，咸、苦、辛，无毒。然用硇砂、铜屑合和而造作者，亦当有小毒矣。

【校注】

[1] 硵　郑杨本作"硼"。

[2] 呕　疑为"味"之讹。

125　太阴玄精

味咸，温，无毒。主除风冷邪气湿[1]痹，益精气，妇人癥冷，漏下，心腹积聚冷气，止头疼，解肌。其色青白，龟背者良。出解县[2]。今附

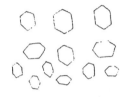

图76　解州[3]太阴玄精　　　图77　解州[3]盐精　　　图78　《大观》《政和》盐精[4]

绍兴校定：太阴玄精，形质、主疗经注甚明。所产解州盐池，亦盐之类也。自然生此一种，当从本经味咸、温、无毒。又有盐精[5]，形似铁铧嘴。所治、性味与太阴玄精颇同。

【校注】

[1] 湿　原讹作"温"，据《大观》《政和》改。

[2] 解县　今山西解州。

[3] 解州　今山西解州地区。

[4] 《大观》《政和》盐精　此图与《绍兴本草》盐精图异。

[5] 盐精　《大观》《政和》卷4目录"太阴玄精"下注云"盐精附"，而太阴玄精正文中无盐精内容。其所引《本草图经》注文中有关于盐精的论述，较详。

126　凝水石

味辛、甘，寒、大寒[1]，无毒。主身热，腹中积聚邪气，皮中如火烧，烦满。水饮之，除时气热盛，五脏伏热，胃中热，烦满，止渴，水肿，小腹痹。久服不饥。一名白水石，一名寒水石，一名凌水石。色如云母，可析[2]者良，盐之精也。

生恒山[3]山谷，又中水县[4]及邯郸[5]。

图79　汾州[6]凝水石

图80　德顺军[7]凝水石

绍兴校定：凝水石乃寒水石也。唐注虽称纵理、横理二种，其实一物。但出产、主疗、性味一同，即无少异。常用形色鲜明，以火锻之。今当作味辛、甘，大寒，无毒是矣。

【校注】

[1] **寒、大寒**　"寒"，为《本经》药性。"大寒"，为《别录》药性。

[2] **析**　原作"折"，据《大观》《政和》改。

[3] **恒山**　张晏注《汉书·地理志》"常山郡"云："恒山在西汉避文帝（刘恒）讳，改常山。"恒山，即今河北元氏县。

[4] **中水县**　今河北献县西北。

[5] **邯郸**　今河北邯郸。

[6] **汾州**　今山西汾阳。

[7] **德顺军**　今甘肃静宁。

127　朴消

味苦、辛，寒，无毒。主百病，除寒热邪气，逐六腑积聚，结固留癖，胃[1]中食饮热结，破留血闭绝，停痰痞满，推陈致新，能化七十二种石。炼饵服之，轻身神仙。炼之白如银，能寒能热，能滑能涩，能辛能苦，能咸能酸，入地千岁不变色。青[2]白者佳，黄者伤人，赤者杀人。一名消石朴。生益州[3]山谷有咸水之阳。采无时。

唐本注云：此物有二种，有纵理、缦理，用之无别。白软者，朴消苗也，虚软少力，炼为消石，所得不多，以当消石，功大劣也。

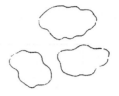

图81　峡州[5]朴消

今注：今出益州，彼人采之，以水淋取汁，煎炼而成朴消也。一名消石朴者。消即是本体之名；石者，乃坚白之号；朴者，即未化之义也。以其芒消、英消皆从是出，故为消石朴也。其英消，即今俗间谓之马牙消，是也。[4]

绍兴校定：朴消一名消石朴，盖如物之朴，以未经炼故也。而又芒消、英消，皆从此出，故谓之朴消。青白者佳，黄赤者不堪入药。本经云逐积聚、破留血、推陈致新，其荡利之性皆可知矣。今定朴消味苦、辛，大寒，有小毒是也。

【校注】

[1] 胃　原作"冐"，据《大观》《政和》改。

[2] 青　原作"青"，据《大观》《政和》改。

[3] 益州　今四川省地区。

[4] 唐本注云……是也　此文于"132　马牙消"条后立的"朴消附录"文中重出。又，郑杨本无。

[5] 峡州　今湖北宜昌附近。

128　芒消

味辛、苦，大寒。主五脏积聚，久热胃闭，除邪气，破留血腹中，瘀实结搏，通经脉，利大小便及月水，破五淋，推陈致新。生于朴消。

陶隐居云：按，《神农本经》无芒消，只有消石，名芒消尔。后《名医》别载此说，其疗与消石正同，疑此即是消石。又皇甫士安解散消石大凡说云：无朴消可用消石，生山之阴，盐之胆也。取

图82　芒消

石脾与消石，以水煮之，一斛得三斗，正白如雪，以水投中即消，故名消石。

唐本注云：晋宋古方，多用消石，少用芒消，近代诸医但用芒消，鲜言消石，岂古人昧于芒消也。《本经》云生于朴消，朴消一名消石朴，消石一名芒消，理既明白，不合重出之。

今注：此即出于朴消，以暖水淋朴消，取汁炼之，令减半，投于盆中，经宿乃有细芒生，故谓之芒消也。又有英消者，其状若白石英，作四五棱，白色莹澈可

爱。主疗与芒消颇同，亦出自于朴消，其煎炼自别有法，亦呼为马牙消也。唐注以此为消石同类，深为谬矣。

按蜀本，旧注说朴消、消石、芒消等，互有得失，乃云不合重有芒消条也。夫朴消，一名消石朴，即炼朴消成消石，明矣，故有消石条焉。又消石，一名芒消，即明芒消亦是炼朴消而成也。凡药虽为一体，盖同出而异名，修炼之法既殊，主治之功遂别矣。[1]

绍兴校定：芒消生于朴消，谓取朴消煎炼而成，上有细芒者，故曰芒消也。味辛、苦，大寒。本经不云有无毒。在古今方用，能破留血坚积，荡涤邪热之气，当从《药性论》有小毒是也。《图经》一说煎炼朴消经宿，乃有细芒者，名马牙消，甚[2]误矣，此正谓芒消尔。

【校注】

[1] **陶隐居云……主治之功遂别矣** 神谷本作旁注，置于条末。又此文于"132 马牙消"条后立的"朴消附录"文中重出。郑杨本无。

[2] **甚** 原作"其"，据文理改。

129 消石

味苦、辛，寒、大寒[1]，无毒。主五脏积热，胃肠闭，涤去蓄结饮食，推陈致新，除邪气，疗五脏十二经脉中百二十疾，暴伤寒，腹中大热，止烦满，消渴，利小便及瘘蚀疮。炼之如膏，久服轻身。天地至神之物，能化七十二种石。一名芒消。生益州[2]山谷及武都[3]、陇西[4]、西羌[5]。采无时。

图83 消石

绍兴校定：消石所产不一，乃所在泽，冬月地上有霜，扫取以水淋汁后乃煎炼而成，盖以能消化诸石，故名消石。一名[6]芒消者，谓其初煎炼时上有细芒，故亦有芒消之名。正别有此一种尔，即非后条内朴消中芒消也。其性寒，主治除热、去闭结显然矣。既有利性，当以味苦、辛，大寒，有小毒者是也。

【校注】

[1] **寒、大寒** "寒"，为《本经》药性。"大寒"，为《别录》药性。

[2] **益州** 今四川省。

[3] **武都** 今甘肃武都。

［4］ **陇西** 今甘肃陇西、临洮县治。

［5］ **西羌** 今甘肃岷县南。

［6］ **名** 其后，原衍"谓"字，据文理删。

130 玄明粉

味辛、甘，冷[1]，无毒。治心热烦躁，并五脏宿滞癥结，明目，退膈上虚热，消肿毒。此即朴消炼成者[2]。

绍兴校定：玄明粉，本出于朴消，以火制炼，入甘草合和而成。比之诸消，即无猛利之性。其主治已载本经，味辛甘、冷、无毒是也。

【校注】

［1］ **冷** 《政和》作"性冷"。

［2］ **者** 其后，《大观》《政和》有"新补"2小字。

131 生消

味苦，大寒，无毒。主风热癫痫，小儿惊邪瘈疭[1]，风眩头痛，肺壅，耳聋，口疮，喉痹咽塞，牙颔肿痛，目赤热痛多泪。生茂州[2]西山岩石间，其形块大小不定，色青白。采无时。

绍兴校定：生消，性寒除热，本经已载。然此一种，既言生消，但与朴消亦不[3]相远。内有色白鲜而小坚者，为之甜消，近世多用之。味微咸、甘，其性寒，有小毒矣。

【校注】

［1］ **疭** 原脱，据《大观》《政和》补。

［2］ **茂州** 今四川北川、汶川等地区。

［3］ **不** 原脱，据文理补。

132 马牙消

味甘，大寒，无毒。能除五脏积热伏气，末筛点眼及药中用，甚去赤肿障翳，涩泪痛。

绍兴校定：马牙消，因其状类马牙而为名也。出蜀郡[1]，以朴消制炼成之。

其色[2]如白石英，故亦名英消。今方家多用于治咽喉、眼目药中，比之诸消，其性不烈。及已经制炼，当作味甘，寒，无毒者是也[3]。

【校注】

[1] **蜀郡** 今四川成都地区。

[2] **色** 其后，郑杨本有"白"字。

[3] **无毒者是也** 其后，《绍兴本草》有"朴消附录"标题，在此标题下有两条重出文。第一条重出文为"127 朴消"的旁注，详见该条注[4]；第二条重出文为"128 芒消"的旁注，详见该条注[1]。

133 硇砂

味咸、苦、辛，温，有毒。不宜多服。主积聚，破结血烂胎，止痛，下气，疗咳嗽宿冷，去恶肉，生好肌，柔金银，可为焊音旱药。出西戎[1]。如牙消[2]光净者良。驴马药亦用。

图 84　硇砂

绍兴校定：硇砂，性味、主治已载本经，形块小大不一，唯取光明者佳。然此药性极烈，用之固不得过多，但破积聚最为良药。又有一法，制炼而经火者，除癥冷坚积尤验。当从本经味咸、苦、辛，温，有毒是矣。

【校注】

[1] **西戎** 泛指我国西陲地区。

[2] **牙消** 卷子本《新修》作"朴消"。

134 鹏砂[1]

味苦、辛，暖，无毒。消痰止嗽，破癥结[2]，喉痹，及焊金银用。或名蓬砂[3]。新补 见《日华子》

图 85　鹏砂　　　　图 86　气砂[4]　　　　图 87　《大观》《政和》气砂[5]

绍兴校定：蓬砂亦名鹏砂。生南海，其状光莹者佳。本经云味苦、辛，暖，无毒。考主疗消痰、治喉痹，生用之，宜作性平、无毒。若经火锻用之，当从性暖，无毒是矣。

【校注】

[1] **鹏砂**　《大观》《政和》作"蓬砂"。

[2] **癥结**　原作"痕结"，据《大观》《政和》改。

[3] **蓬砂**　《大观》《政和》作"鹏砂"。

[4] **气砂**　《本草图经》云："硇砂……边界出者，杂碎如麻豆粒，又挟砂石，用之须飞澄去土石讫，亦无力，彼人谓之气砂。"据此，气砂乃硇砂也。其图当与硇砂图并列，不知为何与鹏砂图并列？《大观》《政和》同。

[5] **《大观》《政和》气砂**　此为《大观》《政和》图，与《绍兴本草》气砂图异。

135　井底沙

至冷。主[1]治汤火烧疮用之。

绍兴校定：井底沙，淘取泥沙而用之。经方所载，止傅热毒虫伤，而不入服饵之用，当作性寒，无毒者是矣。

【校注】

[1] **主**　《政和》同，《大观》无"主"字。

136　石硫黄

味酸，温，大热[1]，有毒。主妇人阴蚀[2]、疽痔、恶血，坚筋骨，除头秃疮[3]，心腹积聚邪气，冷癖在胁，咳逆[4]上气，脚冷疼弱无力，及鼻衄，恶疮，下部蜃疮，止血，杀疥虫。能化金银铜铁奇物。生东海[5]牧羊山谷中，及泰山[6]、河西[7]山。矾石液也。

图88　广州[8]石硫黄

图89　荣州[9]土硫黄

　　绍兴校定：石硫黄，虽所产土地不一，以舶上来色理鲜明，不夹石者佳。内其色带赤，即名石亭脂，亦入药用。复有臭黄一种，止疗疮疥而不堪服饵。窃详石硫黄入药，生用即温，而有利性，炼治服之，则其性热而复固敛。皆味酸，有毒是矣。

【校注】

[1] **温，大热**　"温"，为《本经》药性；"大热"，为《别录》药性。

[2] **阴蚀**　指妇女阴户生疮。

[3] **疮**　《大观》《政和》作"疗"，属下句。

[4] **递**　原脱，据《大观》《政和》补。

[5] **东海**　陶隐居注云："东海郡属北徐州。"东海即今江苏北部地区。

[6] **泰山**　今山东泰山。

[7] **河西**　今陕西省。

[8] **广州**　今广东广州地区。

[9] **荣州**　今四川荣县地区。

137　矾石

　　味酸，寒，无毒。主寒热泄痢，白沃[1]，阴蚀[2]恶疮，目痛，坚骨齿。除固热在骨髓，去鼻中息肉。炼饵服之，轻身不老增年。岐伯云：久服伤人骨。能使铁为铜。一名羽硠 泥结切，一名羽泽。生河西[3]山谷及陇西[4]、武都[5]、石门。采无时。

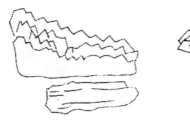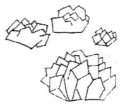

图90　晋州[6]矾石

绍兴校定：矾石，总诸矾而言之也。然矾正有五种，所谓青矾、黄矾、黑矾、绛矾、白矾也。复有矾蝴蝶、矾精，亦皆白矾之类。其青、黑二矾，止疗痔及诸疮[7]。黄矾，丹灶家[8]所须；绛矾，方家亦罕用之，独白矾多入药用。其味酸、涩，所以止泄痢而坚骨齿。凡涤除痰实须生用之，则微寒、有小毒；若止泄痢，须熬沸枯，令汁尽方可入药，当性温、无毒是也。亦如丹砂生用，或经火炼之，其性各异矣。

【校注】

[1]　**白沃**　白带古名。

[2]　**阴蚀**　指妇女阴户生疮。

[3]　**河西**　今陕西省。

[4]　**陇西**　今甘肃陇西、临洮县治。

[5]　**武都**　今甘肃武都。

[6]　**晋州**　今山西临汾。

[7]　**诸疮**　原作"诸疗"，据文理改。

[8]　**丹灶家**　即炼丹家。

138　绿矾

凉，无毒。治喉痹，蚛牙[1]，口疮及恶疮[2]，疥癣。酿鲫鱼烧灰和服，疗肠风泻血。新补　见《日华子》

绍兴校定：绿矾亦矾类矣，然考其主疗，则绿矾多在咽喉口齿方中用之，性凉、无毒者明矣。

【校注】

[1]　**蚛牙**　即龋齿。

[2]　**恶疮**　久治不愈的疮。

139 柳絮矾

冷，无毒。消痰[1]治渴，润心肺。新补 见《日华子》

绍兴校定：柳絮矾，亦矾之类也，其状轻虚如絮。本经云消痰治渴，润心肺，但今稀见用之。当从性冷，无毒为正[2]。

【校注】

[1] **痰** 原脱，据《大观》《政和》补。

[2] **当从性冷，无毒为正** 其后有粗黄石图一幅，无文字说明。《大观》《政和》"姜石"条内有此图。按《大观》《政和》，本书将粗黄石图移至"姜石"条，与姜石图并列。

绍兴校定经史证类备急本草卷之三终

绍兴校定经史证类备急本草卷之四

140　甘草

二月[1]、八月除日采根，暴干，十日成。

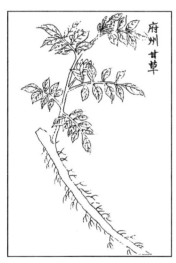

图91　府州[2]甘草

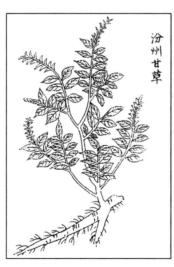

图92　汾州[3]甘草

图93　吴州[4]甘草

【校注】

[1] **二月**　其前，《大观》《政和》有"味甘，平，无毒。主五脏六腑寒热邪气，坚筋骨，长肌肉，倍力，金疮尰时勇切解毒，温中下气，烦满短气，伤脏咳嗽，止渴，通经脉，利血气，解百药毒。为九土之精，安和七十二种石，一千二百种草。久服轻身延年。一名蜜甘，一名美草，一名蜜草，一名蕗草。生河西川谷积沙山及上郡"。

[2] **府州**　今陕西府谷。

[3] **汾州**　今山西汾阳。

[4] **吴州**　《大观》《政和》作"汾州"。按，吴州在宁夏境。

141 黄芪

二月[1]、十月采，阴干。

图 94 宪州[2]黄芪

图 95 《大观》宪州黄芪

【校注】

[1] 二月 其前，《大观》《政和》有"味甘，微温，无毒。主痈疽久败疮，排脓止痛，大风癞疾，五痔鼠瘘，补虚，小儿百病，妇人子脏风邪气，逐五脏间恶血，补丈夫虚损，五劳羸瘦，止渴，腹痛，泄痢，益气，利阴气。生白水者冷，补。其茎叶疗渴及筋挛，痈肿疽疮。一名戴糁，一名戴椹，一名独椹，一名芰草，一名蜀脂，一名百本。生蜀郡山谷、白水、汉中"。

[2] 宪州 今山西静乐。

142 人参

二月[1]、四月、八月上旬采根，竹刀刮，暴干，无令见风。

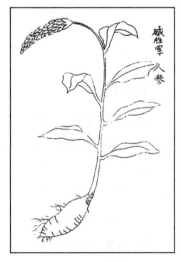

图 96 威胜军[2]人参

  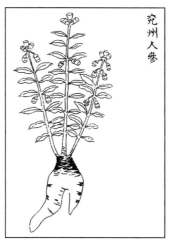

图 97　潞州[3]人参　　　图 98　滁州[4]人参　　　图 99　兖州[5]人参

【校注】

[1] **二月**　其前，《大观》《政和》有"味甘，微寒、微温，无毒。主补五脏，安精神，定魂魄，止惊悸，除邪气，明目，开心，益智，疗肠胃中冷，心腹鼓痛，胸胁逆满，霍乱吐逆，调中，止消渴，通血脉，破坚积，令人不忘。久服轻身延年。一名人衔，一名鬼盖，一名神草，一名人微，一名土精，一名血参。如人形者有神。生上党山谷及辽东"。

[2] **咸胜军**　今四川彭州。

[3] **潞州**　今山西长治。

[4] **滁州**　今安徽滁州。

[5] **兖州**　今山东兖州。

143　沙参

二月[1]、八月采根，暴干。

  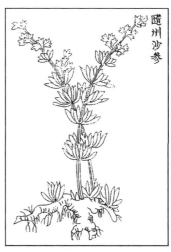

图 100　归州[2]沙参　　　图 101　淄州[3]沙参　　　图 102　随州[4]沙参

【校注】

[1] **二月** 其前,《大观》《政和》有"味苦,微寒,无毒。主血积惊气,除寒热,补中,益肺气,疗胃痹心腹痛,结热邪气,头痛,皮间邪热,安五脏,补中。久服利人。一名知母,一名苦心,一名志取,一名虎须,一名白参,一名识美,一名文希。生河内川谷及冤句、般阳续山"。

[2] **归州** 今湖北秭归。

[3] **淄州** 今山东淄川。

[4] **随州** 今湖北随县。

144 荠苨

味甘,寒[1]。

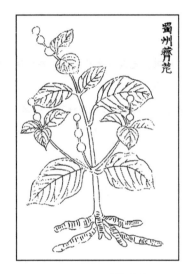

图 103　蜀州[2]荠苨　　　　　　　图 104　润州[3]荠苨

【校注】

[1] **寒** 其后,《大观》《政和》有"主解百药毒"。

[2] **蜀州** 今四川成都地区。

[3] **润州** 今江苏镇江地区。

145 桔梗

二月、八月采根,暴干。味辛、苦,微温,有小毒[1]。

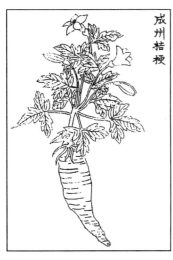

图 105　成州[2]桔梗

图 106　解州[3]桔梗

图 107　和州[4]桔梗

【校注】

[1]　**毒**　其后，《大观》《政和》有"主胸胁痛如刀刺，腹满肠鸣幽幽，惊恐悸气，利五脏肠胃，补血气，除寒热风痹，温中消谷，疗喉咽痛，下蛊毒。一名利如，一名房图，一名白药，一名梗草，一名荠苨。生嵩高山谷及冤句。二月采根，暴干。节皮为之使。得牡蛎、远志，疗恚怒。得消石、石膏，疗伤寒。畏白及、龙眼、龙胆"。

[2]　**成州**　今甘肃成县。

[3]　**解州**　今山西解州。

[4]　**和州**　今安徽和县。

146　黄精

生[1]山谷。二月采根，阴干。

图 108　解州[2]黄精

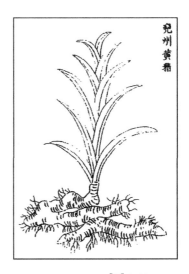

图 109　兖州[3]黄精

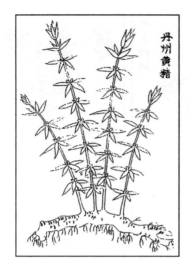

图110　丹州[4]黄精

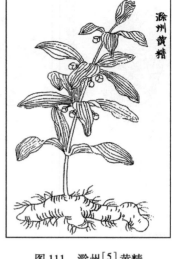

图111　滁州[5]黄精

图112　解州黄精

图113　永康军[6]黄精

图114　荆门军[7]黄精

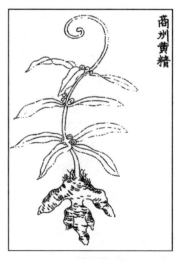

图115　商州[8]黄精

90

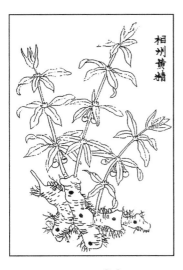

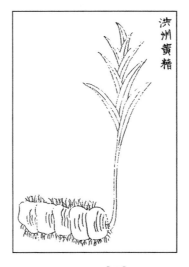

图 116　相州[9]黄精　　　　　图 117　洪州[10]黄精

【校注】

[1] **生**　其前，《大观》《政和》有"味甘，平，无毒。主补中益气，除风湿，安五脏。久服轻身延年，不饥。一名重楼，一名菟竹，一名鸡格，一名救穷，一名鹿竹"。

[2] **解州**　今山西解州。

[3] **兖州**　今山东兖州。

[4] **丹州**　今陕西宜川。

[5] **滁州**　今安徽滁州。

[6] **永康军**　今四川都江堰。

[7] **荆门军**　今湖北江陵。

[8] **商州**　今陕西商州。

[9] **相州**　今河南安阳。

[10] **洪州**　今江西南昌。

147　萎蕤

立[1]春后采，阴干。

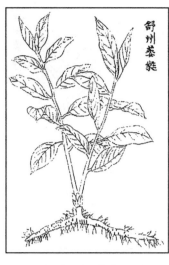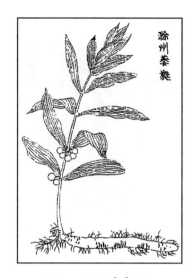

图118　舒州[2]萎蕤　　　　　　图119　滁州[3]萎蕤

【校注】

[1] 立　其前，《大观》《政和》有"味甘，平，无毒。主中风暴热，不能动摇，跌筋结肉，诸不足，心腹结气，虚热湿毒，腰痛，茎中寒及目痛眦烂泪出。久服去面黑䵟，好颜色，润泽，轻身不老。一名荧，一名地节，一名玉竹，一名马薰。生太山山谷及丘陵"。

[2] 舒州　今安徽舒城。

[3] 滁州　今安徽滁州。

148　知母

二月[1]、八月采根，暴干。

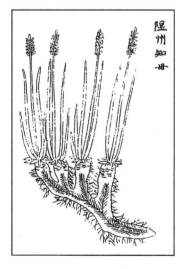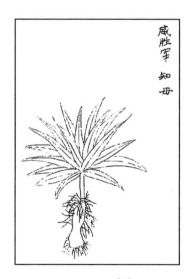

图120　隰州[2]知母　　　　　　图121　威胜军[3]知母

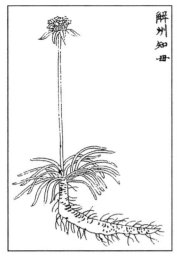

图 122　觧州[4]知母　　　　图 123　卫州[5]知母　　　　图 124　滁州[6]知母

【校注】

[1]　**二月**　其前，《大观》《政和》有"味苦，寒，无毒。主消渴热中，除邪气，肢体浮肿，下水，补不足，益气，疗伤寒，久疟，烦热，胁下邪气，膈中恶及风汗、内疸。多服令人泄。一名蚔音岐母，一名连母，一名野蓼，一名地参，一名水参，一名水浚，一名货母，一名蝭音匙，又音提母，一名女雷，一名女理，一名儿草，一名鹿列，一名韭逢，一名儿踵草，一名东根，一名水须，一名沉燔，一名薅杜含切。臣禹锡等谨按，唐本一名昌支。生河内川谷"。

[2]　**隰州**　今山西隰县。

[3]　**咸胜军**　今四川彭州。

[4]　**解州**　今山西解州。

[5]　**卫州**　今河南卫辉。

[6]　**滁州**　今安徽滁州。

149　肉苁蓉

五月[1]五日采，阴干。

绍兴校定：肉苁蓉乃采根入[2]药，主治已载本经。出陕西，其状有鳞甲，如肉腊，厚者佳。味甘、酸、咸，微温，无毒是矣。又有草苁蓉一种，然形颇相似，止是枯燥，全无肉性，即不堪入药矣。[3]

【校注】

[1]　**五月**　其前，《大观》《政和》有"味甘、酸、咸，微

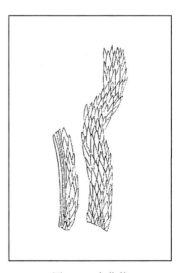

图 125　肉苁蓉

温，无毒。主五劳七伤，补中。除茎中寒热痛，养五脏，强阴，益精气，多子，妇人癥瘕，除膀胱邪气，腰痛，止痢。久服轻身。生河西山谷及代郡雁门"。

[2] **入** 原作"之"，据下文改。

[3] **绍兴校定……即不堪入药矣** 以上一段文原缺，据《永乐大典》卷540"蓉"字条"肉苁蓉"注文《绍兴本草》文补（见萧源等辑《永乐大典·医药集》页3）。

150 赤箭[1]

三月[2]、四月、八月采根，暴干。

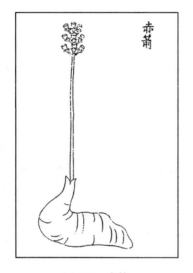
图126 赤箭

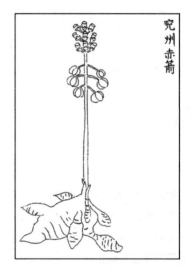
图127 兖州[3]赤箭

【校注】

[1] **赤箭** 陶隐居云"茎赤如箭箬，叶生其端"，故名。

[2] **三月** 其前，《大观》《政和》有"味辛，温。主杀鬼精物，蛊毒恶气，消痈肿，下支满，疝音山，下血。久服益气力，长阴，肥健，轻身增年。一名离母，一名鬼督邮。生陈仓川谷、雍州及太山、少室"。

[3] **兖州** 今山东兖州。

〔附〕 天麻[1]

五月采根，暴干[2]。

【校注】

[1] **天麻** 陈承云："今医家见用天麻，即是此赤箭根。"原书卷四目录"赤箭"名下附有"天麻"。又"麻"字后，《大

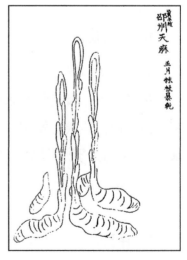
图128 邵州[3]天麻[4]

观》《政和》有"味辛，平，无毒。主诸风湿痹，四肢拘挛，小儿风痫惊气，利腰膝，强筋力。久服益气，轻身长年。生郓州、利州、太山、崂山诸山"。

[2] 干 其后，《大观》《政和》有"叶如芍药而小，当中抽一茎，直上如箭筈。茎端结实，状若续随子。至叶枯时，子黄熟。其根连一二十枚，犹如天门冬之类。形如黄瓜，亦如芦菔，大小不定。彼人多生啖，或蒸煮食之。今多用郓州者佳"。

[3] 邵州 今湖南邵阳。

[4] 邵州天麻 此图原列在卷10"352 防己"条之后，今移置于此。

151 术

二月[1]、三月、八月、九月采根，暴干。

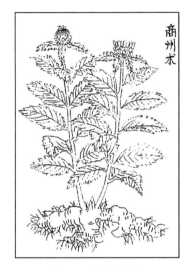

图129 商州[2]术

图130 齐州[3]术

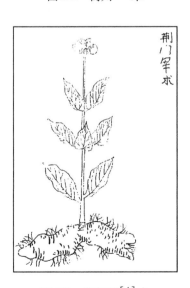

图131 荆门军[4]术

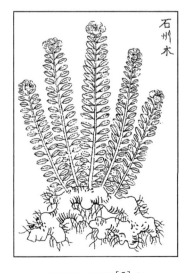

图132 石州[5]术

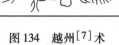

图133　舒州[6]术　　　　　图134　越州[7]术　　　　　图135　歙州[8]术

【校注】

[1] **二月**　其前，《大观》《政和》有"味苦、甘，温，无毒。主风寒湿痹，死肌痉巨井切疽，止汗除热，消食。主大风在身面，风眩头痛，目泪出，消痰水，逐皮间风水结肿，除心下急满及霍乱吐下不止，利腰脐间血，益津液，暖胃，消谷，嗜食。作煎饵，久服轻身延年不饥。一名山蓟，一名山姜，一名山连。生郑山山谷、汉中、南郑"。

[2] **商州**　今陕西商州。

[3] **齐州**　今山东济南。

[4] **荆门军**　今湖北江陵。

[5] **石州**　今山西离石。

[6] **舒州**　今安徽舒城地区。

[7] **越州**　今浙江绍兴。

[8] **歙州**　今安徽歙县。

152　狗脊

二月[1]、八月采根，暴干。

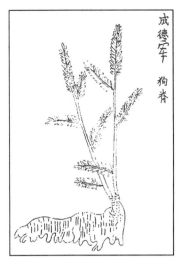

图 136　成德军[2]狗脊

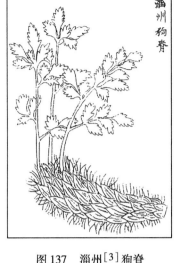

图 137　淄州[3]狗脊

图 138　眉州[4]狗脊

图 139　温州[5]狗脊

【校注】

[1] **二月**　其前，《大观》《政和》有"味苦、甘，平，微温，无毒。主腰背强，关机缓急，周痹寒湿膝痛，颇利老人，疗失溺不节，男子脚弱腰痛，风邪淋露，少气，目暗，坚脊利俯仰，女子伤中，关节重。一名百枝，一名强脊，一名扶盖，一名扶筋。生常山川谷"。

[2] **成德军**　今河北正定。

[3] **淄州**　今山东淄川。

[4] **眉州**　今四川眉山。

[5] **温州**　今浙江温州。

153　贯众

二月、八月采根，阴干。味苦，微寒，有毒。主腹中邪热气，诸毒，杀三虫，去寸白[1]。

图 140 淄州[2]贯众

【校注】

[1] **白**　其后，《大观》《政和》有"破癥瘕，除头风，止金疮。花，疗恶疮，令人泄。一名贯节，一名贯渠，一名百头，一名虎卷，一名扁符，一名伯萍，一名乐藻。此谓草鸱头。生玄山山谷及冤句少室山"。

[2] **淄州**　今山东淄川。

绍兴校定经史证类备急本草卷之四终

154 巴戟天

二月[1]、八月采根，阴干。又云：随四时，春采叶，夏采茎，秋采花，冬采根。[2]

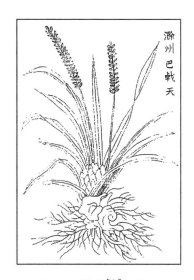

图141 滁州[3]巴戟天

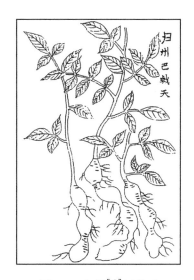

图142 归州[4]巴戟天

【校注】

[1] **二月** 其前，《大观》《政和》有"味辛、甘，微温，无毒。主大风邪气，阴痿不起，强筋骨，安五脏，补中，增志，益气，疗头面游风，小腹及阴中相引痛，下气，补五劳，益精，利男子。生巴郡及下邳山谷"。

[2] **又云：随四时……冬采根** 以上17字，《大观》《政和》无。疑此17字出自"绍兴校定"文。

[3] **滁州** 今安徽滁州。

［4］**归州** 今湖北秭归。

155 远志

四月[1]采根、叶，阴干。

图143 威胜军[2]远志

图144 泗州[3]远志

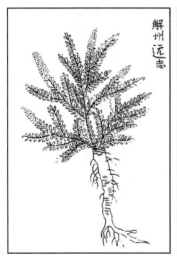

图145 解州[4]远志

图146 齐州[5]远志

图147 商州[6]远志

【校注】

［1］**四月** 其前，《大观》《政和》有"味苦，温，无毒。主咳逆伤中，补不足，除邪气，利九窍，益智慧，耳目聪明，不忘，强志，倍力，利丈夫，定心气，止惊悸，益精，去心下膈气，皮肤中热，面目黄。久服轻身不老。好颜色，延年。叶名小草，主益精，补阴气，止虚损，梦泄。一名棘菀，一名葽绕，一名细草。生太山及冤句川谷"。

［2］**威胜军**　今四川彭州。

［3］**泗州**　今安徽泗县。

［4］**解州**　今山西解州。

［5］**齐州**　今山东济南。

［6］**商州**　今陕西商州。

156　淫羊藿[1]

图148　永康军[2]淫羊藿

图149　沂州[3]淫羊藿

【校注】

［1］**淫羊藿**　其后，《大观》《政和》有"味辛，寒，无毒。主阴痿，绝伤，茎中痛，利小便，益气力，强志，坚筋骨，消瘰疬赤痛，下部有疮洗出虫。丈夫久服令人无子。一名刚前。生上郡阳山山谷"。

［2］**永康军**　今四川都江堰。

［3］**沂州**　今山东沂山。

157　仙茅

味辛，温，有毒[1]。二月、八月采根。

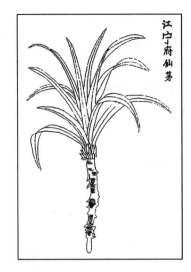

图150　戎州[2]仙茅　　　　　　图151　江宁府[3]仙茅

【校注】

[1]　**毒**　其后，《大观》《政和》有"主心腹冷气不能食，腰脚风冷痹不能行，丈夫虚劳，老人失溺，无子，益阳道。久服通神强记，助筋骨，益肌肤，长精神，明目。一名独茅根，一名茅瓜子，一名婆罗门参。《仙茅传》云：十斤乳石，不及一斤仙茅，表其功力尔。生西域，又大庾岭。亦云忌铁及牛乳"。

[2]　**戎州**　今四川宜宾。

[3]　**江宁府**　今江苏南京。

158　玄参

三月[1]、四月采根，暴干。

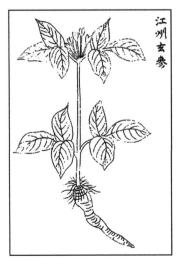

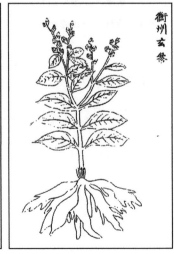

图152　江州[2]玄参　　　　图153　荆州[3]玄参　　　　图154　衡州[4]玄参

【校注】

[1] **三月** 其前，《大观》《政和》有"味苦、咸，微寒，无毒。主腹中寒热积聚，女子产乳余疾，补肾气，令人目明，主暴中风，伤寒身热，支满狂邪，忽忽不知人，温疟洒洒，血瘕，下寒血，除胸中气，下水，止烦渴，散颈下核，痈肿，心腹痛，坚癥，定五脏。久服补虚，明目，强阴益精。一名重台，一名玄台，一名鹿肠，一名正马，一名咸，一名端。生河间川谷及冤句"。

[2] **江州** 今江西九江。

[3] **荆州** 《大观》《政和》作"邢州"。按，邢州即今河北邢台，与玄参"生河间"义合。荆州，为今湖北江陵。

[4] **衡州** 今湖南衡阳。

159 地榆

二月[1]、八月采根，暴干。

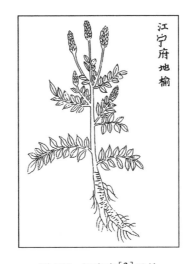

图155 衡州[2]地榆　　　　图156 江宁府[3]地榆

【校注】

[1] **二月** 其前，《大观》《政和》有"味苦、甘、酸，微寒，无毒。主妇人乳痓痛，七伤，带下病，止痛，除恶肉，止汗，疗金疮，止脓血，诸瘘恶疮，热疮，消酒，除消渴，补绝伤，产后内塞，可作金疮膏。生桐柏及冤句山谷"。

[2] **衡州** 今湖南衡阳。

[3] **江宁府** 今江苏南京。

160 丹参

五月[1]采根，暴干。

图157 随州[2]丹参

105

【校注】

[1] **五月** 其前，《大观》《政和》有"味苦，微寒，无毒。主心腹邪气，肠鸣幽幽如走水，寒热积聚，破癥除瘕，止烦满，益气，养血，去心腹痼疾，结气，腰脊强，脚痹，除风邪留热。久服利人。一名郄蝉草，一名赤参，一名木羊乳。生桐柏山川谷及太山"。

[2] **随州** 今湖北随县。

161 紫参

三月[1]采根，火炙使紫色。

图158 晋州[2]紫参

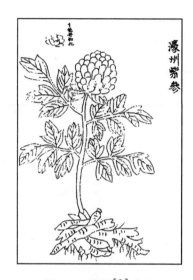

图159 濠州[3]紫参

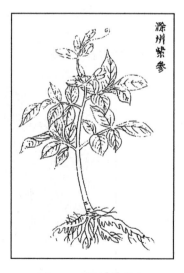

图160 滁州[4]紫参

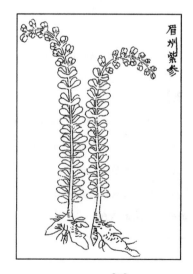

图161 眉州[5]紫参

【校注】

[1] **三月** 其前,《大观》《政和》有"味苦、辛,寒、微寒,无毒。主心腹积聚,寒热邪气,通九窍,利大小便,疗肠胃大热,唾血、衄血,肠中聚血,痈肿诸疮,止渴,益精。一名牡蒙,一名众戎,一名童肠,一名马行。生河西及宛句山谷"。

[2] **晋州** 今山西临汾。

[3] **濠州** 今安徽凤阳地区。

[4] **滁州** 今安徽滁州。

[5] **眉州** 今四川眉山。

162 紫草

三月[1]采根,阴干。

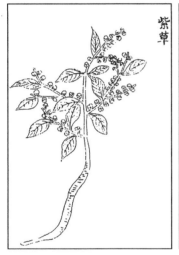  

图 162　紫草　　　　　图 163　东京[2]紫草　　　　图 164　单州[3]紫草

【校注】

[1] **三月** 其前,《大观》《政和》有"味苦,寒,无毒。主心腹邪气,五疸,补中益气,利九窍,通水道,疗腹肿胀满痛。以合膏,疗小儿疮及面齄侧加切。一名紫丹,一名紫芙衰老反。生砀山山谷及楚地"。

[2] **东京** 今河南开封。

[3] **单州** 今山东单县。

163 白头翁

味苦,温,无毒、有毒。主温疟狂狷音羊,疗[1]金疮,鼻衄[2]。四月采。

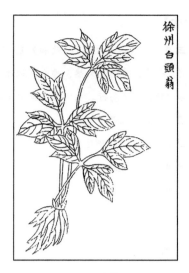

图 165　商州[3]白头翁　　　　　　图 166　徐州[4]白头翁

【校注】

[1] **疗**　其前，《大观》《政和》有"寒热，癥瘕积聚，瘿气，逐血止痛"12 字。

[2] **纽**　其后，《大观》《政和》有"一名野丈人，一名胡王使者，一名奈何草。生高山山谷及田野"24 字。

[3] **商州**　今陕西商州。

[4] **徐州**　今江苏徐州。

164　白及

二月、八月采根[1]。味苦、辛，平、微寒，无毒。主痈肿恶疮败疽[2]。

【校注】

[1] **二月、八月采根**　以上 6 字，出自《蜀本草·图经》。

[2] **疽**　其后，《大观》《政和》有"伤阴死肌，胃中邪气，贼风鬼击，痱音肥缓不收，除白癣疥虫。一名甘根，一名连及草。生北山川谷，又冤句及越山"。

[3] **兴州**　今陕西略阳。

图 167　兴州[3]白及

165　黄连

二月[1]、八月采。

图 168　澧州[2]黄连

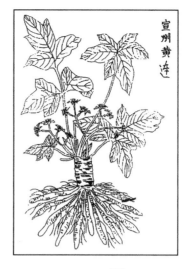

图 169　宣州[3]黄连

【校注】

[1] **二月**　其前，《大观》《政和》有"主热气，目痛眦伤泣出，明目，肠澼腹痛，下痢，妇人阴中肿痛，五脏冷热，久下泄澼脓血，止消渴、大惊，除水利骨，调胃厚肠，益胆，疗口疮。久服令人不忘。一名王连。生巫阳川谷及蜀郡、太山"。

[2] **澧州**　今湖南澧县。

[3] **宣州**　今安徽宣州。

166　胡黄连

味苦，平，无毒[1]。

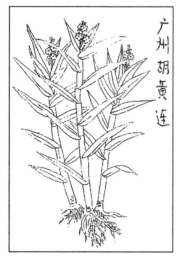

图 170　广州[2]胡黄连

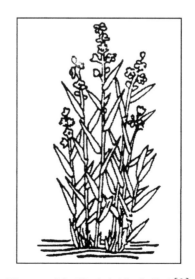

图 171　《大观》《政和》胡黄连[3]

【校注】

[1] **毒** 其后，《大观》《政和》有"主久痢成瘔，伤寒咳嗽，温疟骨热，理腰肾，去阴汗，小儿惊痫，寒热不下食，霍乱下痢。生胡国，似干杨柳，心黑外黄。一名割孤露泽。今附"。

[2] **广州** 今广东广州。

[3] **《大观》《政和》胡黄连** 此为《大观》《政和》图，与《绍兴本草》胡黄连图不完全相同。

167 黄芩

三月[1]三日采根，阴干。

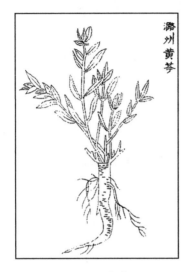 

图 172 潞州[2]黄芩　　　　　　图 173 耀州[3]黄芩

【校注】

[1] **三月** 其前，《大观》《政和》有"味苦，平、大寒，无毒。主诸热黄疸，肠澼泄痢，逐水下血闭，恶疮疽蚀火疡，疗痰热，胃中热，小腹绞痛，消谷，利小肠，女子血闭，淋露下血，小儿腹痛。一名腐肠，一名空肠，一名内虚，一名黄文，一名经芩，一名妒妇。其子主肠澼脓血。生秭归川谷及冤句"。

[2] **潞州** 今山西长治。

[3] **耀州** 今陕西耀州。

168 秦艽胶字

二月[1]、八月采根，暴干。

图174 齐州[2]秦艽

图175 秦州[3]秦艽

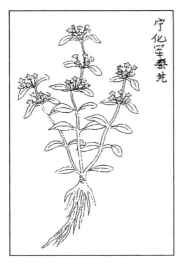

图176 宁化军[4]秦艽

图177 石州[5]秦艽

【校注】

[1] **二月** 其前，《大观》《政和》有"味苦、辛，平、微温，无毒。主寒热邪气，寒湿风痹，肢节痛，下水，利小便，疗风无问久新，通身挛急。生飞乌山谷"。

[2] **齐州** 今山东济南。

[3] **秦州** 今甘肃天水。

[4] **宁化军** 今福建宁化。

[5] **石州** 今山西离石。

169 柴胡

二月[1]、八月采根，暴干。

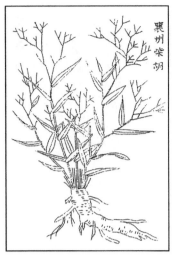

图178　襄州[2]柴胡

图179　丹州[3]柴胡

图180　江宁府[4]柴胡

图181　淄州[5]柴胡

图182　银州[6]柴胡

【校注】

[1] **二月**　其前，《大观》《政和》有"味苦，平、微寒，无毒。主心腹，去肠胃中结气，饮食积聚，寒热邪气，推陈致新，除伤寒心下烦热，诸痰热结实，胸中邪逆，五脏间游气，大肠停积水胀及湿痹拘挛，亦可作浴汤。久服轻身，明目，益精。一名地薰，一名山菜，一名茹草。叶，一名芸蒿，辛香可食。生洪农川谷及冤句"。

[2] **襄州**　今湖北襄阳。

[3] **丹州**　今陕西宜川。

[4] **江宁府**　今江苏南京。

[5] **淄州**　今山东淄川。

[6] **银州**　《大观》《政和》作"寿州"。按，银州在今陕西米脂县西北。寿州，即今安徽寿县。

112

170 前胡

二月[1]、八月采根，暴干。

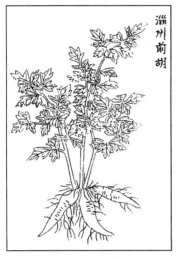

图183 淄州[2]前胡

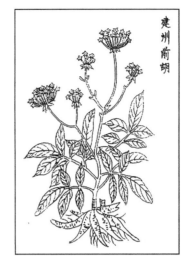

图184 建州[3]前胡

图185 成州[4]前胡

图186 江宁府[5]前胡

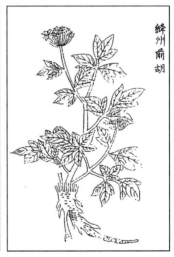

图187 绛州[6]前胡

【校注】

[1] **二月** 其前，《大观》《政和》有"味苦，微寒，无毒。主疗痰满，胸胁中痞，心腹结气，风头痛，去痰实，下气。治伤寒寒热，推陈致新，明目，益精"。

[2] **淄州** 今山东淄川。

[3] **建州** 今福建建瓯。

[4] **成州** 今甘肃成县。

[5] **江宁府** 今江苏南京。

[6] **绛州** 今山西新绛。

171 防风

二月[1]、十月采根，暴干。

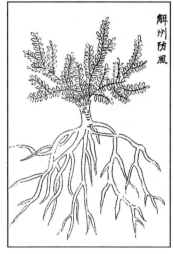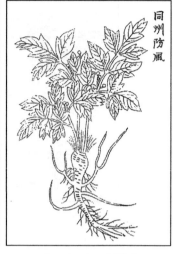

图 188 解州[2]防风 　　图 189 齐州[3]防风 　　图 190 同州[4]防风

【校注】

[1] **二月** 其前，《大观》《政和》有"味甘、辛，温，无毒。主大风，头眩痛，恶风，风邪，目盲无所见，风行周身，骨节疼痹，烦满，胁痛胁风，头面去来，四肢挛急，字乳，金疮，内痉。久服轻身。叶，主中风热汗出。一名铜芸，一名茴草，一名百枝，一名屏风，一名蕳根，一名百蜚。生沙苑川泽及邯郸、琅邪、上蔡"。

[2] **解州** 今山西解州。

[3] **齐州** 今山东济南。

[4] **同州** 今陕西大荔。

172 石防风[1]

【校注】

[1] **石防风** 《本草图经》云："又有石防风，出河中府，根如蒿根而黄，叶青花白，五月开花，六月采根，暴干。亦疗头风眩痛。"《绍兴本草》卷5目录有"石防风"专条，《大观》《政和》无。

[2] **河中府石防风** 《大观》《政和》作"河中府防风"，无"石"字。河中府，即今山西永济。

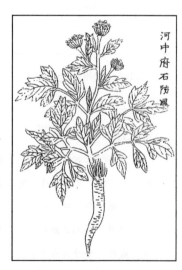

图 191 　河中府石防风[2]

173　蒲黄[1]

四月[2]、五月[3]采。

图192　蒲黄

【校注】

[1]　**蒲黄**　《绍兴本草》卷5目录无此药名，但正文中有蒲黄药图。图中有小字注云："以异本补之。四月、五月采。"

[2]　**四月**　其前，《大观》《政和》有"味甘，平，无毒。主心腹膀胱寒热，利小便，止血，消瘀血。久服轻身，益气力，延年神仙。生河东池泽"。

[3]　**五月**　《大观》《政和》无此2字。

174　香蒲[1]

图193　泰州[2]香蒲

【校注】

[1]　**香蒲**　其后，《大观》《政和》有"味甘，平，无毒。主五脏，心下邪气，口中烂臭，坚齿，明目，聪耳。久服轻身，耐老。一名睢，一名醮。生南海池泽"。又《绍兴本草》卷5目录无香蒲药名，但正文中有香蒲药图。

[2]　**泰州**　今江苏泰州。

175　独活

二月[1]、八月采根，暴干。

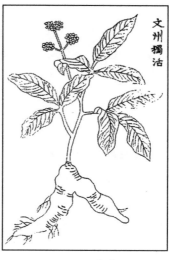
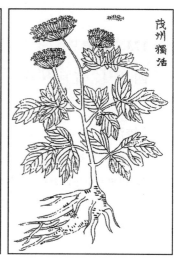

图 194 凤翔府[2]独活　　图 195 文州[3]独活　　图 196 茂州[4]独活

【校注】

[1] 二月　其前，《大观》《政和》有"味苦、甘，平、微温，无毒。主风寒所击，金疮止痛，贲豚，痫痓音炽，女子疝瘕。疗诸贼风，百节痛风无久新者。久服轻身耐老。一名羌活，一名羌青，一名护羌使者，一名胡王使者，一名独摇草。此草得风不摇，无风自动。生雍州川谷，或陇西南安"。

[2] 凤翔府　今陕西凤翔。

[3] 文州　今甘肃文县。

[4] 茂州　今四川茂县。

176　羌活[1]

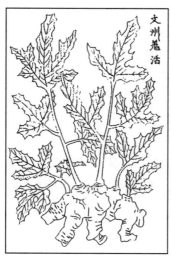
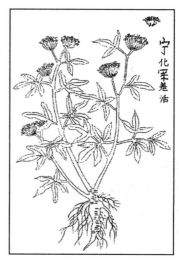

图 197 文州[2]羌活　　　　图 198 宁化军[3]羌活

【校注】

[1] **羌活** 《大观》《政和》卷6目录独活药名下注云"羌活附"。《绍兴本草》卷5目录将羌活单独列为一条。《药性论》云:"羌活,君,味苦、辛,无毒。能治贼风,失音不语,多痒,血癞,手足不遂,口面㖞邪,遍身瘰痹。"《日华子》云:"羌活,治一切风并气,筋骨拳挛,四肢羸劣,头旋,明目,赤目疼及伏梁水气,五劳七伤,虚损冷气,骨节酸疼,通利五脏。独活即是羌活母类也。"

[2] **文州** 今甘肃文县。

[3] **宁化军** 今福建宁化。

177 升麻

二月[1]、八月采根,日干。

图199 汉州[2]升麻

图200 秦州[3]升麻

图201 滁州[4]升麻

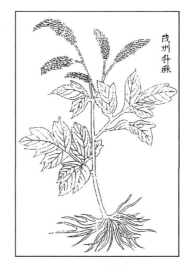

图202 茂州[5]升麻

【校注】

[1] **二月** 其前,《大观》《政和》有"味甘、苦,平、微寒,无毒。主解百毒,杀百精老物殃鬼,辟温疫,瘅气,邪气,蛊毒,入口皆吐出,中恶腹痛,时气毒疠,头痛寒热,风肿诸毒,喉痛口疮。久服不夭,轻身长年。一名周麻。生益州山谷"。

[2] **汉州** 今四川广汉。

[3] **秦州** 今甘肃天水。

[4] **滁州** 今安徽滁州。

[5] **茂州** 今四川茂县。

178 苦参

三月[1]、八月、十月采根,暴干。

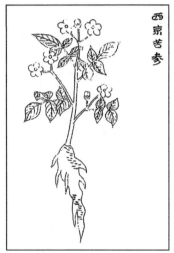

图 203 西京[2]苦参

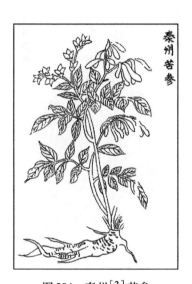

图 204 秦州[3]苦参

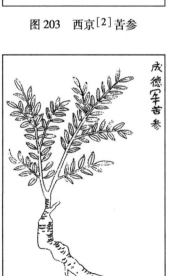

图 205 成德军[4]苦参

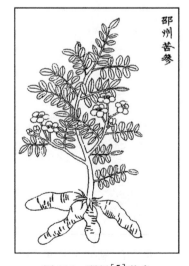

图 206 邵州[5]苦参

【校注】

[1] **三月** 其前，《大观》《政和》有"味苦，寒，无毒。主心腹结气，癥瘕积聚，黄疸，溺有余沥，逐水，除痈肿，补中，明目止泪，养肝胆气，安五脏，定志益精，利九窍，除伏热肠澼，止渴，醒酒，小便黄赤，疗恶疮、下部蜃，平胃气，令人嗜食，轻身。一名水槐，一名苦菔音识，一名地槐，一名菟槐，一名骄槐，一名白茎，一名虎麻，一名岑茎，一名禄白，一名陵郎。生汝南山谷及田野"。

[2] **西京** 今河南洛阳。

[3] **秦州** 今甘肃天水。

[4] **成德军** 今河北正定。

[5] **邵州** 今湖南邵阳。

179 贝母

十月[1]采根，暴干。

图 207　贝母

图 208　峡州[2]贝母

图 209　越州[3]贝母

【校注】

[1] **十月** 其前，《大观》《政和》有"味辛、苦，平、微寒，无毒。主伤寒烦热，淋沥，邪气，疝瘕，喉痹，乳难，金疮风痉，疗腹中结实，心下满，洗洗恶风寒，目眩项直，咳嗽上气，止烦热渴，出汗，安五脏，利骨髓。一名空草，一名药实，一名苦花，一名苦菜，一名商草，一名勤母。生晋地"。

[2] **峡州** 今湖北宜昌。

[3] **越州** 今浙江绍兴。

180 茅根

六月[1]采根。

图 210　鼎州[2]茅根

图 211　澶州[3]茅根

【校注】

[1] **六月**　其前,《大观》《政和》有"味甘,寒,无毒。主劳伤虚羸,补中益气,除瘀血、血闭,寒热,利小便,下五淋,除客热在肠胃,止渴,坚筋,妇人崩中。久服利人。其苗主下水。一名兰根,一名茹根,一名地菅,一名地筋,一名兼杜。生楚地山谷田野"。

[2] **鼎州**　今湖南常德。

[3] **澶州**　今河北清丰西南。

绍兴校定经史证类备急本草卷之五终

绍兴校定经史证类备急本草卷之六

181　白鲜

四月[1]、五月采根，阴干。

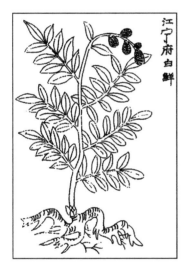

图212　江宁府[2]白鲜

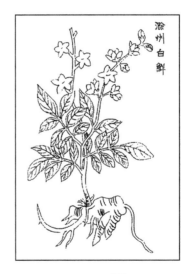

图213　滁州[3]白鲜

【校注】

[1] **四月**　其前，《大观》《政和》有"味苦、咸，寒，无毒。主头风，黄疸，咳逆，淋沥，女子阴中肿痛，湿痹死肌，不可屈伸，起止行步，疗四肢不安，时行腹中大热饮水，欲走大呼，小儿惊痫，妇人产后余痛。生上谷川谷及冤句"。

[2] **江宁府**　今江苏南京。

[3] **滁州**　今安徽滁州。

182　草龙胆[1]

二月[2]、八月、十一月、十二月采根，阴干。

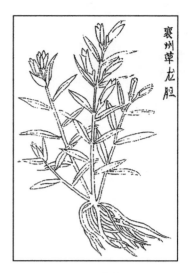

图214　信阳军[3]草龙胆　　　　　图215　襄州[4]草龙胆

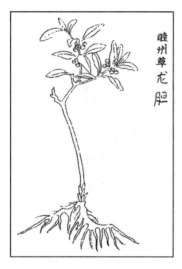
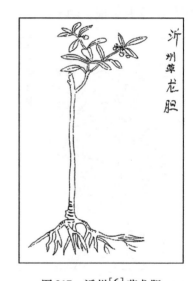

图216　睦州[5]草龙胆　　　　　图217　沂州[6]草龙胆

【校注】

［1］**草龙胆**　《大观》《政和》作"龙胆"，无"草"字。

［2］**二月**　其前，《大观》《政和》有"味苦，寒、大寒，无毒。主骨间寒热，惊痫，邪气，续绝伤，定五脏，杀蛊毒，除胃中伏热，时气温热，热泄下痢，去肠中小虫，益肝胆气，止惊惕。久服益智不忘，轻身耐老。一名陵游。生齐朐山谷及冤句"。

［3］**信阳军**　今河南信阳。

［4］**襄州**　今湖北襄阳。

［5］**睦州**　今浙江淳安。

［6］**沂州**　今山东沂山。

183　细辛

二月[1]、八月采根，阴干。

图218　信州细辛[2]

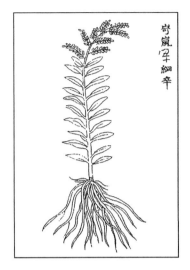

图219　岢岚军细辛[3]

图220　华州[4]细辛

图221　《大观》《政和》华州细辛[5]

【校注】

[1] **二月**　其前，《大观》《政和》有"味辛，温，无毒。主咳逆，头痛脑动，百节拘挛，风湿痹痛，死肌，温中下气，破痰，利水道，开胸中，除喉痹，齆音瓮鼻，风痫，癫疾，下乳结，汗不出，血不行，安五脏，益肝胆，通精气。久服明目，利九窍，轻身长年。一名小辛。生华阴山谷"。

[2] **信州细辛**　《大观》同，《政和》作"岢岚军细辛"。岢岚，即今山西岢岚。信州，即今江西上饶。

[3] **岢岚军细辛** 《大观》同,《政和》作"信州细辛"。

[4] **华州** 今陕西华阴。

[5] **《大观》《政和》华州细辛** 与《绍兴本草》图小异,附此以资比较。

184 杜衡

三月[1]三日采根,熟洗,暴干。

【校注】

[1] **三月** 其前,《大观》《政和》有"味辛,温,无毒。主风寒咳逆,香人衣体。生山谷"。

图 222　杜衡

185 徐长卿

三月[1]采,又五月、七月采茎,暴干。

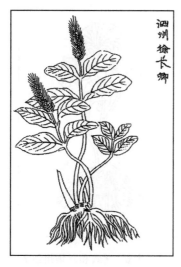

图 223　泗州[2]徐长卿

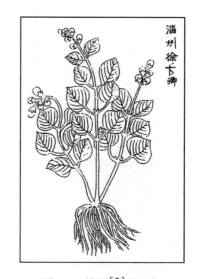

图 224　淄州[3]徐长卿

【校注】

[1] **三月** 其前,《大观》《政和》有"味辛,温,无毒。主鬼物百精,蛊毒疫疾,邪恶气,温疟。久服强悍轻身,益气延年。一名鬼督邮。生太山山谷及陇西"。

[2] **泗州** 今安徽泗县。

[3] **淄州** 今山东淄川。

186 白薇

三月[1]三日采根，阴干。

【校注】

[1] **三月** 其前，《大观》《政和》有"味苦、咸，平，大寒，无毒。主暴中风，身热肢满，忽忽不知人，狂惑邪气，寒热酸疼，温疟洗洗，发作有时，疗伤中淋露，下水气，利阴气，益精。一名白幕，一名薇草，一名春草，一名骨美。久服利人。生平原川谷"。

[2] **滁州** 今安徽滁州。

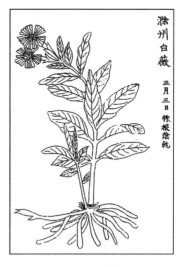

图 225 滁州[2]白薇

187 白前[1]

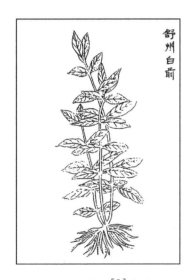

图 226 舒州[2]白前

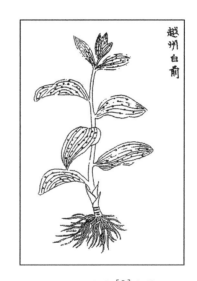

图 227 越州[3]白前

【校注】

[1] **白前** 其后，《大观》《政和》有"味甘，微温臣禹锡等谨按《蜀本》云：微寒，无毒。主胸胁逆气，咳嗽上气"。

[2] **舒州** 今安徽舒城。

[3] **越州** 今浙江绍兴。

188 当归

二月[1]、八月采根，阴干。

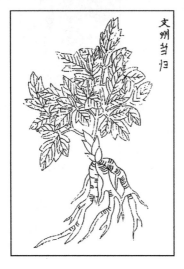

图228 文州[2]当归

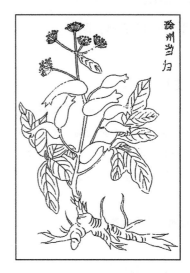

图229 滁州[3]当归

【校注】

[1] **二月** 其前，《大观》《政和》有"味甘、辛，温、大温，无毒。主咳逆上气，温疟，寒热洗洗音癣在皮肤中，妇人漏下，绝子，诸恶疮疡音羊，金疮，煮饮之。温中止痛，除客血内塞，中风痉，汗不出，湿痹，中恶，客气虚冷，补五脏，生肌肉。一名干归。生陇西川谷"。

[2] **文州** 今甘肃文县。

[3] **滁州** 今安徽滁州。

189 芎藭

三月[1]、四月采根，暴干。

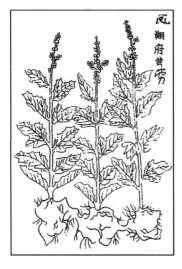

图230 凤翔府[2]芎藭

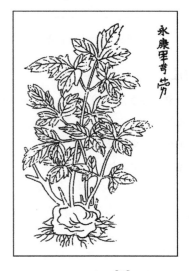

图231 永康军[3]芎藭

【校注】

[1] **三月** 其前，《大观》《政和》有"味辛，温，无毒。主中风入脑，头痛，寒痹，筋挛缓急，金疮，妇人血闭，无子，除脑中冷动，面上游风去来，目泪出，多涕唾，忽忽如醉，诸寒冷气，心腹坚痛，中恶，卒急肿痛，胁风痛，温中内寒。一名胡穷，一名香果。其叶名蘼芜。生武功川谷、斜谷西岭"。

[2] **凤翔府** 今陕西凤翔。

[3] **永康军** 今四川都江堰。

190 蛇床子

五月[1]采实，阴干。

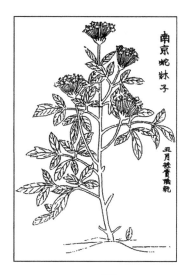

图 232 南京[2]蛇床子

【校注】

[1] **五月** 其前，《大观》《政和》有"味苦、辛、甘，平，无毒。主妇人阴中肿痛，男子阴痿，湿痒，除痹气，利关节，癫痫，恶疮，温中下气，令妇人子脏热，男子阴强。久服轻身，好颜色，令人有子。一名蛇粟，一名蛇米，一名虺床，一名思益，一名绳毒，一名枣棘，一名墙蘼。生临淄川谷及田野"。

[2] **南京** 今河南商丘。

191 藁本

正月[1]、二月采根，暴干，三十日成。

图 233 并州[2]藁本

图 234 威胜军[3]藁本

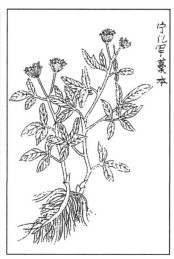

图 235 宁化军[4]藁本

【校注】

[1] **正月** 其前,《大观》《政和》有"味辛、苦,温、微温、微寒,无毒。主妇人疝瘕,阴中寒肿痛,腹中急,除风头痛,长肌肤,悦颜色,辟雾露润泽,疗风邪嚲曳,金疮,可作沐药面脂。实主风流四肢。一名鬼卿,一名地新,一名微茎。生崇山山谷"。

[2] **并州** 今山西太原。

[3] **咸胜军** 今四川彭州。

[4] **宁化军** 今福建宁化。

192 白芷

二月[1]、八月采根,暴干。

【校注】

[1] **二月** 其前,《大观》《政和》有"味辛,温,无毒。主女人漏下赤白,血闭,阴肿,寒热,风头侵目泪出,长肌肤,润泽可作面脂,疗风邪,久渴,吐呕,两胁满,风痛,头眩目痒。可作膏药、面脂,润颜色。一名芳香,一名白茝,一名罯许骄切,一名莞,一名苻蓠,一名泽芬。叶名蒚音历麻,可作浴汤。生河东川谷下泽"。

[2] **泽州** 今山西晋城。

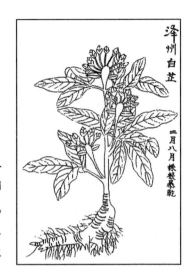

图236 泽州[2]白芷

193 芍药

二月[1]、八月采根,暴干。

【校注】

[1] **二月** 其前,《大观》《政和》有"味苦、酸,平、微寒,有小毒。主邪气腹痛,除血痹,破坚积,寒热疝瘕,止痛,利小便,益气,通顺血脉,缓中,散恶血,逐贼血,去水气,利膀胱、大小肠,消痈肿,时行寒热,中恶,腹痛、腰痛。一名白木,一名余容,一名犁食,一名解仓,一名铤。生中岳川谷及丘陵"。

[2] **泽州** 今山西晋城。

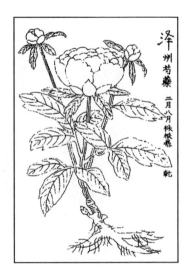

图237 泽州[2]芍药

194 牡丹

二月[1]、八月采根，阴干。

【校注】

[1] **二月** 其前，《大观》《政和》有"味辛、苦，寒、微寒，无毒。主寒热，中风瘈音契疭音纵，痉、惊痫邪气，除癥坚，瘀血留舍肠胃，安五脏，疗痈疮，除时气，头痛，客热，五劳，劳气，头、腰痛，风噤，癫疾。一名鹿韭，一名鼠姑。生巴郡山谷及汉中"。

[2] **滁州** 今安徽滁州。

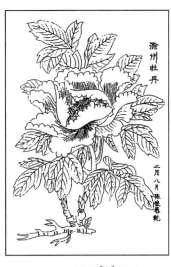

图 238 滁州[2]牡丹

195 木香[1]

【校注】

[1] **香** 其后，《大观》《政和》有"味辛，温，无毒。主邪气，辟毒疫温鬼，强志，主淋露，疗气劣，肌中偏寒，主气不足，消毒，杀鬼精物，温疟，蛊毒，行药之精。久服不梦寤魇寐，轻身致神仙。一名蜜香。生永昌山谷"。

[2] **广州** 今广东广州。

196 青木香[1]

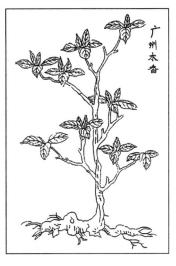

图 239 广州[2]木香

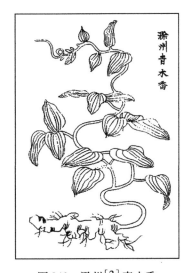

图 240 滁州[2]青木香

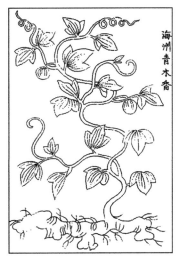

图 241 海州[3]青木香

【校注】

[1] **青木香** 《大观》《政和》将青木香、木香视为一物，将二者并为一条。《政和》曰："陶隐居云：此（指木香）即青木香也。永昌不复贡，今皆从外国舶音白上来，乃云大秦国。以疗毒肿，消恶气，有验。今皆用合香，不入药用。惟制蛀虫丸用之，常能煮以沐浴，大佳尔。"《绍兴本草》将"青木香"从"木香"中析出，独立为一条。该书卷6目录既有"木香"条，又有"青木香"条。

[2] **滁州** 今安徽滁州。

[3] **海州** 今江苏东海县东北。

197 甘松香

正月、二月采，阴干；三月三日采，阴干。[1]味甘，温，无毒[2]。

【校注】

[1] **正月、二月采，阴干；三月三日采，阴干** 以上14字，《大观》《政和》无。疑此14字出自"绍兴校定"。

[2] **毒** 其后，《大观》《政和》有"主恶气，卒心腹痛满，兼用合诸香。丛生，叶细。《广志》云：甘松香出姑臧。今附"。

[3] **文州** 今甘肃文县。

图242 文州[3]甘松香

198 杜若

二月[1]、八月采根，暴干。

【校注】

[1] **二月** 其前，《大观》《政和》有"味辛，微温，无毒。主胸胁下逆气，温中，风入脑户，头肿痛，多涕泪出，眩倒目脘脘莫郎切，止痛，除口臭气。久服益精，明目，轻身，令人不忘。一名杜蘅，一名杜连，一名白连，一名白芩，一名若芝。生武陵川泽及冤句"。

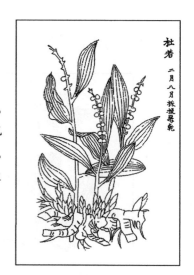

图243 杜若

199　山姜花[1]

【校注】

[1]　**山姜花**　《大观》《政和》卷23目录在"豆蔻"药名下注云："山姜花续注。"《绍兴本草》将"山姜花"单列为一条。该书卷6目录下有"山姜花"专条药名。日华子云："山姜花，暖，无毒。调中下气，消食，杀酒毒。"

[2]　**山姜花**　《大观》《政和》将此图与豆蔻药图并列在一起。

图244　山姜花[2]

200　高良姜

二月[1]、三月采[2]。

图245　雷州[3]高良姜

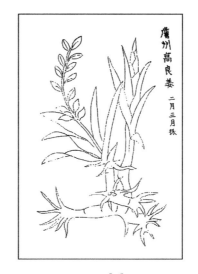

图246　詹州[4]高良姜

【校注】

[1]　**二月**　其前，《大观》《政和》有"大温。主暴冷，胃中冷逆，霍乱腹痛"。

[2]　**二月、三月采**　以上5字，《大观》《政和》无。疑此5字出自"绍兴校定"。

[3]　**雷州**　今广东雷州。

[4]　**詹州**　今广东詹县。

201 豆蔻

味辛[1]，温，无毒。主温中，心腹痛，呕吐，去口臭气[2]。生南海。

绍兴校定：豆蔻采实为用，乃草果子也。性味、主治已载本经。然但温中理气功力多矣。产南海。当从本经味辛，温，无毒是矣。其花间有用之。虽云消酒毒，亦未闻的验之据。

【校注】

[1] **辛** 原作"甘"，据《大观》《政和》改。

[2] **气** 郑杨本脱。

[3] **宜州** 今广西宜州。

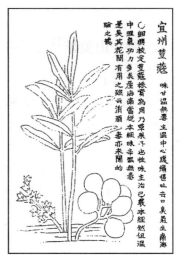

图247 宜州[3]豆蔻

202 白豆蔻

七月[1]采。味辛，大温，无毒。

【校注】

[1] **七月** 其前，《大观》《政和》有"主积冷气，止吐逆反胃，消谷下气。出伽古罗国，呼为多骨。形如芭蕉，叶似杜若，长八九尺，冬夏不凋，花浅黄色，子作朵如葡萄，其子初出微青，熟则变白"。

[2] **广州** 今广东广州。

图248 广州[2]白豆蔻

203 缩沙蜜[1]

【校注】

[1] **缩沙蜜** 其后，《大观》《政和》有"味辛，温，无毒。主虚劳冷泻，宿食不消，赤白泄痢，腹中虚痛，下气。生南地。苗似廉姜，形如白豆蔻，其皮紧厚而皱，黄赤色。八月采"。

[2] **新州** 今广东新兴。

图249 新州[2]缩沙蜜

204　益智子

味辛，温，无毒。主遗精虚漏，小便余沥，益气安神，补不足，安三焦，调诸气。夜多小便者，取二十四枚碎，入盐同煎服，有奇验。按，《山海经》云：生昆仑国。

【校注】

［1］**雷州**　今广东雷州。

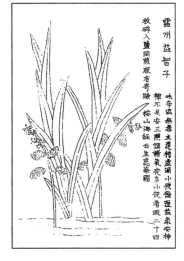

图 250　雷州[1]益智子

205　荜拨[1]

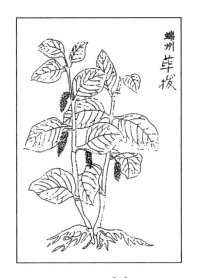

图 251　端州[1]荜拨

【校注】

［1］**荜拨**　其后，《大观》《政和》有"味辛，大温，无毒。主温中下气，补腰脚，杀腥气，消食，除胃冷，阴疝痃癖。其根名荜拨没，主五劳七伤，阴汗核肿。生波斯国。此药丛生，茎、叶似蒟酱，子紧细，味辛烈于蒟酱"。

［2］**端州**　今广东高要。

206　蒟音矩酱[1]

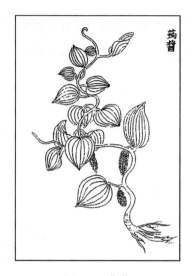

图252　蒟酱

【校注】

[1] **酱**　其后，《大观》《政和》有"味辛，温，无毒。主下气，温中，破痰积。生巴蜀"。

207　肉豆蔻[1]

图253　广州[2]肉豆蔻

【校注】

[1] **肉豆蔻**　其后，《大观》《政和》有"味辛，温，无毒。主鬼气，温中，治积冷，心腹胀痛，霍乱，中恶，冷疰，呕沫冷气，消食止泄，小儿乳霍。其形圆小，皮紫紧薄，中肉辛辣。生胡国，胡

名迦拘勒"。

[2] **广州** 今广东广州。

208 补骨脂

树[1]高三四尺，叶小[2]似薄荷[3]。

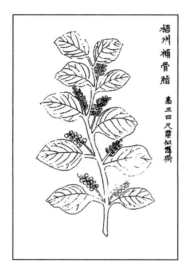

图254 梧州[4]补骨脂

【校注】

[1] **树** 原脱，据《大观》《政和》补。在"树"字前，《大观》《政和》有"味辛，大温，无毒。主五劳七伤，风虚冷，骨髓伤败，肾冷精流，及妇人血气堕胎。一名破故纸。生广南诸州及波斯国"。

[2] **小** 原脱，据《大观》《政和》补。

[3] **荷** 其后，《大观》《政和》有"其舶上来者最佳"。

[4] **梧州** 今广西苍梧。

绍兴校定经史证类备急本草卷之六终

209 姜黄[1]

图 255　澧州[2]姜黄

图 256　宜州[3]姜黄

【校注】

[1] **姜黄**　其后,《大观》《政和》有"味辛、苦,大寒,无毒。主心腹结积,疰忤,下气破血,除风热,消痈肿,功力烈于郁金"。

[2] **澧州**　今湖南澧县。

[3] **宜州**　今广西宜州。

210　郁金[1]

图 257　潮州[2]郁金

【校注】

[1]　**郁金**　其后,《大观》《政和》有"味辛、苦,寒,无毒。主血积下气,生肌止血,破恶血,血淋尿血,金疮"。

[2]　**潮州**　今广东潮州。

211　蓬莪茂[1]

图 258　温州[2]蓬莪茂

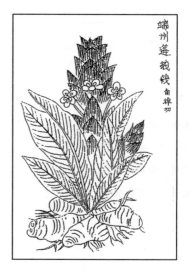

图 259　端州[3]蓬莪茂

【校注】

[1] **蓬莪茂** 《绍兴本草》卷7目录作"莪茂"。又"茂"字后，《大观》《政和》有"味苦、辛，温，无毒。主心腹痛，中恶疰忤鬼气，霍乱冷气，吐酸水，解毒，食饮不消，酒研服之。又疗妇人血气，丈夫奔豚。生西戎及广南诸州"。

[2] **温州** 今浙江温州。

[3] **端州** 今广东高要。

212 京三棱[1]

图260 淄州[2]京三棱

图261 邢州[3]京三棱

图262 随州[4]京三棱

【校注】

[1] **棱** 其后，《大观》《政和》有"味苦，平，无毒。主老癖癥瘕结块。俗传昔人患癥癖死，遗言令开腹取之，得病块干硬如石，文理有五色，人谓异物，窃取削成刀柄，后因以刀刈三棱，柄消成水，乃知此可疗癥癖也。黄色体重，状若鲫鱼而小。又有黑三棱，状似乌梅而稍大，有须相连蔓延，体轻。为疗体并同。今附"。

[2] **淄州** 今山东淄川。

[3] **邢州** "邢"，原作"刑"，据地名改。邢州，即今河北邢台。

[4] **随州** 今湖北随县。

213 莎草[1]

二月采[2]。味甘，微寒[3]。

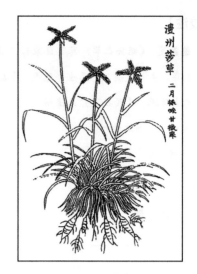

图 263　莎草　　　　　　　　图 264　澧州[4]莎草

【校注】

［1］**莎草**　《大观》《政和》作"莎草根"。

［2］**采**　其前，《大观》《政和》有"八月"2字。

［3］**寒**　其后，《大观》《政和》有"无毒。主除胸中热，充皮毛。久服利人，益气，长须眉。一名藃音号，一名侯莎。其实名缇。生田野"。

［4］**澧州**　今湖南澧县。

214　茅香[1]

味苦，温，无毒[2]。

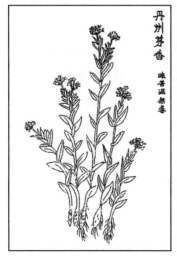

图 265　丹州[3]茅香　　　图 266　岢岚军[4]茅香　　　图 267　淄州[5]茅香

【校注】

[1] **茅香** 《大观》《政和》作"茅香花"。

[2] **无毒** 其后，《大观》《政和》有"主中恶，温胃止呕吐，疗心腹冷痛。苗、叶可煮作浴汤，辟邪气，令人身香。生剑南道诸州。其茎、叶黑褐色，花白，即非白茅香也"。

[3] **丹州** 今陕西宜川。

[4] **岢岚军** 今山西岢岚。

[5] **淄州** 今山东淄川。

215 藿香

微温。疗风水毒肿，去恶气，疗霍乱心痛，取叶为用。味苦、辛。六月、七月采之，暴干。无毒。[1]

【校注】

[1] **味苦、辛。六月、七月采之，暴干。无毒** 以上13字，《大观》《政和》无。疑此13字出自"绍兴校定"。

[2] **蒙州** 今四川彭州。

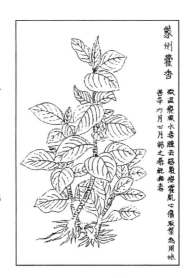

图 268　蒙州[2]藿香

216 零陵香[1]

图 269　蒙州[2]零陵香

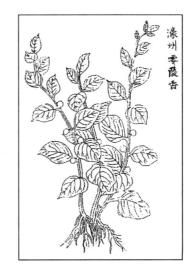

图 270　濠州[3]零陵香

【校注】

[1] **零陵香** 其后，《大观》《政和》有"味甘，平，无毒。主恶气疰心腹痛满，下气。令体香，和诸香作汤丸用之，得酒良。生零陵山谷。叶如罗勒。《南越志》名燕草，又名薰草，即香草也。《山

海经》云：薰草，麻叶方茎，气如蘼芜，可以止疠，即零陵香也。今附"。

　[2] **蒙州**　今四川彭州。

　[3] **濠州**　今安徽凤阳一带。

217　泽兰

三月[1]三日采，阴干。

图271　梧州[2]泽兰

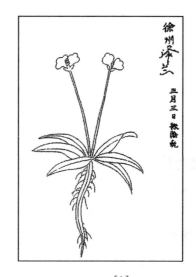

图272　徐州[3]泽兰

【校注】

　[1] **三月**　其前，《大观》《政和》有"味苦、甘，微温，无毒。主乳妇内衄，中风余疾，大腹水肿，身面四肢浮肿，骨节中水，金疮，痈肿疮脓，产后金疮内塞。一名虎兰，一名龙枣，一名虎蒲。生汝南诸大泽傍"。

　[2] **梧州**　今广西苍梧。

　[3] **徐州**　今江苏徐州。

218　石香菜

二月[1]、八月采。苗、茎、花、实俱用。

【校注】

　[1] **二月**　其前，《大观》《政和》有"味辛，香，温，无毒。主调中温胃，止霍乱吐泻，心腹胀满，脐腹痛，肠鸣。一名石苏。生蜀郡陵、荣、资、简州及南中诸处，在山岩石缝中生"。

图273　石香菜

219 积雪草[1]

图 274 积雪草

【校注】

[1] **积雪草** 其后，《大观》《政和》有"味苦，寒，无毒。主大热，恶疮痈疽，浸淫赤熛，皮肤赤，身热。生荆州川谷"。

220 菊花

正月[1]采根，三月采叶，五月采茎，九月采花，十一月采实，皆阴干。

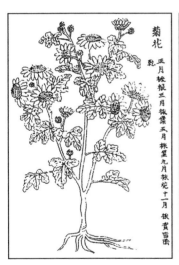

图 275 菊花

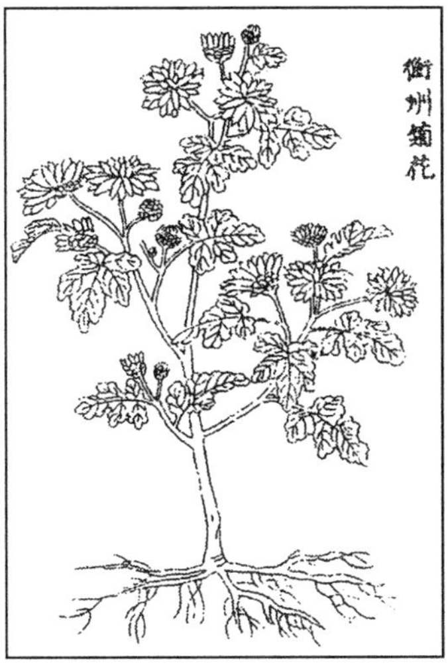

图 276 衡州[2]菊花

图 277 邓州[3]菊花

【校注】

[1] **正月** 其前，《大观》《政和》有"味苦、甘，平，无毒。主风头眩，肿痛，目欲脱，泪出，皮肤死肌，恶风，湿痹，疗腰痛去来陶陶，除胸中烦热，安肠胃，利五脉，调四肢。久服利血气，轻身，耐老，延年。一名节华，一名日精，一名女节，一名女华，一名女茎，一名更生，一名周盈，一名傅延年，一名阴成。生雍州川泽及田野"。

[2] **衡州** 今湖南衡阳。

[3] **邓州** 今河南南阳。

221 庵蔺子[1]

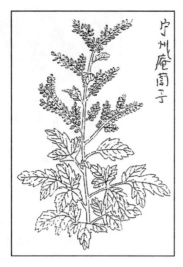

图 278 宁州[2]庵蔺子

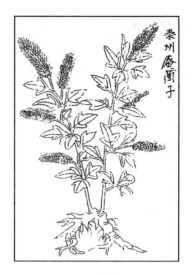

图 279 秦州[3]庵蔺子

【校注】

[1] **庵蔺子** 其后，《大观》《政和》有"味苦，微寒、微温，无毒。主五脏瘀血，腹中水气，胪胀留热，风寒湿痹，身体诸痛，疗心下坚，膈中寒热，周痹，妇人月水不通，消食，明目。久服轻身延年不老。䮂音巨驢音虚食之神仙。生雍州川谷，亦生上党及道边。十月采实，阴干"。

[2] **宁州** 今云南省。

[3] **秦州** 今甘肃天水。

222 菥实

八月[1]、九月采实，日干。

图 280 蔡州[2]菥实

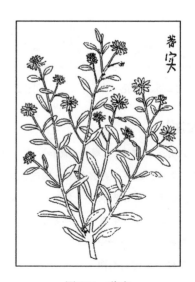

图 281 菥实

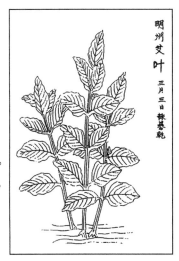

【校注】

[1] **八月** 其前,《大观》《政和》有"味苦、酸,平,无毒。主益气,充肌肤,明目,聪慧先知。久服不饥,不老,轻身。生少室山谷"。

[2] **蔡州** 今河南汝南。

223　艾叶

三月[1]三日采,暴干[2]。

【校注】

[1] **三月** 其前,《大观》《政和》有"味苦,微温,无毒。主灸百病。可作煎,止下痢,吐血,下部蜃疮,妇人漏血,利阴气,生肌肉,辟风寒,使人有子。一名冰台,一名医草。生田野"。

[2] **干** 其后,《大观》《政和》有"作煎,勿令见风"。

[3] **明州** 今浙江宁波。

图 282　明州[3]艾叶

224　茵陈蒿

五月[1]及立秋采,阴干。

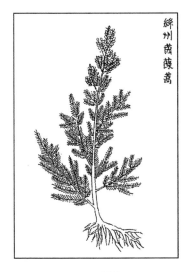

图 283　绛州[2]茵陈蒿

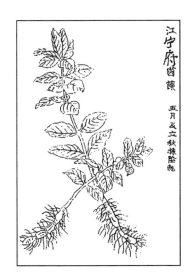

图 284　江宁府[3]茵陈

【校注】

[1] **五月** 其前,《大观》《政和》有"味苦,平、微寒,无毒。主风湿,寒热,邪气,热结,黄疸,通身发黄,小便不利,除头热,去伏瘕。久服轻身,益气耐老,面白悦长年。白兔食之仙。生

149

太山及丘陵坡岸上"。

　　[2]　**绛州**　今山西新绛。

　　[3]　**江宁府**　今江苏南京。

225　草蒿 [1]

图 285　草蒿

图 286　草蒿

【校注】

　　[1]　**草蒿**　其后，《大观》《政和》有"味苦，寒，无毒。主疥瘙痂痒恶疮，杀虱，留热在骨节间，明目。一名青蒿，一名方溃。生华阴川泽"。

226　白蒿 [1]

图 287　白蒿

图 288　白蒿

【校注】

[1] **白蒿** 其后，《大观》《政和》有"味甘，平，无毒。主五脏邪气，风寒湿痹，补中益气，长毛发令黑，疗心悬，少食常饥。久服轻身，耳目聪明，不老。生中山川泽。二月采"。

227 茺蔚子[1]

图289 茺蔚子

【校注】

[1] **茺蔚子** 其后，《大观》《政和》有"味辛、甘，微温、微寒，无毒。主明目益精，除水气，疗血逆大热，头痛，心烦。久服轻身。茎主瘾疹上音隐，下音疹痒，可用浴汤。一名益母，一名益明，一名大札，一名贞蔚。生海滨池泽。五月采"。

228 夏枯草

味苦、辛，寒，无毒。主寒热，瘰疬，鼠瘘，头疮，破癥散瘿结气，脚肿湿痹，轻身。至五月枯[1]，四月采[2]。

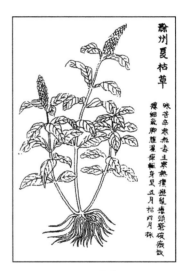

图290 滁州[3]夏枯草

【校注】

[1] **至五月枯** 以上4字，《大观》《政和》无。

[2] **四月采** 其前，《大观》《政和》有"一名夕句，一名乃东。一名燕面。生蜀郡川谷"。

[3] **滁州** 今安徽滁州。

229 刘寄奴[1]

味苦，温。主破血，下胀。多服令人下痢。生江南。采茎、叶、花、实为用，六月、七月、八月采。[2]

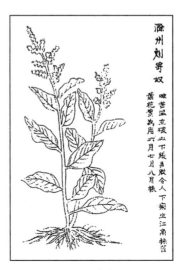

图291 滁州[3]刘寄奴

【校注】

[1] **奴** 其后，《大观》《政和》有"草"字。

[2] **采茎、叶、花、实为用，六月、七月、八月采** 以上14字，《大观》《政和》无。疑此14字出于"绍兴校定"文。

[3] **滁州** 今安徽滁州。

230 旋覆花

五月采花，日干，二十日成。味咸、甘，温、冷利，有小毒[1]。

【校注】

[1] **毒** 其后，《大观》《政和》有"主结气胁下满，惊悸，除水，去五脏间寒热，补中下气，消胸上痰结，唾如胶漆，心胁痰水，膀胱留饮，风气湿痹，皮间死肉，目中眵音嗤瞙音蔑，利大肠，通血脉，益色泽。一名戴椹，一名金沸草，一名盛椹。其根主风湿。生平泽川谷"。

[2] **随州** 今湖北随县。

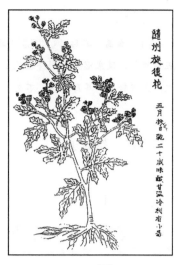

图 292　随州[2]旋覆花

231 青葙子

三月采根茎叶，五月、六月采子。味苦，微寒，无毒[1]。

【校注】

[1] **无毒** 其后，《大观》《政和》有"主邪气，皮肤中热，风瘙身痒，杀三虫，恶疮疥虱，痔蚀，下部䘌疮。子名草决明，疗唇口青。一名草蒿，一名萋蒿。生平谷道傍"。

[2] **滁州** 今安徽滁州。

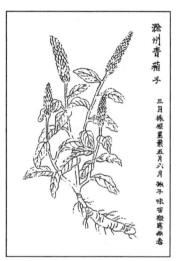

图 293　滁州[2]青葙子

232 红蓝花[1]

【校注】

[1] **红蓝花** 其后，《大观》《政和》有"味辛，温，无毒。主产后血运口噤，腹内恶血不尽绞痛，胎死腹中，并酒煮服。亦主蛊毒下血。堪作燕脂。其苗生捣碎，傅游肿。其子吞数颗，主天行疮子不出。其燕脂，主小儿聤耳，滴耳中。生梁、汉及西域。一名黄蓝。《博物志》云：黄蓝，张骞所得。今仓魏地亦种之。今附"。

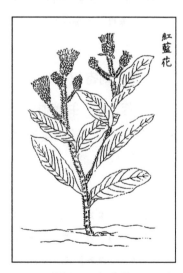

图 294　红蓝花

233 小蓟根[1]

五月[2]采。

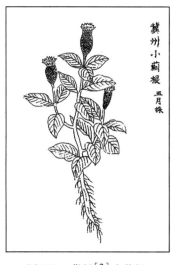

图295 冀州[3]小蓟根

【校注】

[1] **小蓟根** 《大观》《政和》作"大小蓟根"。

[2] **五月** 其前,《大观》《政和》有"味甘,温。主养精保血。大蓟,主女子赤白沃,安胎,止吐血,衄鼻,令人肥健"。

[3] **冀州** 今河北邯郸地区。

234 续断

七月[1]、八月采根,阴干。

图296 绛州[2]续断

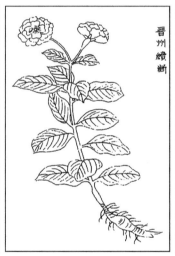

图297 晋州[3]续断

图298 越州[4]续断

【校注】

[1] **七月** 其前,《大观》《政和》有"味苦、辛,微温,无毒。主伤寒,补不足,金疮,痈伤。折跌,续筋骨,妇人乳难,崩中漏血,金疮血内漏,止痛生肌肉及踠伤,恶血,腰痛,关节缓急。久服益气力。一名龙豆,一名属折,一名接骨,一名南草,一名槐。生常山山谷"。

[2] **绛州** 今山西新绛。

[3] **晋州** 今山西临汾。

[4] **越州** 今浙江绍兴。

235　漏芦

八月[1]采根，阴干。九月采，阴干[2]。

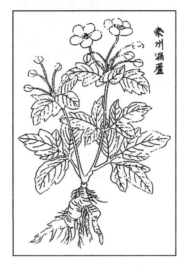

图 299　秦州[3]漏芦

图 300　单州[4]漏芦

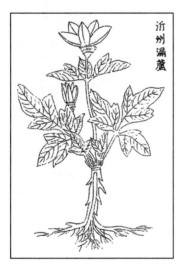

图 301　沂州[5]漏芦

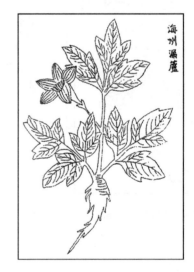

图 302　海州[6]漏芦

【校注】

[1] **八月**　其前，《大观》《政和》有"味苦、咸，寒、大寒，无毒。主皮肤热，恶疮，疽痔，湿痹，下乳汁，止遗溺，热气疮痒如麻豆，可作浴汤。久服轻身益气，耳目聪明，不老延年。一名野兰。生乔山山谷"。

[2] **九月采，阴干**　以上5字，《大观》《政和》无。

[3] **秦州**　今甘肃天水。

[4] **单州** 今山东单县。

[5] **沂州** 今山东临沂地区。

[6] **海州** 今江苏东海。

236 苎根

味甘，寒，无毒。疗渴，治丹毒，俱载本经。其消痈肿，除热，通五淋[1]。

【校注】

[1] **味甘……通五淋** 《大观》《政和》作"寒。主小儿赤丹，其渍苎汁，疗渴"。

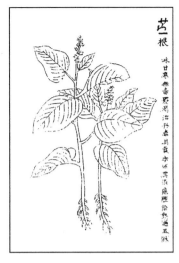

图 303 苎根

237 茼实茼，音顷

味苦，平，无毒。主赤白冷热痢，散服饮之。吞一枚，破痈肿。九月、十月采实，阴干。八月、九月采[1]。

【校注】

[1] **九月、十月采实，阴干。八月、九月采** 以上 13 字，《大观》《政和》无。

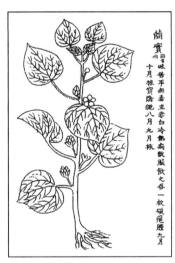

图 304 茼实

238 大青

三月[1]、四月采茎，阴干。

【校注】

[1] **三月** 其前，《大观》《政和》有"味苦，大寒，无毒。主疗时气头痛，大热口疮"。

[2] **信州** 今江西上饶。

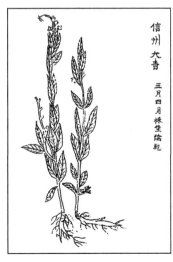

图 305 信州[2]大青

155

239　葫芦巴

主元脏虚冷气。得附子、硫黄，治肾虚冷，腹胁胀满，面色青黑。得茴香子、桃仁，治膀胱气甚效。出广州并黔州[1]。春生苗，夏结[2]子，子作细荚，至秋采。今人多用岭南者[3]。

【校注】

[1] **黔州**　今重庆彭水。

[2] **结**　原讹为"枯"，据《大观》《政和》改。

[3] **者**　其后，《大观》《政和》有"新定"2小字。

[4] **广州**　今广东广州。

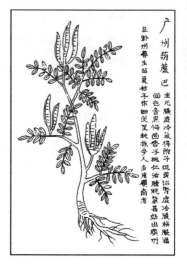

图 306　广州[4]葫芦巴

240　蠡实

马蔺子是也[1]。五月[2]采实，阴干。

【校注】

[1] **马蔺子是也**　以上5字，《大观》《政和》无。

[2] **五月**　其前，《大观》《政和》有"味甘，平、温，无毒。主皮肤寒热，胃中热气，风寒湿痹，坚筋骨，令人嗜食，止心烦满，利大小便，长肌肤肥大。久服轻身。花、叶去白虫，疗喉痹，多服令人溏泄。一名荔实，一名剧草，一名三坚，一名豕首。生河东川谷"。

[3] **冀州**　今河北邯郸地区。

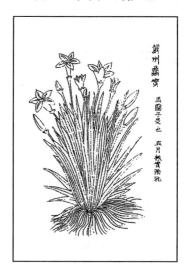

图 307　冀州[3]蠡实

241　恶实[1]

【校注】

[1] **恶实**　其后，《大观》《政和》有"味辛，平。主明目，补中，除风伤。根、茎疗伤寒寒热、汗出，中风面肿，消渴热中，逐水。久服轻身耐老。生鲁山平泽"。

[2] **蜀州**　今重庆。

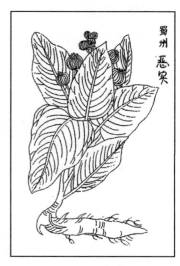

图 308　蜀州[2]恶实

242 菜耳^[1] 菜,私以切

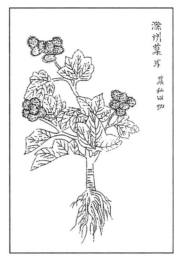

图 309　滁州^[2]菜耳

【校注】

　　[1] 菜耳　《大观》《政和》作"菜耳实"。又其后,《大观》《政和》有"味苦、甘,温。叶,味苦、辛,微寒,有小毒。主风头寒痛,风湿周痹,四肢拘挛痛,恶肉死肌,膝痛,溪毒。久服益气,耳目聪明,强志轻身。一名胡菜,一名地葵,一名葹音施,一名常思。生安陆川谷及六安田野。实熟时采"。

　　[2] 滁州　今安徽滁州。

243 天名精

　　五月^[1]采。

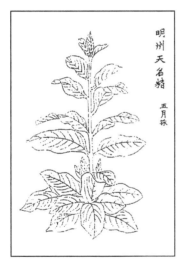

图 310　明州^[2]天名精

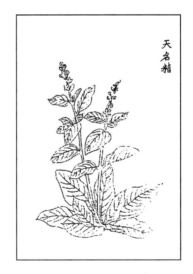

图 311　天名精

　　绍兴校定:天名精,出产、主治瘀血已载本经,但不云采何为用。又诸家注说,互有异同,致后人疑惑。今考注文,捣汁服饵,止说苗叶及花,而不言根形,足知采茎叶为用。以其除结热、止烦渴,故本经云味甘,寒,无毒者是也。然在诸方,亦稀用之。又云:南人名为地菘。窃详下品自有地菘,性味、主疗与天名精不同,其非一种明矣。^[3]

【校注】

［1］**五月** 其前，《大观》《政和》有"味甘，寒，无毒。主瘀血，血瘕欲死，下血，止血，利小便，除小虫，去痹，除胸中结热，止烦渴，逐水大吐下。久服轻身，耐老。一名麦句姜，一名虾蟆蓝，一名豕首，一名天门精，一名玉门精，一名彘颅，一名蟾蜍兰，一名觐。生平原川泽"。

［2］**明州** 今浙江宁波。

［3］**绍兴校定……其非一种明矣** 以上一节文，辑自《永乐大典·医药集》页612，卷8526"精"字条。

244　豨莶

味苦，寒，有小毒[1]。五月五日、六月六日、九月九日采其叶。[2]

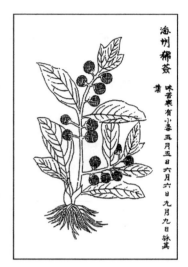

图312　海州[3]豨莶

【校注】

［1］**毒** 其后，《大观》《政和》有"主热䘌，烦满不能食。生捣汁。服三四合，多则令人吐"。

［2］**五月……采其叶** 以上15字，《大观》《政和》无。

［3］**海州** 今江苏东海。

245　芦根

味甘，寒。主消渴，客热，止小便利。

图313　芦根

246 甘蕉根

味甘，寒，无毒[1]。甘蕉根，乃芭蕉根也。[2]

【校注】

[1] **味甘，寒，无毒** 《大观》《政和》作"大寒。主痈肿结热"。

[2] **甘蕉根，乃芭蕉根也** 以上8字，《大观》《政和》无。

[3] **南恩州** 今广东阳江。

图314 南恩州[3]甘焦根

247 芭蕉花[1]

【校注】

[1] **芭蕉花** 《大观》《政和》并不独立为一条，其药图并在"甘蕉根"条中。

图315 芭蕉花

248 麻黄

立[1]秋采茎，阴干令青。

图316 同州[2]麻黄

图317 茂州[3]麻黄

159

【校注】

[1] 立 其前，《大观》《政和》有"味苦，温、微温，无毒。主中风伤寒头痛，温疟，发表出汗，去邪热气，止咳逆上气，除寒热，破癥坚积聚，五脏邪气缓急，风胁痛，字乳余疾，止好睡，通腠理，疏伤寒头疼，解肌，泄邪恶气，消赤黑斑毒。不可多服，令人虚。一名卑相，一名龙沙，一名卑盐。生晋地及河东"。

[2] 同州 今陕西大荔。

[3] 茂州 今四川茂县。

249 木贼

味甘、微苦，无毒。主目疾，退翳膜，又消积块，益肝胆，明目，疗肠风，止痢，及妇人月水不断[1]，得牛角鰓[2]。四月采用之。九月、十月采。[3]

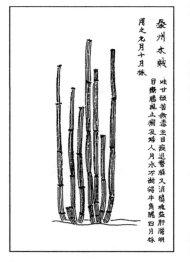

图318 秦州[4]木贼

【校注】

[1] 断 柯《大观》作"住"。

[2] 牛角鰓 其后，《大观》《政和》有"麝香，治休息痢历久不差。得禹余粮、当归、芎䓖，疗崩中赤白。得槐鹅、桑耳，肠风下血服之效。又与槐子、枳实相宜，主痔疾出血。出秦、陇、华、成诸郡近水地。苗长尺许，丛生。每根一秆，无花叶，寸寸有节，色青，凌冬不凋"。

[3] 九月、十月采 以上5字，《大观》《政和》无。

[4] 秦州 今甘肃天水。

绍兴校定经史证类备急本草卷之七终

250　地黄^[1]

二月^[2]、八月采根，阴干。

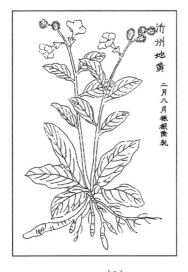

图 319　沂州^[3]地黄

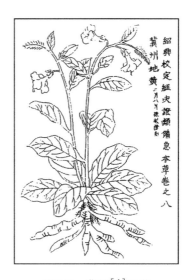

图 320　冀州^[4]地黄

【校注】

[1] **地黄**　《大观》《政和》作"干地黄"。

[2] **二月**　其前，《大观》《政和》有"味甘、苦，寒，无毒。主折跌绝筋，伤中，逐血痹，填骨髓，长肌肉。作汤除寒热，积聚，除痹。主男子五劳七伤，女子伤中，胞漏，下血，破恶血，溺血，利大小肠，去胃中宿食，饱力断绝，补五脏内伤不足，通血脉，益气力，利耳目。生者尤良。生地黄，大寒。主妇人崩中血不止及产后血上薄心闷绝，伤身胎动下血，胎不落，堕坠踠折，瘀血，留血，衄鼻，吐血，皆捣饮之。久服轻身不老。一名地髓，一名芐，一名芑。生咸阳川泽黄土地者佳"。

[3] **沂州**　今山东临沂。

[4] **冀州**　今河北冀州。

251　牛膝

二月[1]、八月、十月采根，阴干。

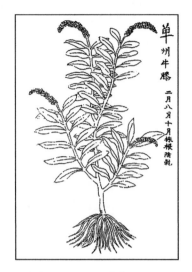

图 321　单州[2]牛膝

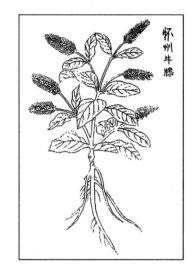

图 322　怀州[3]牛膝

图 323　滁州[4]牛膝

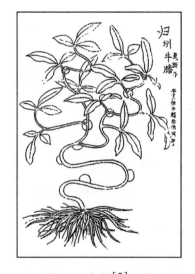

图 324　归州[5]牛膝

【校注】

[1] **二月**　其后，《大观》《政和》有"为君味苦、酸，平，无毒。主寒湿痿痹，四肢拘挛，膝痛不可屈伸，逐血气，伤热火烂，堕胎，疗伤中少气，男子阴消，老人失溺，补中续绝，填骨髓，除脑中痛及腰脊痛，妇人月水不通，血结，益精，利阴气，止发白。久服轻身耐老。一名百倍。生河内川谷及临朐"。

[2] **单州**　今山东单县。

[3] **怀州** 今河南沁阳。

[4] **滁州** 今安徽滁州。

[5] **归州** 今湖北秭归。

252 紫菀

二月[1]、三月采根，阴干。

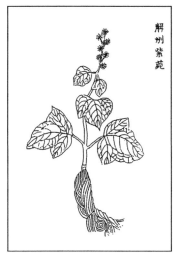  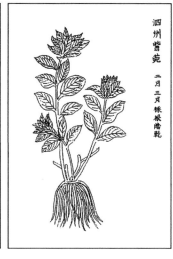

图 325 解州[2]紫菀　　　图 326 成州[3]紫菀　　　图 327 泗州[4]紫菀

【校注】

[1] **二月** 其前，《大观》《政和》有"味苦、辛，温，无毒。主咳逆上气，胸中寒热结气，去蛊毒，痿蹷，安五脏，疗咳唾脓血，止喘悸，五劳体虚，补不足，小儿惊痫。一名紫蒨，一名青菀。生房陵山谷及真定、邯郸"。

[2] **解州** 今山西解州。

[3] **成州** 今甘肃成县。

[4] **泗州** 今安徽泗县。

253 麦门冬

二月[1]、三月、八月、十月采根，阴干。

图 328　随州[2]麦门冬　　　　　图 329　睦州[3]麦门冬

【校注】

[1] 二月　其前，《大观》《政和》有"为君味甘，平、微寒，无毒。主心腹结气，肠中伤饱，胃络脉绝，羸瘦，短气，身重，目黄，心下支满，虚劳客热，口干燥渴，止呕吐，愈痿蹶，强阴益精，消谷调中，保神，定肺气，安五脏，令人肥健，美颜色，有子。久服轻身，不老不饥。秦名羊韭，齐名爱韭，楚名马韭，越名羊蓍，一名禹葭，一名禹馀粮。叶如韭，冬夏长生。生函谷川谷及堤坂肥土石间久废处"。

[2] 随州　今湖北随县。

[3] 睦州　今浙江淳安。

254　萱草[1]

【校注】

[1] 萱草　其后，《大观》《政和》有"根凉，无毒。治沙淋，下水气，主酒疸，黄色通身者。取根捣绞汁服，亦取嫩苗煮食之。又主小便赤涩，身体烦热。一名鹿葱。花名宜男。《风土记》云：怀妊妇人佩其花，生男也"。

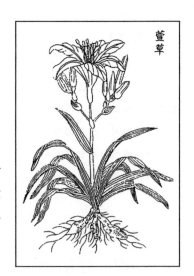

图 330　萱草

255　冬葵子

味甘，寒，无毒。主五脏六腑寒热，羸瘦，五癃，利小便，疗妇人乳难，内闭。久服坚骨，长肌肉，轻身延年。生少室山。十二月采之。黄芩为之使。[1]

葵根　味甘，寒，无毒。主恶疮，疗淋，利小便，解蜀椒毒。

叶　为百菜主[2]，其心伤人。

产书治[3]倒生，手足冷，口噤。以葵子炒令黄，捣末，酒服二钱匕，则顺。[4]

绍兴校定：冬葵子即葵菜子也。性味、主治已具本经。大抵滑利宣通之性多矣。当云味甘，微寒，无毒为定。其根与苗叶虽功用不远，但用未闻验据。叶作菜食之亦罕矣。

【校注】

[1] **黄芩为之使**　以上5字，郑杨本无。

[2] **主**　其后，原衍"治"字，据《大观》《政和》删。

[3] **治**　其后，《政和》有"产"字。

[4] **产书治倒生……则顺**　以上25字，原作旁注书写。郑杨本无此25字。又"顺"，原作"须"，据《大观》《政和》改。

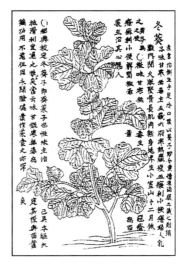

图 331　冬葵

256　龙葵

味苦，寒，无毒。食之解劳少睡，去虚热肿。其子疗丁肿。所在有之。

绍兴校定：龙葵，世呼苦葵菜是[1]。唯叶外傅疮肿，但未闻服饵起疾之验。亦非常食菜品。本经云味苦，寒，无毒是矣。根、实虽亦分主治，今稀见用。北地多产之。

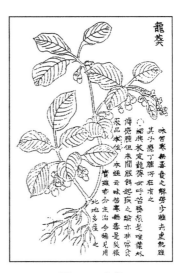

图 332　龙葵

【校注】

[1] **是**　其后，郑杨本有"也"字。

257　酸浆

五月[1]采，阴干。

【校注】

[1] **五月**　其前，《大观》《政和》有"味酸，平、寒，无毒。主热烦满，定志益气，利水道，产难吞其实立产。一名醋浆。生荆楚川泽及人家田园中"。

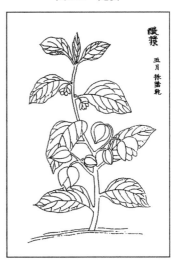

图 333　酸浆

258 败酱

八月[1]采根，暴干。

【校注】

[1] **八月** 其前，《大观》《政和》有"味苦、咸，平、微寒，无毒。主暴热火疮赤气，疥瘕，疽痔，马鞍热气，除痈肿，浮肿，结热，风痹不足，产后疾痛。一名鹿肠，一名鹿首，一名马草，一名泽败。生江夏川谷"。

[2] **江宁府** 今江苏南京。

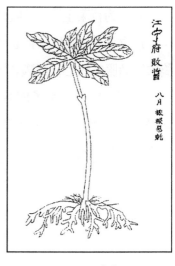

图334 江宁府[2]败酱

259 款冬花

十一月[1]采花，阴干。

图335 晋州[2]款冬花

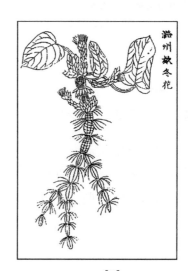

图336 潞州[3]款冬花

图337 雄州[4]款冬花

图338 秦州[5]款冬花

【校注】

[1] **十一月** 其前，《大观》《政和》有"味辛、甘，温，无毒。主咳逆上气，善喘，喉痹，诸惊痫，寒热邪气，消渴，喘息呼吸。一名棠吾，一名颗东，一名虎须，一名菟葵，一名氐冬。生常山山谷及上党水傍"。

[2] **晋州** 今山西临汾。

[3] **潞州** 今山西长治。

[4] **雄州** 《大观》《政和》作"雍州"（今陕西长安以西）。疑"雄"为"雍"之误。

[5] **秦州** 今甘肃天水。

260 决明子

十月[1]十日采，阴干百日。

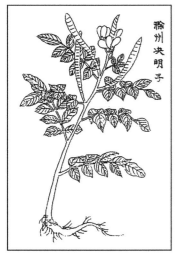  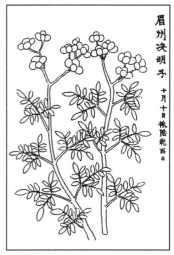

图 339 滁州[2]决明子　　图 340 决明子　　图 341 眉州[3]决明子

【校注】

[1] **十月** 其前，《大观》《政和》有"味咸、苦、甘，平、微寒，无毒。主青盲，目淫，肤赤，白膜，眼赤痛，泪出，疗唇口青。久服益精光，轻身。生龙门川泽。石决明生豫章"。

[2] **滁州** 今安徽滁州。

[3] **眉州** 今四川眉山。

261 地肤子

八月[1]、十月采实，阴干。

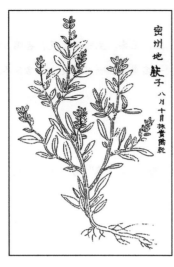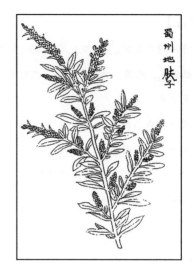

图 342　密州[2]地肤子　　　　　　　图 343　蜀州[3]地肤子

【校注】

[1]　**八月**　其前，《大观》《政和》有"味苦，寒，无毒。主膀胱热，利小便，补中，益精气，去皮肤中热气，散恶疮疝瘕，强阴。久服耳目聪明，轻身耐老，使人润泽。一名地葵，一名地麦。生荆州平泽及田野"。

[2]　**密州**　今山东诸城。

[3]　**蜀州**　今重庆。

262　王不留行

二月[1]、八月采。

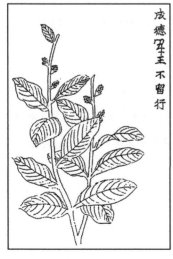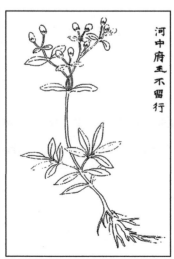

图 344　成德军[2]王不留行　　　图 345　河中府[3]王不留行　　　图 346　江宁府[4]王不留行

【校注】

[1] **二月** 其前，《大观》《政和》有"味苦、甘，平，无毒。主金疮止血，逐痛出刺，除风痹内寒，止心烦，鼻衄，痈疽恶疮痿乳，妇人难产。久服轻身，耐老增寿。生太山山谷"。

[2] **成德军** 今河北正定。

[3] **河中府** 今山西永济。

[4] **江宁府** 今江苏南京。

263 瞿麦

立秋[1]采实，阴干。

绍兴校定[2]：瞿麦，性味、主治备载本经，虽云采实阴干，今方家入药，茎、叶、实皆用，但去其根矣。治诸癃闭有验。味苦、辛，寒，无毒是也。又雷公有药壳、茎叶并使，令人气咽、小便不禁之说，无所据[3]。

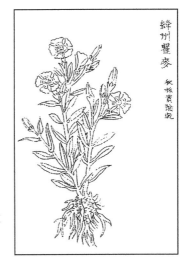

图347 绛州[4]瞿麦

【校注】

[1] **立秋** 其前，《大观》《政和》有"味苦、辛，寒，无毒。主关格诸癃结，小便不通，出刺，决痈肿，明目去翳，破胎堕子，下闭血，养肾气，逐膀胱邪逆，止霍乱，长毛发。一名巨句麦，一名大菊，一名大兰。生太山山谷"。

[2] **绍兴校定** 《永乐大典》作"绍兴本草"，据本书体例改。

[3] **绍兴校定……无所据** 以上一段文，原缺，据《永乐大典》卷22182"麦"字条补（《永乐大典·医药集》）。

[4] **绛州** 今山西新绛。

264 蒴草

味苦，平[1]，无毒[2]。

【校注】

[1] **味苦，平** 《大观》《政和》作"凉"。

[2] **毒** 其后，《大观》《政和》有"治恶疮，疥癣，风瘙。根名白药"。

[3] **润州** 今江苏镇江。

图348 润州[3]蒴草

265　葶苈

立夏后采实，阴干。[1]味辛、苦，寒、大寒，无毒[2]。

图349　丹州[3]葶苈

图350　曹州[4]葶苈

图351　成德军[5]葶苈

【校注】

[1] **立夏后采实，阴干**　以上7字，《大观》《政和》列在条文之末。

[2] **毒**　其后，《大观》《政和》有"主癥瘕积聚结气，饮食寒热，破坚逐邪，通利水道，下膀胱水，伏留热气，皮间邪水上出，面目浮肿，身暴中风热痱音沸痒，利小腹。久服令人虚。一名丁历，一名草音典蒿，一名大室，一名大适。生蒿城平泽及田野"。

[3] **丹州**　今陕西宜川。

[4] **曹州**　今山东菏泽。

[5] **成德军**　今河北正定。

266　车前子

五月[1]五日采，阴干。

【校注】

[1] **五月**　其前，《大观》《政和》有"味甘、咸，寒，无毒。主气癃，止痛，利水道小便，除湿痹，男子伤中，女子淋沥，不欲食，养肺，强阴益精。令人有子，明目，疗赤痛。久服轻身耐老。叶及根味甘，寒。主金疮，止血，衄鼻瘀血，血瘕，下血，小便赤，止烦下气，除小虫。一名当道，一名芣音浮苢音以，一名

图352　滁州[2]车前子

172

虾蟆衣，一名牛遗，一名胜舄音昔。生真定平泽丘陵阪道中"。

[2] **滁州** 今安徽滁州。

267 马鞭草[1]

味甘、苦，微寒，有小毒。七月、八月采苗叶，日干。[2]

【校注】

[1] **马鞭草** 其后，《大观》《政和》有"主下部蜃疮"。

[2] **味甘……日干** 以上 17 字，出自《本草图经》。

[3] **衡州** 今湖南衡阳。

图 353 衡州[3]马鞭草

268 蛇含[1]

八月采，阴干。[2]味苦，微寒，无毒[3]。

【校注】

[1] **蛇含** 《大观》《政和》作"蛇全"。

[2] **八月采，阴干** 以上 5 字，《大观》《政和》列在条文之末。

[3] **毒** 其后，《大观》《政和》有"主惊痫，寒热邪气，除热，金疮、疽痔，鼠瘘恶疮头疡，疗心腹邪气，腹痛湿痹，养胎，利小儿。一名蛇衔。生益州山谷"。

[4] **兴州** 今陕西略阳。

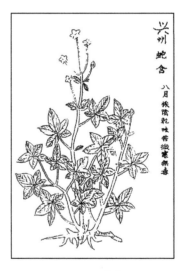

图 354 兴州[4]蛇含

269 鼠尾草

味苦，微寒，无毒。主鼠瘘寒热，下血不止[1]。四月采叶，七月采花，阴干。

【校注】

[1] **下血不止** 《大观》《政和》作"下痢脓血不止"。又"止"字后，《大观》《政和》有"白花者主白下，赤花者主赤下。一名蒟音勋，一名陵翘。生平泽中"。

[2] **黔州** 今重庆彭水。

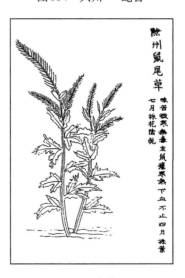

图 355 黔州[2]鼠尾草

270　狼把[1]草[2]

金疮止血。[3]

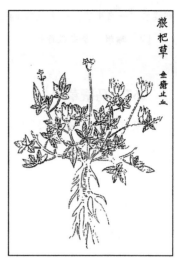

图 356　狼把草

【校注】

[1] 把　《大观》同，《政和》作"杷"。

[2] 草　其后，《大观》《政和》有"秋穗子并染皂，黑人鬓发，令人不老。生山道傍"。

[3] 金疮止血　《大观》《政和》无此 4 字。

271　鳢肠

味甘、酸，平，无毒[1]。

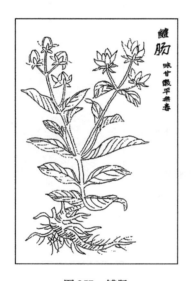

图 357　鳢肠

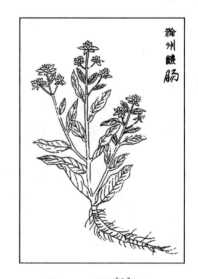

图 358　滁州[2]鳢肠

【校注】

[1] 毒　其后，《大观》《政和》有"主血痢。针灸疮发，洪血不可止者，傅之立已。汁涂发眉，生速而繁。生下湿地"。

[2] 滁州　今安徽滁州。

272　连翘

味苦，平，无毒。主寒热鼠瘘瘰疬，痈肿恶疮瘿瘤，结热蛊毒，去白虫[1]。八月采，阴干。

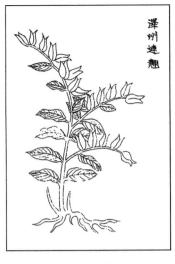

图359 泽州[2]连翘

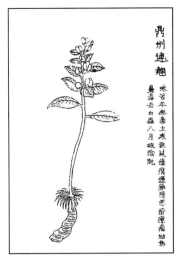

图360 鼎州[3]连翘

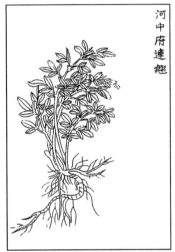

图361 河中府[4]连翘

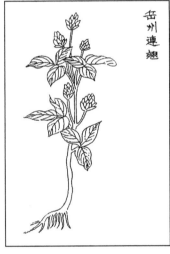

图362 岳州[5]连翘

图363 兖州[6]连翘

【校注】

[1] **䖝** 其后,《大观》《政和》有"一名异翘,一名兰华,一名折根,一名轵,一名三廉。生太山山谷"。

[2] **泽州** 今山西晋城。

[3] **鼎州** 今湖南常德。

[4] **河中府** 今山西永济。

[5] **岳州** 今湖南岳阳。

[6] **兖州** 今山东兖州。

273　陆英

味苦，寒，无毒。主骨间诸痹，四肢拘挛疼酸，膝寒痛，阴痿，短气不足，脚肿。生熊耳川谷及冤句。立秋采。

【校注】

[1]　**蜀州**　今重庆。

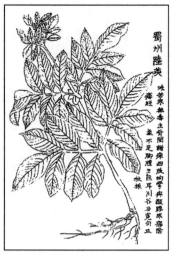

图364　蜀州[1]陆英

274　蓝叶[1]

【校注】

[1]　**蓝叶**　《大观》《政和》列在"蓝实"条下，并不单独列为一条。

[2]　**蜀州**　今重庆。

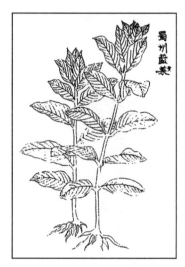

图365　蜀州[2]蓝叶

275　蓝实[1]

【校注】

[1]　**蓝实**　其后，《大观》《政和》有"味苦，寒，无毒。主解诸毒，杀蛊蚊音其，小儿鬼也，疰鬼，螫毒。久服头不白，轻身。其叶汁，杀百药毒，解狼毒、射罔毒。其茎叶，可以染青。生河内平泽"。

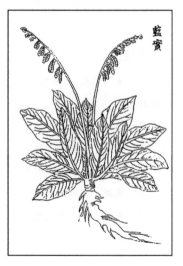

图366　蓝实

276 马蓝[1]

【校注】

[1] **马蓝** 《大观》《政和》列在"蓝实"条注中，不单独列为一条。《政和》引禹锡谨按云："《尔雅》云：葴，马蓝。注：今大叶冬蓝也。"

[2] **福州** 今福建福州。

图 367　福州[2]马蓝

277 吴蓝[1]

【校注】

[1] **吴蓝** 《大观》《政和》列在"蓝实"条注中，不单独列为一条。

[2] **江陵府** 今湖北江陵。

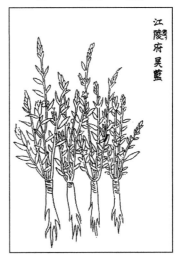

图 368　江陵府[2]吴蓝

278 荭草

五月[1]采实。蓼之类。[2]

【校注】

[1] **五月** 其前，《大观》《政和》有"味咸，微寒，无毒。主消渴，去热，明目，益气。一名鸿䕵音缬。如马蓼而大，生水傍"。

[2] **蓼之类** 以上3字，《大观》《政和》无。

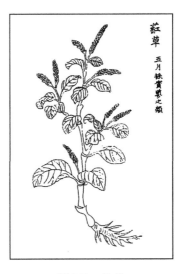

图 369　荭草

279 萹蓄

味苦，平，无毒[1]，亦微寒[2]。五月采，阴干。

【校注】

[1] 毒 其后，《大观》《政和》有"主浸淫疥瘙疽痔，杀三虫，疗女子阴蚀。生东莱山谷"。

[2] 亦微寒 以上3字，《大观》《政和》无。

[3] 冀州 今河北冀州。

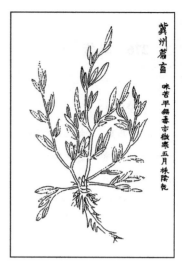

图 370 冀州[3]萹蓄

280 荜澄茄

味辛，温，无毒[1]。

【校注】

[1] 毒 其后，《大观》《政和》有"主下气消食，皮肤风，心腹间气胀，令人能食，疗鬼气。能染发及香身。生佛誓国。似梧桐子及蔓荆子微大，亦名毗陵茄子。今附"。

[2] 广州 今广东广州。

图 371 广州[2]荜澄茄

281 牙子

八月采根，暴干。[1]味苦、酸，寒，有毒。主邪气热气，疗瘙恶疡，疮痔，去白虫[2]。

【校注】

[1] 八月采根，暴干 以上6字，《大观》《政和》列在条文末。又"干"字后，《大观》《政和》有"中湿腐烂生衣者，杀人"。

[2] 虫 其后，《大观》《政和》有"一名狼牙，一名狼齿，一名狼子，一名犬牙。生淮南川谷及冤句"。

[3] 江宁府 今江苏南京。

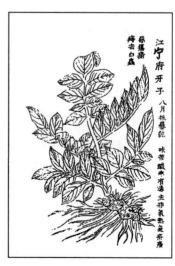

图 372 江宁府[3]牙子

282 鹤虱

味苦，平，有小毒。主蛔、蛲虫。用之为散，以肥肉臛汁服方寸匕。亦丸散中用。生西戎。

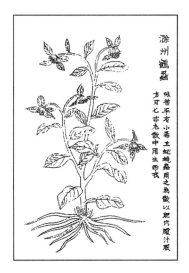 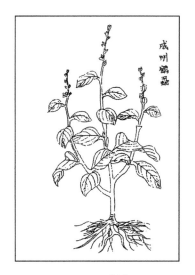

图373 滁州[1]鹤虱　　　　图374 成州[2]鹤虱

【校注】

[1] **滁州**　今安徽滁州。

[2] **成州**　今甘肃成县。

283 蒚音锡蓂音觅子

四月[1]、五月采根，暴干。

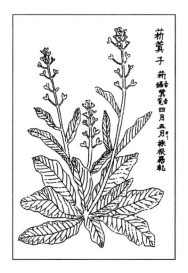

图375 蒚蓂子

【校注】

[1] **四月**　其前，《大观》《政和》有"味辛，微温，无毒。主明目，目痛泪出，除痹，补五脏，益精光，疗心腹腰痛。久服轻身不老。一名蘸蒚，一名大蕺，一名马辛，一名大荠。生咸阳川泽及道傍"。

284 地不容^[1]

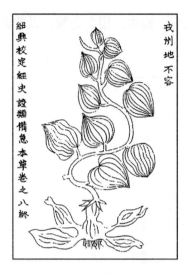

图 376 戎州^[2]地不容

【校注】

[1] **地不容** 其后,《大观》《政和》有"味苦,大寒,无毒。主解蛊毒,止烦热,辟瘴疠,利喉闭及痰毒。一名解毒子。生山西谷。采无时"。

[2] **戎州** 今四川宜宾。

绍兴校定经史证类备急本草卷之八终

绍兴校定经史证类备急本草卷之九

285 蒺藜子^[1]

图 377 秦州^[2]蒺藜子

【校注】

[1] **蒺藜子** 其后，《大观》《政和》有"味苦、辛，温、微寒，无毒。主恶血，破癥结积聚，喉痹，乳难，身体风痒，头痛，咳逆伤肺，肺痿，止烦下气，小儿头疮，痈肿阴㿉，可作摩粉。其叶主风痒，可煮以浴。久服长肌肉，明目，轻身。一名旁通，一名屈人，一名止行，一名豺羽，一名升推，一名即藜，一名茨。生冯翊平泽或道傍。七月、八月采实，暴干"。

[2] **秦州** 今甘肃天水。

286 白蒺藜[1]

【校注】

[1] **白蒺藜** 《大观》《政和》并在"蒺藜子"条注中，不单独列为一条。《政和》引《本草图经》云："郭璞注《尔雅》云：布地蔓生，细叶，子有三角刺人是也。又一种白蒺藜，今生同州沙苑，牧马草地最多，而近道亦有之。绿叶细蔓，绵布沙上，七月开花，黄紫色，如豌豆花而小。九月结实，作荚子，便可采。其实味甘而微腥，褐绿色，与蚕种子相类而差大。"

[2] **同州** 今陕西大荔。

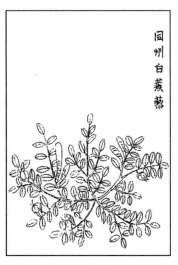

图378 同州[2]白蒺藜

287 谷精草[1]

图379 秦州[2]谷星草[3]

图380 江宁府[4]谷星草

【校注】

[1] **谷精草** 其后，《大观》《政和》有"味辛，温，无毒。主疗喉痹，齿风痛，及诸疮疥。饲马，主虫颡毛焦等病。二月、三月于谷田中采之。一名戴星草。花白而小圆似星。故有此名尔"。

[2] **秦州** 今甘肃天水。

[3] **谷星草** 《大观》《政和》作"谷精草"。下同。

[4] **江宁府** 今江苏南京。

288　虎杖 [1]

绍兴校定：俗名苦杖是也。本经止云微温，而不云其味及有无毒。大抵破血、除热，诸方多用之，即非性温 [2]。今当作味苦、甘，微寒，无毒为定。处处产之。

图 381　滁州 [3] 虎杖　　　　图 382　汾州 [4] 虎杖　　　　图 383　越州 [5] 虎杖

【校注】

[1] **虎杖**　《大观》《政和》作"虎杖根"。其后，《大观》《政和》有"微温。主通利月水，破留血癥结"。

[2] **温**　原脱，据文义补。

[3] **滁州**　今安徽滁州。

[4] **汾州**　今山西汾阳。

[5] **越州**　今浙江绍兴。

289　海金沙 [1]

【校注】

[1] **海金沙**　其后，《大观》《政和》有"主通利小肠。得栀子、马牙消、蓬沙，共疗伤寒热狂。出黔中郡。七月收采。生作小株，才高一二尺。收时全科于日中暴之，令小干纸衬，以杖击之，有细沙落纸上，旋收之，且暴且击，以沙尽为度。用之或丸或散。新定"。

[2] **黔州**　今重庆彭水。

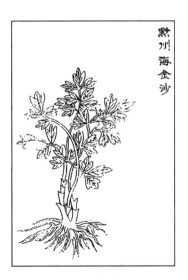

图 384　黔州 [2] 海金沙

290　大黄[1]

【校注】

[1] **大黄**　其后,《大观》《政和》有"味苦, 寒、大寒, 无毒。主下瘀血, 血闭, 寒热, 破癥瘕积聚, 留饮宿食, 荡涤肠胃, 推陈致新, 通利水谷, 调中化食, 安和五脏, 平胃下气, 除痰实, 肠间结热, 心腹胀满, 女子寒血闭胀, 小腹痛, 诸老血留结。一名黄良。生河西山谷及陇西。二月、八月采根, 火干。得芍药、黄芩、牡蛎、细辛、茯苓, 疗惊恚怒, 心下悸气。得消石、紫石英、桃人, 疗女子血闭。黄芩为之使, 无所畏"。

[2] **蜀州**　今重庆。

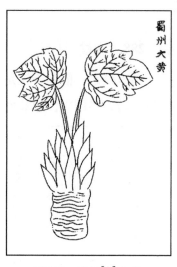

图 385　蜀州[2]大黄

291　商陆[1]

图 386　并州[2]商陆

图 387　凤翔府[3]商陆

【校注】

[1] **商陆**　其后,《大观》《政和》有"味辛、酸, 平, 有毒。主水胀疝瘕痹, 熨除痈肿, 杀鬼精物, 疗胸中邪气, 水肿, 痿痹, 腹满洪直, 疏五脏, 散水气。如人形者有神。一名葛根, 一名夜呼。生咸阳川谷"。

[2] **并州**　今山西太原。

[3] **凤翔府**　今陕西凤翔。

292　狼毒[1]

【校注】

[1] **狼毒**　其后，《大观》《政和》有"味辛，平，有大毒。主咳逆上气，破积聚饮食，寒热水气，胁下积癖，恶疮鼠瘘疽蚀，鬼精蛊毒，杀飞鸟走兽。一名续毒。生秦亭山谷及奉高。二月、八月采根，阴干。陈而沉水者良"。

[2] **石州**　今山西离石。

图388　石州[2]狼毒

293　防[1]葵[2]

【校注】

[1] **防**　《太平御览》《本草和名》作"房"。

[2] **葵**　其后，《大观》《政和》有"味辛，甘、苦，寒，无毒。主疝瘕，肠泄，膀胱热结，溺不下，咳逆，温疟，癫痫，惊邪狂走。疗五脏虚气，小腹支满，胪胀，口干，除肾邪，强志。久服坚骨髓，益气轻身。中火者不可服，令人恍惚见鬼。一名梨盖，一名房慈，一名爵离，一名农果，一名利茹，一名方盖。生临淄川谷及嵩高、太山、少室。三月三日采根，暴干"。

[3] **襄州**　今湖北襄阳。

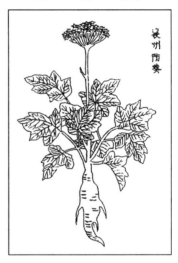

图389　襄州[3]防葵

294　蔄茹[1]

【校注】

[1] **蔄茹**　其后，《大观》《政和》有"味辛、酸，寒、微寒，有小毒。主蚀恶肉败疮死肌，杀疥虫，排脓恶血，除大风热气，善忘不乐，去热痹，破癥瘕，除息肉。一名屈据，一名离娄。生代郡川谷。五月采根，阴干。黑头者良"。

[2] **淄州**　今山东淄川。

图390　淄州[2]蔄茹

187

295 大戟[1]

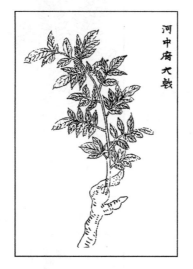

图 391　河中府[2]大戟

图 392　滁州[3]大戟

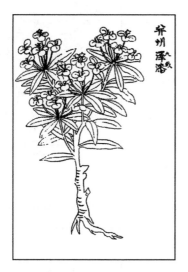

图 393　并州大戟[4]

图 394　信州[5]大戟

【校注】

[1] **大戟**　其后，《大观》《政和》有"味苦、甘，寒、大寒，有小毒。主蛊毒，十二水，腹满急痛积聚，中风皮肤疼痛，吐逆，颈腋痈肿，头痛，发汗，利大小肠。一名邛钜。生常山。十二月采根，阴干。反甘草"。

[2] **河中府**　今山西永济。

[3] **滁州**　今安徽滁州。

[4] **并州大戟**　此图原错简在"泽漆"条，今移到"大戟"条下。并州，即今山西太原。

[5] **信州**　今江西上饶。

296 泽漆^[1]

【校注】

[1] **泽漆** 其后,《大观》《政和》有"味苦、辛, 微寒, 无毒。主皮肤热, 大腹水气, 四肢、面目浮肿, 丈夫阴气不足, 利大小肠, 明目, 身轻。一名漆茎, 大戟苗也。生太山川泽。三月三日、七月七日采茎叶, 阴干"。

[2] **冀州泽漆** 此药图原错简在"大戟"条下, 今移于此。冀州, 即今河北冀州。

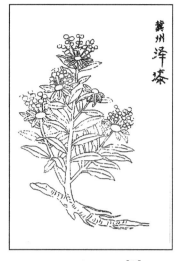

图 395　冀州泽漆^[2]

297 甘遂^[1]

【校注】

[1] **甘遂** 其后,《大观》《政和》有"味苦、甘, 寒、大寒, 有毒。主大腹疝瘕腹满, 面目浮肿, 留饮音癖宿食, 破癥坚积聚, 利水谷道, 下五水, 散膀胱留热, 皮中痞, 热气肿满。一名甘藁, 一名陵藁, 一名凌泽, 一名重泽, 一名主田。生中山川谷。二月采根, 阴干"。

[2] **江宁府** 今江苏南京。

图 396　江宁府^[2]甘遂

298 续随子^[1]

【校注】

[1] **续随子** 其后,《大观》《政和》有"味辛, 温, 有毒。主妇人血结月闭, 瘕痕疝癖瘀血, 蛊毒鬼疰, 心腹痛, 冷气胀满, 利大小肠, 除痰饮积聚, 下恶滞物。茎中白汁, 剥人面皮, 去皯黵。生蜀郡及处处有之。苗如大戟。一名拒冬, 一名千金子。今附"。

[2] **广州** 今广东广州。

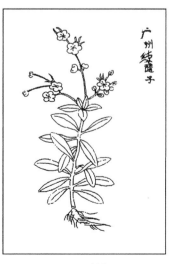

图 397　广州^[2]续随子

299 莨菪子[1]

【校注】

[1] **莨菪子** 其后,《大观》《政和》有"味苦、甘, 寒, 有毒。主齿痛出虫, 肉痹拘急, 使人健行, 见鬼, 疗癫狂风痫, 颠倒拘挛。多食令人狂走。久服轻身, 走及奔马, 强志益力, 通神。一名横唐, 一名行唐。生海滨川谷及雍州。五月采子"。

[2] **秦州** 今甘肃天水。

图398 秦州[2]莨菪

300 云实[1]

【校注】

[1] **云实** 其后,《大观》《政和》有"味辛、苦, 温, 无毒。主泄痢肠澼, 杀虫蛊毒, 去邪恶结气, 止痛, 除寒热, 消渴。花:主见鬼精物, 多食令人狂走, 杀精物, 下水。烧之致鬼。久服轻身, 通神明, 益寿。一名负实, 一名云英, 一名天豆。生河间川谷。十月采, 暴干"。

图399 云实

301 蓖麻子[1]

图400 明州[2]蓖麻

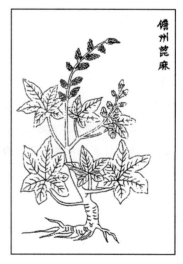

图401 儋州[3]蓖麻

【校注】

[1] **蓖麻子** 其后,《大观》《政和》有"味甘、辛,平,有小毒。主水癥。水研二十枚服之,吐恶沫,加至三十枚。三日一服,差则止。又主风虚寒热,身体疮痒,浮肿,尸疰恶气,笮取油涂之。叶:主脚气,风肿不仁,捣蒸傅之"。

[2] **明州** 今浙江宁波。

[3] **儋州** 今广东儋县。

302 蜀漆 [1]

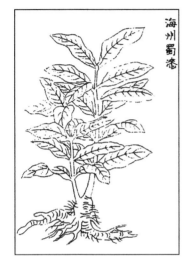

图 402　海州 [2] 蜀漆

图 403　海州蜀漆

【校注】

[1] **蜀漆** 其后,《大观》《政和》有"味辛,平、微温,有毒。主疟及咳逆寒热,腹中癥坚,痞结,积聚,邪气,蛊毒,鬼疰,疗胸中邪结气,吐出之。生江林山川谷及蜀汉中。常山苗也。五月采叶,阴干"。

[2] **海州** 今江苏东海。

[3] **明州** 今浙江宁波。

图 404　明州 [3] 蜀漆

303 藜芦 [1]

图 405　解州 [2] 藜芦

图 406　解州藜芦

【校注】

[1] 藜芦　其后，《大观》《政和》有"味辛、苦，寒、微寒，有毒。主蛊毒，咳逆，泄痢肠澼，头疡疥瘙恶疮，杀诸虫毒，去死肌，疗哕逆，喉痹不通，鼻中息肉，马刀烂疮。不入汤。一名葱苒，一名葱菼音毯，一名山葱。生太山山谷。三月采根，阴干"。

[2] 解州　今山西解州。

304 附子 [1]

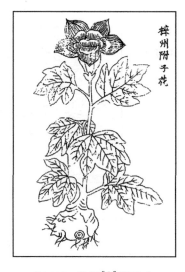

图 407　梓州 [2] 附子花

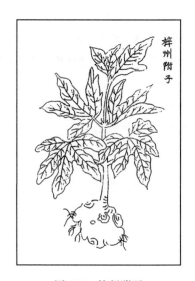

图 408　梓州附子

【校注】

[1] **附子** 其后，《大观》《政和》有"味辛、甘，温、大热，有大毒。主风寒咳逆，邪气，温中，金疮，破癥坚积聚血痕，寒湿踒乌卧切蹙，拘挛膝痛，脚疼冷弱，不能行步，腰脊风寒，心腹冷痛，霍乱转筋，下痢赤白，坚肌骨，强阴。又堕胎，为百药长。生犍为山谷及广汉。冬月采为附子，春采为乌头"。

[2] **梓州** 今四川三台。

305 乌头 [1]

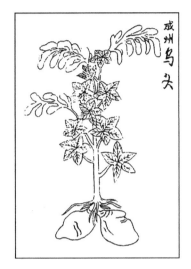
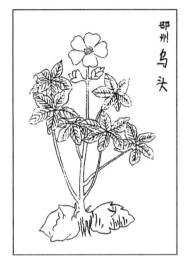

图 409　成州[2]乌头　　　　　　　　图 410　邵州[3]乌头

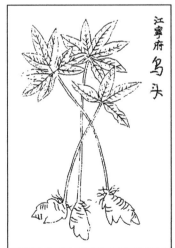

图 411　江宁府[4]乌头　　　图 412　晋州[5]乌头　　　图 413　龙州[6]乌头

【校注】

[1] **乌头** 其后，《大观》《政和》有"味辛、甘，温、大热，有大毒。主中风恶风，洗洗出汗，除寒湿痹，咳逆上气，破积聚寒热，消胸上痰冷，食不下，心腹冷疾，脐间痛，肩胛痛，不可俯仰，目中痛，不可久视。又堕胎。其汁煎之，名射罔，杀禽兽"。

[2] **成州** 今甘肃成县。

[3] **邵州** 今湖南邵阳。

[4] **江宁府** 今江苏南京。

[5] **晋州** 今山西临汾。

[6] **龙州** 今四川平武。

306 草乌头 [1]

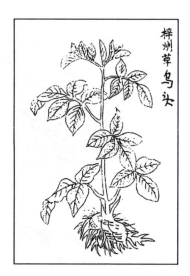

图414 梓州[2]草乌头

【校注】

[1] **草乌头** 《大观》《政和》不单独立为一条，其药图并列在乌头药图中。

[2] **梓州** 今四川三台。

307 天雄 [1]

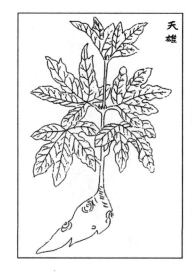

图415 天雄

【校注】

[1] **天雄** 其后，《大观》《政和》有"味辛、甘，温、大温，有大毒。主大风，寒湿痹，历节

痛，拘挛缓急，破积聚邪气，金疮，强筋骨，轻身健行，疗头面风去来疼痛，心腹结积，关节重，不能行步，除骨间痛，长阴气，强志，令人武勇力作不倦。又堕胎。一名白幕。生少室山谷。二月采根，阴干"。

308　侧子^[1]

【校注】

[1]　**侧子**　其后，《大观》《政和》有"味辛，大热，有大毒。主痈肿，风痹历节，腰脚疼冷，寒热，鼠瘘。又，堕胎"。

[2]　**峡州**　今湖北宜昌。

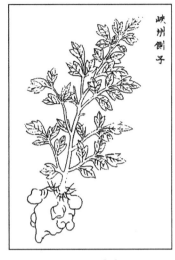

图 416　峡州^[2]侧子

309　虎掌^[1]

图 417　江州^[2]虎掌

图 418　冀州^[3]虎掌

【校注】

[1]　**虎掌**　其后，《大观》《政和》有"味苦，温、微寒，有大毒。主心痛，寒热结气，积聚伏梁，伤筋痿拘缓，利水道，除阴下湿，风眩。生汉中山谷及冤句。二月、八月采，阴干"。

[2]　**江州**　今江西九江。

[3]　**冀州**　今河北冀州。

310　蒟头[1]

【校注】

[1]　**蒟头**　其后，《大观》《政和》有"味辛，寒，有毒。主痈肿风毒，摩傅肿上。捣碎，以灰汁煮成饼，五味调和为茹食，性冷，主消渴。生戟人喉出血。生吴、蜀。叶似由跋、半夏，根大如碗，生阴地，雨滴叶下生子。一名蒟蒻。又有斑杖，苗相似，至秋有花直出，生赤子。其根傅痈肿毒，甚好。根如蒟头，毒猛，不堪食。今附"。

[2]　**扬州**　今江苏扬州。

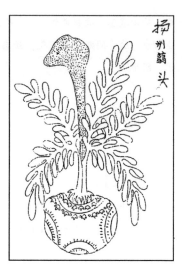

图419　扬州[2]蒟头

311　天南星[1]

图420　江宁府[2]天南星

图421　滁州[3]天南星

【校注】

[1]　**天南星**　其后，《大观》《政和》有"味苦、辛，有毒。主中风，除痰，麻痹，下气，破坚积，消痈肿，利胸膈，散血，堕胎。生平泽，处处有之。叶似蒟叶，根如芋。二月、八月采之。今附"。

[2]　**江宁府**　今江苏南京。

[3]　**滁州**　今安徽滁州。

312　半夏[1]

【校注】

[1] **半夏**　其后，《大观》《政和》有"味辛，平，生微寒熟温，有毒。主伤寒寒热，心下坚，下气，喉咽肿痛，头眩，胸胀咳逆，肠鸣，止汗，消心腹胸膈痰热满结，咳嗽上气，心下急痛坚痞，时气呕逆，消痈肿，堕胎，疗痿黄，悦泽面目。生令人吐，熟令人下。用之汤洗令滑尽。一名守田，一名地文，一名水玉，一名示姑。生槐里川谷。五月、八月采根，暴干"。

[2] **齐州**　今山东济南。

图 422　齐州[2]半夏

313　蚤休[1]

【校注】

[1] **蚤休**　其后，《大观》《政和》有"味苦，微寒，有毒。主惊痫，摇头弄舌，热气在腹中，癫疾，痈疮阴蚀，下三虫，去蛇毒。一名蚩休。生山阳川谷及冤句"。

[2] **滁州**　今安徽滁州。

图 423　滁州[2]蚤休

314　鬼臼[1]

图 424　舒州[2]鬼臼

图 425　齐州[3]鬼臼

【校注】

[1] **鬼臼** 其后，《大观》《政和》有"味辛，温、微温，有毒。主杀蛊毒，鬼疰精物，辟恶气不祥，逐邪，解百毒，疗咳嗽喉结，风邪烦惑，失魄妄见，去目中肤翳，杀大毒。不入汤。一名爵犀，一名马目毒公，一名九臼，一名天臼，一名解毒。生九真山谷及冤句。二月、八月采根。畏垣衣"。

[2] **舒州** 今安徽舒城。

[3] **齐州** 今山东济南。

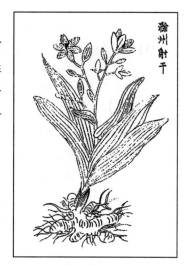

图 426　滁州[2] 射干

315　射干[1]

【校注】

[1] **射干** 其后，《大观》《政和》有"味苦，平、微温，有毒。主咳逆上气，喉痹咽痛，不得消息，散结气，腹中邪逆，食饮大热，疗老血在心脾间，咳唾，言语气臭，散胸中热气。久服令人虚。一名乌扇，一名乌蒲，一名乌翣，一名乌吹，一名草姜。生南阳川谷田野。三月三日采根，阴干"。

[2] **滁州** 今安徽滁州。

316　羊踯躅[1]

【校注】

[1] **羊踯躅** 其后，《大观》《政和》有"味辛，温，有大毒。主贼风在皮肤中淫淫痛，温疟，恶毒诸痹，邪气鬼疰蛊毒。一名玉支。生太行山川谷及淮南山。三月采花，阴干"。

[2] **润州** 今江苏镇江。

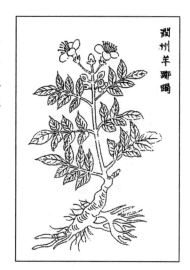

图 427　润州[2] 羊踯躅

317　山踯躅[1]

【校注】

[1] **山踯躅** 《大观》《政和》不单独立为一条，其药图并在羊踯躅药图中。

[2] **海州** 今江苏东海。

图 428　海州[2] 山踯躅

318 芫花 [1]

味辛、苦，温、微温，有小毒。主咳逆上气，喉
鸣喘，咽肿，短气，蛊毒，鬼疟，疝瘕，痈肿，杀虫
鱼，消胸中痰水，喜音戏唾，水肿，五水在五脏皮肤及
腰痛，下寒毒肉毒。

久服令人虚。一名去水，一名毒鱼，一名杜芫。
其根名蜀桑根，疗疥疮。可用毒鱼。生淮源川谷。三
月三日采花，阴干。[2]

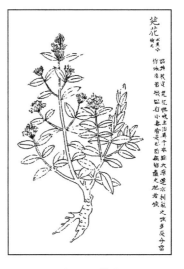

图 429 芫花

图 430 芫花

图 431 芫花

绍兴校定：芫花性味、主治具于本经。大率逐水、利气之性多矣。今当作味
辛、苦，微温，有小毒者是也。所在皆产之，肥者佳。

【校注】

[1] **芫花** 其后注云："以异本补之。"

[2] **味辛、苦……三月三日采花，阴干** 以上一节文，原缺，据龙谷本补。

319 莽草[1]

图432 福州[2]莽草

图433 蜀州[3]莽草

图434 《大观》药图[4]

绍兴校定[5]：即茵草是也。采叶为用。性味、主治已载本经，然治风诸方颇用。其疗齿疾及疮肿，多外用之。若生食即戕人，当从本经味辛、苦，温，有毒[6]是矣。产蜀川及桐柏，叶大厚者佳。

【校注】

[1] **莽草** 其后，《大观》《政和》有"味辛、苦，温，有毒。主风头痈肿，乳痈疝瘕，除结气疥瘙，杀虫鱼。疗喉痹不通，乳难。头风痒，可用沐，勿令入眼。一名葞，一名春草。生上谷山谷及冤句。五月采叶，阴干"。

[2] **福州** 今福建福州。

[3] **蜀州** 今重庆。

[4] **《大观》药图** 此为《大观》图，与《绍兴本草》莽草图小异。

[5] **绍兴校定** 其下文原缺，龙谷本有此文，但未注明出自"绍兴校定"。《大观》《政和》亦无此文。从文义及行文语气看，此文似出自"绍兴校定"，姑以"绍兴校定"冠之。

[6] **毒** 原脱，据文理补。

320　石龙芮[1]

【校注】

[1] **石龙芮**　其后，《大观》《政和》有"味苦，平，无毒。主风寒湿痹，心腹邪气，利关节，止烦满，平肾胃气，补阴气不足，失精茎冷。久服轻身，明目，不老，令人皮肤光泽，有子。一名鲁果能，一名地椹，一名石能，一名彭根，一名天豆。生太山川泽石边。五月五日采子，二月、八月采皮，阴干"。

[2] **兖州**　今山东兖州。

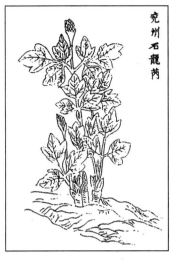

图 435　兖州[2]石龙芮

321　石龙刍

味苦，微寒、微温，无毒。主心腹邪气，小便不利，淋闭，风湿，鬼疰恶毒。补内虚不足，痞满，身无润泽，出汗，除茎中热痛，杀鬼疰恶毒气。久服补虚羸，轻身，耳目聪明，延年。一名龙须，一名草续断，一名龙珠，一名龙华，一名悬莞，一名草毒。九节多味者良，生梁州山谷湿地。五月、七月采茎，暴干。[1]

绍兴校定：石龙刍，采茎入药。其草柔软细长，人或编之以为席者是也。本经所载主治虽众，但今方家稀见入药。本经微寒，复云微温，据别注云今服用除热者，盖不温也。当作味苦，微寒，无毒是矣。[2]

【校注】

[1] **石龙刍……七月采茎，暴干**　以上正文原缺，据《大观》《政和》补。

[2] **绍兴校定……无毒是矣**　以上一节文，据《永乐大典》卷 2406 "刍"字下"石龙刍"条引《绍兴本草》文补（《永乐大典·医药集》页 448）。

322　牛扁[1]

【校注】

[1] **牛扁**　其后，《大观》《政和》有"味苦，微寒，无毒。

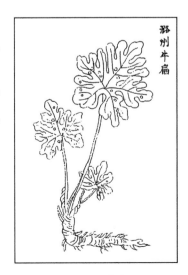

图 436　潞州[2]牛扁

主身皮疮热气。可作浴汤，杀牛虱小虫。又疗牛病。生桂阳川谷"。

[2] **潞州** 今山西长治。

323　茵芋[1]

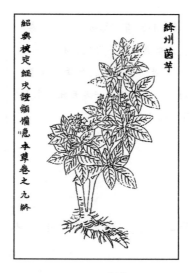

图 437　绛州[2]茵芋

【校注】

[1] **茵芋** 其后，《大观》《政和》有"味苦，温、微温，有毒。主五脏邪气，心腹寒热，羸瘦，如疟状发作有时，诸关节风湿痹痛，疗久风湿走四肢，脚弱。一名莞草，一名卑共。生太山川谷。三月三日采叶，阴干"。

[2] **绛州** 今山西新绛。

绍兴校定经史证类备急本草卷之九终

绍兴校定经史证类备急本草卷之十

324　菟丝子

九月[1]采实，暴干。

图438　单州[2]菟丝子

【校注】

[1]　**九月**　其前，《大观》《政和》有"味辛、甘，平，无毒。主续绝伤，补不足，益气力，肥健。汁去面䵟，养肌，强阴，坚筋骨，主茎中寒，精自出，溺有余沥，口苦燥渴，寒血为积。久服明目，轻身延年。一名菟芦，一名菟缕，一名蓎蒙，一名玉女，一名赤网，一名菟累音羸。生朝鲜川泽田野，蔓延草木之上，色黄而细为赤网，色浅而大为菟累"。

[2]　**单州**　今山东单县。

325　五味子

八月[1]采实，阴干。

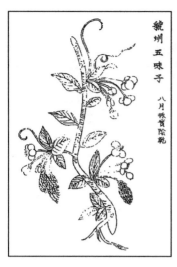

图439　虢州[2]五味子　　　图440　越州[3]五味子　　　图441　秦州[4]五味子

【校注】

［1］**八月**　其前，《大观》《政和》有"味酸，温，无毒。主益气，咳逆上气，劳伤羸瘦，补不足，强阴，益男子精，养五脏，除热，生阴中肌。一名会及。一名玄及。生齐山山谷及代郡"。

［2］**虢州**　今河南卢氏。

［3］**越州**　今浙江绍兴。

［4］**秦州**　今甘肃天水。

326　蓬蘽

味酸、咸，平，无毒。主安五脏，益精气，长阴令坚，强志倍力，有子。又疗暴中风，身热大惊。久服轻身不老。一名覆盆，一名陵蘽，一名阴蘽。生荆山平泽及冤句。

绍兴校定：蓬蘽即覆盆子苗茎也。性味、主治虽载本经，但诸方罕闻用据，乃一物二名。然性即无大异。本经云味酸、咸，平，无毒是矣。唯实多入于方。南地多产之。

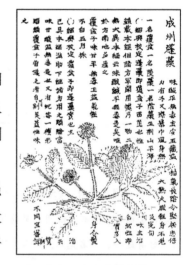

图442　成州[1]蓬蘽

【校注】

［1］**成州**　今甘肃成县。

327 覆盆子

味甘，平，无毒。主益气，轻身，令发不白。五月采。

绍兴校定：覆盆子即蓬虆实也。主治已具本经。滋助下经诸方用之颇验。当云味甘、酸，温，无毒是也。又有蛇莓一种，形质颇类覆盆子，曾识之者，自可别矣。盖性味不同，宜审辨详之。

328 使君子

味甘，温，无毒[1]。

【校注】

[1] **毒** 其后，《大观》《政和》有"主小儿五疳，小便白浊，杀虫，疗泻痢。生交、广等州。形如栀子，棱瓣深而两头尖，亦似诃梨勒而轻。俗传始因潘州郭使君，疗小儿多是独用此物，后来医家因号为使君子也。今附"。

[2] **眉州** 今四川眉山。

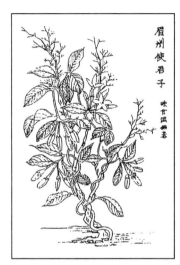

图443 眉州[2]使君子

329 木鳖子

味甘，温，无毒。主折伤，消结肿恶疮，生肌，止腰痛，除粉刺𪘓，妇人乳痈，肛门肿痛。藤生。叶有五花[1]，状如薯蓣，叶青色面光。花黄。其子似栝楼而极大，生青熟红，肉上有刺。其核似鳖。七八月采之。

【校注】

[1] **花** 《政和》同，《大观》作"色"。

[2] **宜州** 今广西宜州。

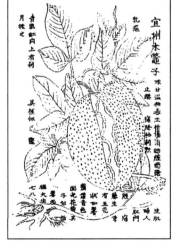

图444 宜州[2]木鳖子

330 马兜零[1]

味苦，寒，无毒。主肺热咳嗽，痰结喘促，血痔瘘疮[2]。青木香是也[3]。二月、八月采根。[4]

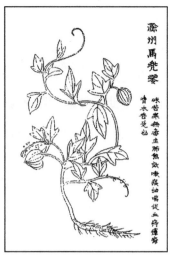

图445 滁州[5]马兜零

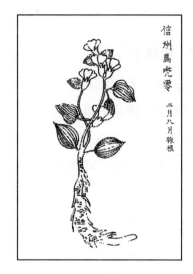

图446 信州[6]马兜零

【校注】

[1] **零** 《大观》《政和》作"铃"。

[2] **疮** 其后，《大观》《政和》有"生关中，藤绕树而生。子状如铃，作四五瓣"。

[3] **青木香是也** 以上5字，《大观》《政和》无。又此5字，《日华子》作"是土青木香"，《本草图经》同。

[4] **二月、八月采根** 《本草图经》作"七月、八月采实……三月采根"。

[5] **滁州** 今安徽滁州。

[6] **信州** 今江西上饶。

331 预知子

味苦，寒，无毒。杀虫疗蛊，治诸毒。传云：取二枚缀衣领上，遇蛊毒物，则闻其有声，当便知之[1]。七月、八月有实。[2]

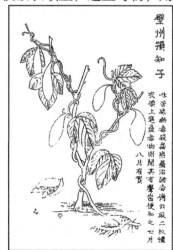

【校注】

[1] **之** 其后，《大观》《政和》有"有皮壳，其实如皂荚子。去皮研服之，有效。今附"。

[2] **七月、八月有实** 以上6字出自《本草图经》。

[3] **壁州** 今四川通江。

图447 壁州[3]预知子

208

332　牵牛子

味苦，寒，有毒[1]。

【校注】

[1] **毒**　其后，《大观》《政和》有"主下气，疗脚满水肿，除风毒，利小便"。

[2] **越州**　今浙江绍兴。

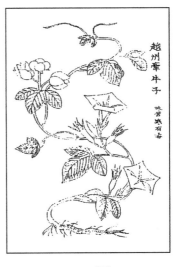

图 448　越州[2]牵牛子

333　旋花

五月[1]采，阴干。

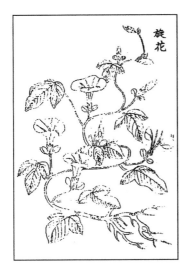

图 449　旋花

图 450　施州[2]旋花

【校注】

[1] **五月**　其前，《大观》《政和》有"味甘，温，无毒。主益气，去面皯黑色，媚好。其根味辛，主腹中寒热邪气，利小便。久服不饥，轻身。一名筋根花，一名金沸，一名美草。生豫州平泽"。

[2] **施州**　今湖北恩施。

334　紫葳

味酸，微寒，无毒。主妇人产乳余疾，崩中，癥瘕血闭，寒热羸瘦，养胎。茎、叶味苦，无毒。主痿蹶，益气[1]。

【校注】

[1]　气　其后，《大观》《政和》有"一名陵苕，一名茇华。生西海川谷及山阳"。

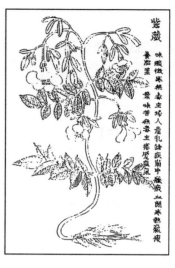

图451　紫葳

335　栝楼

二月[1]、八月采根，暴干，三十日成。

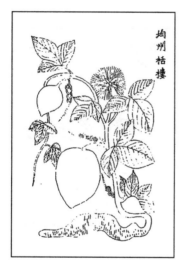

图452　均州[2]栝楼

图453　衡州[3]栝楼

【校注】

[1]　二月　其前，《大观》《政和》有"根：味苦，寒，无毒。主消渴，身热烦满，大热，补虚安中，续绝伤，除肠胃中痼热，八疸，身面黄，唇干口燥，短气，通月水，止小便利。一名地楼，一名果蓏，一名天瓜，一名泽姑。实：名黄瓜，主胸痹，悦泽人面。茎、叶：疗中热伤暑。生洪农川谷及山阴地，入土深者良，生卤地者有毒"。

[2]　均州　今湖北丹江口。

[3]　衡州　今湖南衡阳。

336　葛根[1]

五月采根，暴干。

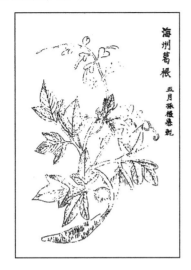

图 454　海州[2]葛根　　　　　　图 455　成州[3]葛根

【校注】

[1] **葛根**　其后，《大观》《政和》有"味甘，平，无毒。主消渴，身大热，呕吐，诸痹，起阴气，解诸毒，疗伤寒中风头痛，解肌发表出汗，开腠理，疗金疮，止痛胁风痛。生根汁大寒，疗消渴，伤寒壮热"。

[2] **海州**　今江苏东海。

[3] **成州**　今甘肃成县。

337　天门冬

生[1]奉高山谷。二月、三月、七月、八月采根，暴干。

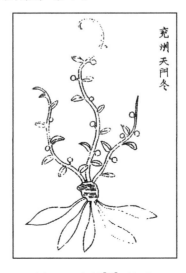

图 456　梓州[2]天门冬　　　　　　图 457　兖州[3]天门冬

211

图458　汉州[4]天门冬

图459　建州[5]天门冬

图460　西京[6]天门冬

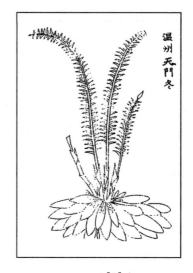

图461　温州[7]天门冬

【校注】

[1] **生**　其前，《大观》《政和》有"味苦、甘，平、大寒，无毒。主诸暴风湿偏痹，强骨髓，杀三虫，去伏尸，保定肺气，去寒热，养肌肤，益气力，利小便，冷而能补。久服轻身，益气延年，不饥。一名颠勒"。

[2] **梓州**　今四川三台。

[3] **兖州**　今山东兖州。

[4] **汉州**　今四川广汉。

[5] **建州**　今福建建瓯。

[6] **西京**　今陕西长安。

[7] **温州**　今浙江温州。

338　百部[1]

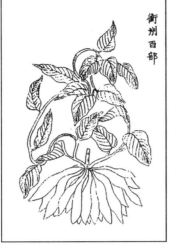

图 462　徐州[2]百部　　　　图 463　衡州[3]百部　　　　图 464　峡州[4]百部

【校注】

[1] **百部**　《大观》《政和》作"百部根"。其后，《大观》《政和》有"微温臣禹锡等谨按，蜀本云微寒。主咳嗽上气"。

[2] **徐州**　今江苏徐州。

[3] **衡州**　今湖南衡阳。

[4] **峡州**　今湖北宜昌。

339　何首乌

味苦、涩，微温，无毒。主瘰疬，消痈肿[1]。

绍兴校定[2]：何首乌，采根为用。出产、性味、主治已具经注。但疗风湿诸疾颇验。在滋下[3]益精方亦用之。今当从本经，味苦、涩，微温，无毒者是矣。注说虽分赤白，而有雌雄二种，然所用无异。

图 465　西京[4]何首乌

【校注】

[1] **肿**　其后，《大观》《政和》有"疗头面风疮，五痔，止心痛，益血气，黑髭鬓，悦颜色。久服长筋骨，益精髓，延年不老。亦治妇人产后及带下诸疾。本出顺州南河县，今岭外、江南诸州皆有。蔓紫，花黄白，叶如署预而不光。生必相对，根如大拳，有赤白二种，赤者雄，白者雌。一名野苗，一名交藤，一名夜合，一名地精，一名陈知白。春夏采。临用之以苦竹刀切，米泔浸经宿，暴干"。

[2] **绍兴校定** 其下文辑自《永乐大典》卷2346"乌"字下"何首乌"条引《绍兴本草》文（《永乐大典·医药集》页439）。

[3] **滋下** 即滋补下焦肾。

[4] **西京** 今陕西长安。

340 萆薢

二月[1]采根，暴干。

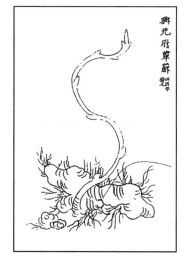

图466 兴元府[2]萆薢

图467 功州[3]萆薢

图468 成德军[4]萆薢

图469 荆门军[5]萆薢

【校注】

[1] **二月** 其前，《大观》《政和》有"味苦、甘，平，无毒。主腰背痛强，骨节风寒湿周痹，恶疮不瘳，热气，伤中，恚怒，阴痿失溺，关节老血，老人五缓。一名赤节。生真定山谷"。其后，

《大观》《政和》有"八月"。

[2] **兴元府** 今陕西南郑。

[3] **功州** 不详。《中国古今地名大辞典》云："功州，当在四川境。"

[4] **成德军** 今河北正定。

[5] **荆门军** 今湖北江陵。

341 菝葜菝，蒲八切；葜，弃八切

二月[1]、八月采根，暴干。

图 470 江州[2]菝葜

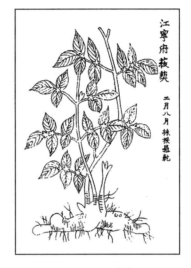

图 471 江宁府[3]菝葜

图 472 海州[4]菝葜

图 473 成德军[5]菝葜

【校注】

[1] **二月** 其前，《大观》《政和》有"味甘，平、温，无毒。主腰背寒痛，风痹，益血气，止

小便利。生山野"。

[2] **江州** 今江西九江。

[3] **江宁府** 今江苏南京。

[4] **海州** 今江苏东海。

[5] **成德军** 今河北正定。

342 白敛

二月、八月采根，暴干。[1]味苦、甘，平、微寒，无毒[2]。

【校注】

[1] **二月、八月采根，暴干** 以上8字，《大观》《政和》列在条末。

[2] **毒** 其后，《大观》《政和》有"主痈肿疽疮，散结气，止痛，除热，目中赤，小儿惊痫，温疟，女子阴中肿痛，下赤白，杀火毒。一名菟核，一名白草，一名白根，一名昆仑。生衡山山谷"。

[3] **滁州** 今安徽滁州。

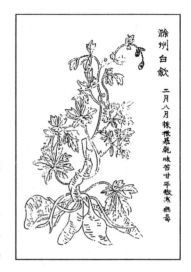

图 474 滁州[3]白敛

343 女萎[1]

【校注】

[1] **女萎** 其后，《大观》《政和》有"味辛，温。主风寒洒洒，霍乱泄痢，肠鸣游气上下无常，惊痫寒热百病，出汗。李氏本草云：止下，消食"。

图 475 女萎

344 山豆根

味甘，寒，无毒。主解诸药毒，止痛，消疮肿毒，发热，咳嗽[1]，治人及马急黄，杀小虫。生剑南及宜州、果州[2]山谷[3]。〇亦甘、苦，寒，无毒。味甘、辛，寒，有小毒。[4]

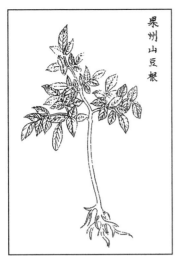

图476　果州[5]山豆根

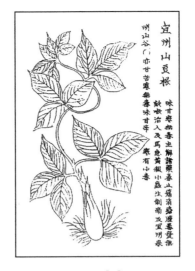

图477　宜州[6]山豆根

【校注】

[1] **发热，咳嗽**　以上4字，《大观》《政和》在"人及马急黄"之后。

[2] **及宜州、果州**　以上5字，《大观》《政和》无。

[3] **谷**　其后，《大观》《政和》有"蔓如豆"。

[4] **亦甘、苦、寒……有小毒**　以上13字，《大观》《政和》无。

[5] **果州**　今四川南充。

[6] **宜州**　今广西宜州。

345　黄药[1]

根味苦，平，无毒。主诸恶肿疮瘘，喉痹，蛇犬咬毒。取根研服之，亦含，亦涂。藤生高三四尺，根及茎似小桑。生岭南。

绍兴校定：根世呼为黄药子是也。性味、主疗虽具本经，但治瘰疬及瘿气，外用颇验，大抵收缩之性多矣。当从本经味苦，平，无毒是。产万州[2]，紧实者佳。

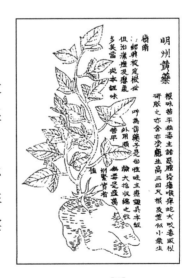

图478　明州[3]黄药

【校注】

[1] **黄药**　《大观》《政和》作"黄药根"。《本草图经》云："黄药根，生岭南。"黄药根一般简称为"黄药"。

[2] **万州**　今重庆万州。

217

[3] **明州** 今浙江宁波。

346 苦药[1]

【校注】

[1] **苦药** 《大观》《政和》将其并在"黄药根"注文中。《本草图经》云："开州兴元府又产一种苦药子，大抵与黄药相类。"

[2] **兴元府** 今陕西南郑。

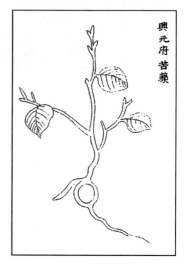

图 479 兴元府[2]苦药

347 赤药[1]

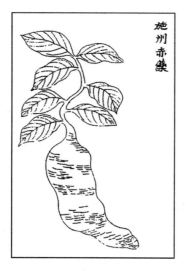

图 480 施州[2]赤药

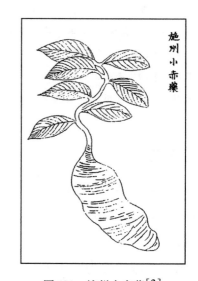

图 481 施州小赤药[3]

【校注】

[1] **赤药** 《大观》《政和》不单独立为一条，将其并在"黄药根"注文中，将其药图与黄药药图并列在一起。

[2] **施州** 今湖北恩施。

[3] **施州小赤药** 此药图原列在"361 南藤"条药图之后，今移置于此。在《大观》《政和》中，此图与白药诸图并列一处。

348　红药[1]

【校注】

[1] **红药**　原书目录作"红草"，据《大观》《政和》改。又《大观》《政和》将该条并在"黄药根"条内，将其药图与黄药药图并列一处。

[2] **秦州**　今甘肃天水。

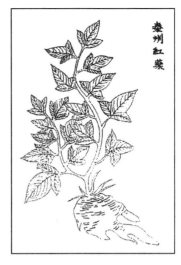

图 482　秦州[2]红药

349　白药[1]

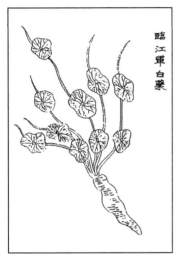

图 483　临江军[2]白药

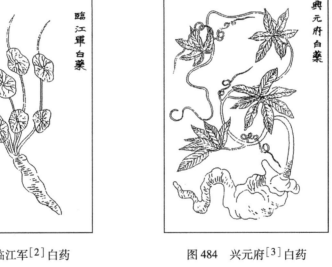

图 484　兴元府[3]白药

图 485　施州[4]白药

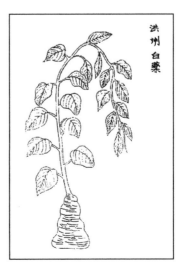

图 486　洪州[5]白药

【校注】

[1] **白药** 其后,《大观》《政和》有"味辛,温,无毒。主金疮生肌。出原州"。

[2] **临江军** 今江西临江。

[3] **兴元府** 今陕西南郑。

[4] **施州** 今湖北恩施。

[5] **洪州** 今江西南昌。

350 威灵仙

味苦,温,无毒[1]。冬月丙丁戊己日采,忌茗。

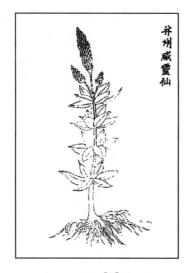

图487 并州[2]威灵仙

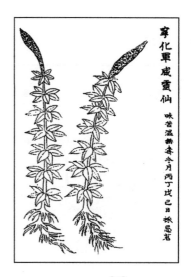

图488 宁化军[3]威灵仙

图489 石州[4]威灵仙

图490 晋州[5]威灵仙

【校注】

[1] **毒** 其后，《大观》《政和》有"主诸风，宣通五脏，去腹内冷滞，心膈痰水，久积癥瘕，痃癖气块，膀胱宿脓恶水，腰膝冷疼，及疗折伤。一名能消。久服之无温疫疟。出商州上洛山及华山并平泽，不闻水声者良。生先於众草，茎方，数叶相对。花浅紫，根生稠密，岁久益繁"。

[2] **并州** 今山西太原。

[3] **宁化军** 今福建宁化。

[4] **石州** 今山西离石。

[5] **晋州** 今山西临汾。

351 茜根

二月[1]、三月采根，暴干。正月采根，七月、八月采花，阴干。[2]

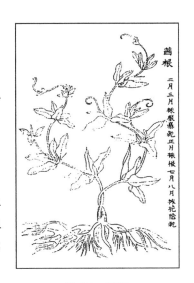

图491 茜根

【校注】

[1] **二月** 其前，《大观》《政和》有"味苦，寒，无毒。主寒湿风痹，黄疸，补中，止血，内崩下血，膀胱不足，踒跌，蛊毒。久服益精气，轻身。可以染绛。一名地血，一名茹藘，一名茅蒐，一名蒨。生乔山川谷"。

[2] **正月采根……阴干** 以上12字，《大观》《政和》无。

352 防己

二月[1]、八月采根，阴干。

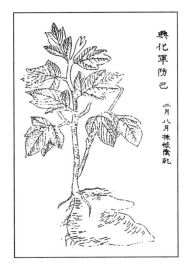

图492 兴化军[2]防己

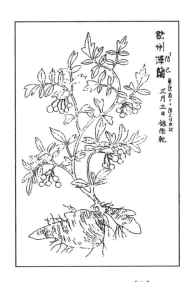

图493 黔州防己[3]

221

【校注】

[1] **二月** 其前,《大观》《政和》有"味辛、苦,平、温,无毒。主风寒,温疟,热气,诸痫,除邪,利大小便,疗水肿风肿,去膀胱热,伤寒寒热邪气,中风手脚挛急,止泄,散痈肿恶结,诸蜗疥癣,虫疮,通腠理,利九窍。一名解离。文如车辐理解者良。生汉中川谷"。

[2] **兴化军** 今福建莆田。

[3] **黔州防己** 原图题作"黔州泽兰",实乃"黔州防己"之误。本书卷7已有"泽兰"条,《大观》卷9中"泽兰"与"防己"相邻排列,显为抄者将"防己"误为"泽兰"。又图中"三月三日采,阴干"7字属"泽兰"文,非"防己"文。此乃抄者误录。黔州,即今重庆彭水。按,《大观》《政和》为防己图,非泽兰图。

353 通草[1]

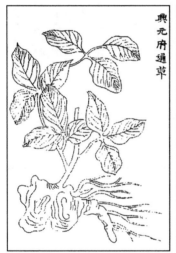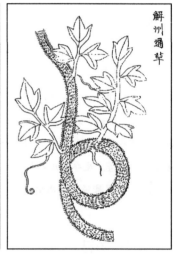

图 494 兴元府[2]通草　　图 495 海州[3]通草　　图 496 解州[4]通草

【校注】

[1] **通草** 其后,《大观》《政和》有"味辛、甘,平,无毒。主去恶虫,除脾胃寒热,通利九窍、血脉关节,令人不忘,疗脾疸,常欲眠,心烦,哕出音声,疗耳聋,散痈肿诸结不消,及金疮恶疮,鼠瘘,蹉折,鼺音瓮鼻息肉,堕胎,去三虫。一名附支,一名丁翁。生石城山谷及山阳。正月采枝,阴干"。古代通草即现代木通。

[2] **兴元府** 今陕西南郑。

[3] **海州** 今江苏东海。

[4] **解州** 今山西解州。

354　通脱木[1]

正月采枝，阴干。[2]

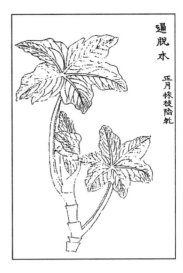

图497　通脱木

【校注】

[1] **通脱木**　《大观》《政和》不单独立为一条，将其附在"通草"条注文中。《本草图经》云："俗间所谓通草，乃通脱木也。此木生山侧，叶如萆麻，心空中有瓤，轻白可爱，女工取以饰物。《尔雅》云：离南，活莌音脱。释云：离南，草也。一名活莌。《山海经》又名寇脱，生江南，高丈许，大叶似荷而肥，茎中有瓤正白者是也。又名倚商，主蛊毒。其花上粉，主诸虫瘿恶疮痔疾，取粉内疮中。"

[2] **正月采枝，阴干**　以上6字，《大观》《政和》无。疑此6字出自"绍兴校定"。

355　钓藤

微寒，无毒。主小儿寒热，十二惊风疳[1]。

绍兴校定[2]：本经虽不载采何为用，但用枝茎及皮以疗小儿惊风，诸方用之颇验。今当作味苦、甘，微寒，无毒者是矣。京西与川蜀多产之。

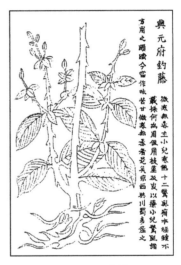

图498　兴元府[3]钓藤

【校注】

[1] **风疳**　《大观》《政和》作"痫"。

[2] **绍兴校定**　其后一节文不见于《大观》《政和》。从文义上看，此文当是"绍兴校定"语，姑以"绍兴校定"冠之。

[3] **兴元府**　今陕西南郑。

356　赤地利

味苦，平，无毒。主赤白冷热诸痢，断血破血，带下赤白，生肌肉。所在山谷有之。八九月采根，日干。亦名山荞麦。[1]二月、八月采根，日干。[2]

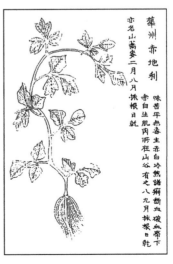

图499　华州[3]赤地利

【校注】

[1] **八九月采根，日干。亦名山荞麦**　以上12字出自《本草图经》。

[2] **二月、八月采根，日干**　以上8字出自"唐本注"。

[3] **华州**　今陕西华州。

357　紫葛

味甘、苦，寒，无毒。主痈肿恶疮。取根皮捣为末，醋和封之。生山谷中，不入方用。三月、八月采根皮，日干。[1]

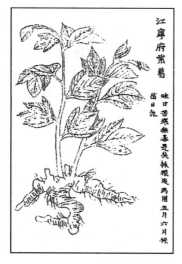

图500　江宁府[2]紫葛

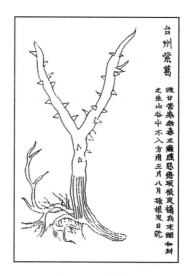

图501　台州[3]紫葛

绍兴校定[4]：紫葛，味甘、苦，寒，无毒是矣。采根皮为用，五月、六月采苗，日干。

【校注】

[1] **三月、八月采根皮，日干**　以上9字出自《本草图经》。

[2] **江宁府**　今江苏南京。

[3] **台州**　今浙江临海。

[4] **绍兴校定**　其后"紫葛，味甘……日干"23字不见于《大观》《政和》。观其文义，当是"绍兴校定"语，按原书体例，姑以"绍兴校定"冠之。

358　萹草

味甘、苦，寒，无毒。主五淋，利小便，止水痢，

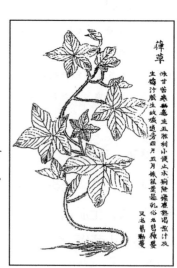

图502　萹草

除疟，虚热渴。煮汁及生捣汁服。生故墟道傍。四月、五月采茎叶，暴干。俗名葛葎蔓，又名葛勒蔓。[1]

【校注】

[1] **四月、五月……又名葛勒蔓**　以上19字出自《本草图经》。

359　络石

正月[1]采。

图503　络石

【校注】

[1] **正月**　其前，《大观》《政和》有"味苦，温、微寒，无毒。主风热，死肌，痈伤，口干舌焦，痈肿不消，喉舌肿，不通，水浆不下，大惊入腹，除邪气，养肾，主腰髋音宽痛，坚筋骨，利关节。久服轻身，明目，润泽，好颜色，不老延年，通神。一名石鲮音陵，一名石蹉，一名略石，一名明石，一名领石，一名悬石。生太山川谷，或石山之阴，或高山岩石上，或生人间"。

360　千岁藟[1]

五月开花，七月结实。八月采，种子青黑。[2]

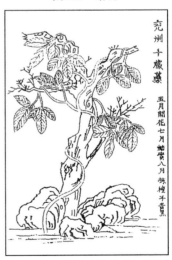

图504　兖州[3]千岁藟

【校注】

[1] **千岁藟**　《大观》《政和》作"千岁藟力轨切汁"。其后，《大观》《政和》有"味甘，平，无毒。主补五脏，益气，续筋骨，长肌肉，去诸痹。久服轻身不饥，耐老，通神明。一名藟芜。生太山川谷"。

[2] **五月开花……青黑**　以上15字出自《本草图经》。

[3] **兖州**　今山东兖州。

361　南藤[1]

味辛，温，无毒。主风血，补衰老，起阳，强腰脚，除痹，变白，逐冷气，排风邪。亦煮汁服，亦浸酒。冬月用之。生依南树，故号南藤，茎如马鞭有节，紫褐色。一名丁公藤。生南山山谷。

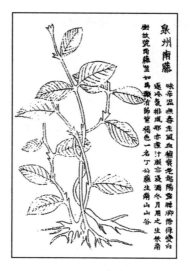

图 505　泉州[2]南藤

【校注】

［1］**南藤**　在"南藤"条后，另有小赤药及施州小赤药图，今将小赤药及其图并入"347　赤药"条中。

［2］**泉州**　今福建闽侯。

362　王瓜

三月[1]采根，阴干。

【校注】

［1］**三月**　其前，《大观》《政和》有"味苦，寒，无毒。主消渴，内痹，瘀血，月闭寒热，酸疼，益气，愈聋，疗诸邪气，热结，鼠瘘，散痈肿留血，妇人带下不通，下乳汁，止小便数不禁，逐四肢骨节中水，疗马骨刺人疮。一名土瓜。生鲁地平泽田野及人家垣墙间"。

［2］**均州**　今湖北均县。

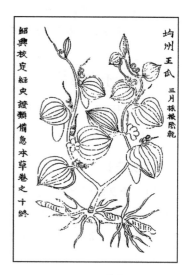

图 506　均州[2]王瓜

绍兴校定经史证类备急本草卷之十终

363 泽泻

五月[1]、六月、八月采根，阴干。

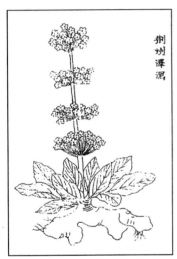

图 507　荆州[2]泽泻　　　　图 508　齐州[3]泽泻　　　　图 509　泽泻

【校注】

[1] **五月**　其前，《大观》《政和》有"味甘、咸，寒，无毒。主风寒湿痹，乳难，消水，养五脏，益气力，肥健，补虚损五劳，除五脏痞满，起阴气，止泄精、消渴、淋沥，逐膀胱三焦停水。久服耳目聪明，不饥，延年，轻身，面生光，能行水上。扁鹊云：多服病人眼。一名水泻，一名及泻，一名芒芋，一名鹄泻。生汝南池泽"。

[2] **荆州**　今湖北江陵。

[3] **齐州**　今山东济南。

364 羊蹄根

味苦，寒，无毒[1]。

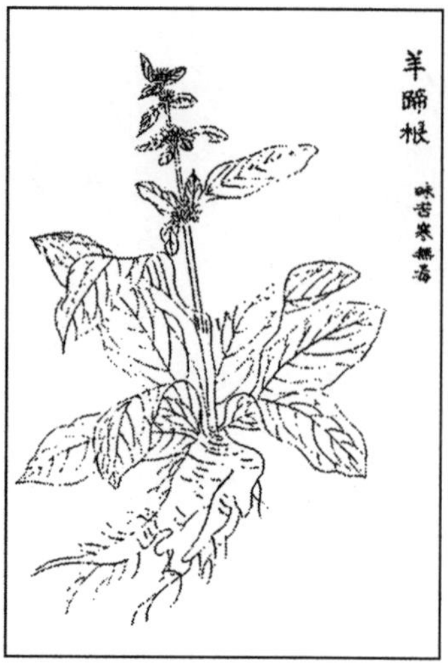

【校注】

[1] **毒** 其后，《大观》《政和》有"主头秃疥瘙，除热，女子阴蚀，浸淫疽痔，杀虫。一名东方宿，一名连虫陆，一名鬼目，一名蓄。生陈留川泽"。

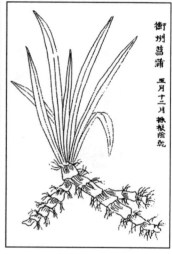

图 510 羊蹄根

365 菖蒲

五月[1]、十二月采根，阴干。

图 511 卫州[2]菖蒲

图 512 戎州[3]菖蒲

图 513 衡州[4]菖蒲

【校注】

[1] **五月** 其前，《大观》《政和》有"味辛，温臣禹锡等谨按，久风湿痹通用药云：昌蒲，平，无毒。主风寒湿痹，咳逆上气，开心孔，补五脏，通九窍，明耳明目，出音声，主耳聋，痈疮，温肠胃，止小便利，四肢湿痹，不得屈伸，小儿温疟，身积热不解，可作浴汤。久服轻身，聪耳目，不忘，不迷惑，延年，益心智，高志不老。一名昌阳。生上洛池泽及蜀郡严道。一寸九节者良，露根不可用"。

[2] **卫州** 今河南卫辉。

[3] **戎州** 今四川宜宾。

[4] **衡州** 今湖南衡阳。

366 菰根[1]

味甘，微寒，无毒。[2]

图 514 菰根

图 515 菰根

【校注】

［1］**菰根**　其后，《大观》《政和》有"大寒。主肠胃痼热，消渴，止小便利"。

［2］**味甘，微寒，无毒**　以上6字，《大观》《政和》无。

367 水萍

三月[1]采，暴干。

图 516 水萍

【校注】

［1］**三月**　其前，《大观》《政和》有"味辛、酸，寒，无毒。主暴热身痒，下水气，胜酒，长须发，止消渴，下气。以沐浴，生毛发。久服轻身。一名水花，一名水白，一名水苏。生雷泽池泽"。

368　海藻

七月[1]七日采，暴干。

绍兴校定[2]：海藻生于海中，亦海菜之属也。性味、主治具载经注，今医方用此治瘿瘤及下水颇验。当从本经味苦、咸，寒，无毒是也。

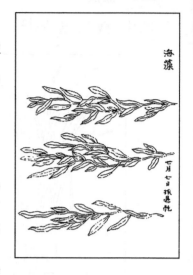

图 517　海藻

【校注】

[1] **七月**　其前，《大观》《政和》有"味苦、咸，寒，无毒。主瘿瘤气，颈下核，破散结气，痈肿，癥瘕坚气，腹中上下鸣，下十二水肿，疗皮间积聚，暴溃，留气热结，利小便。一名落首，一名薄。生东海池泽"。

[2] **绍兴校定**　其下文辑自《永乐大典》卷11602"藻"字下"海藻"条引《绍兴本草》文（《永乐大典·医药集》页743）。

369　海带[1]

味咸、苦，寒。[2]

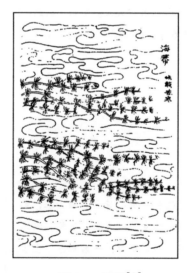

图 518　海带[3]

【校注】

[1] **海带**　其后，《大观》《政和》有"催生，治妇人及疗风。亦可作下水药。出东海水中石上，比海藻更粗，柔韧而长，今登州人干之以束器物。新定"。

[2] **味咸、苦，寒**　以上4字，《大观》《政和》无。

[3] **海带**　此药图，《大观》《政和》无。又此图不像海带图，像海藻图，疑图中"海带"为"海藻"之误。

370 石斛[1]

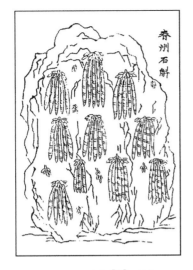

图 519　春州[2]石斛

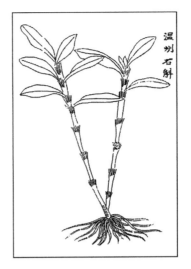

图 520　温州[3]石斛

【校注】

[1] **石斛**　"斛"，原书目录讹为"鲜"，据《大观》《政和》改。又"石斛"字后，《大观》《政和》有"味甘，平，无毒。主伤中，除痹，下气，补五脏，虚劳羸瘦，强阴，益精，补内绝不足，平胃气，长肌肉，逐皮肤邪热痱音弗气，脚膝疼冷痹弱。久服厚肠胃，轻身延年，定志除惊。一名林兰，一名禁生，一名杜兰，一名石蓫音逐。生六安山谷水傍石上。七月、八月采茎，阴干"。

[2] **春州**　今广东阳春。

[3] **温州**　今浙江温州。

371 骨碎补[1]

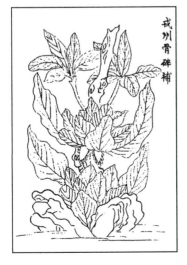

图 521　戎州[2]骨碎补

图 522　海州[3]骨碎补

图 523　舒州[4]骨碎补

图 524　秦州[5]骨碎补

【校注】

[1] **骨碎补**　其后，《大观》《政和》有"味苦，温，无毒。主破血止血，补伤折。生江南。根著树石上，有毛。叶如庵蕳。江西人呼为胡孙姜。一名石庵蕳，一名骨碎布。今附"。

[2] **戎州**　今四川宜宾。

[3] **海州**　今江苏东海。

[4] **舒州**　今安徽舒城。

[5] **秦州**　今甘肃天水。

372　石韦

二月[1]采叶，阴干。

【校注】

[1] **二月**　其前，《大观》《政和》有"味苦、甘，平，无毒。主劳热邪气，五癃闭不通，利小便水道，止烦下气，通膀胱满，补五劳，安五脏，去恶风，益精气。一名石鞢之夜切，一名石皮。用之去黄毛，毛射人肺，令人咳不可疗。生华阴山谷石上，不闻水及人声者良"。

图 525　海州石韦

373　金星草

味苦，寒，无毒。主痈疽疮恶，大解硫黄及丹石毒，发背痈肿结核。用叶和根，酒煎服之[1]。

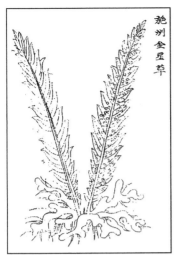

图 526　施州[2]金星草

图 527　峡州[3]金星草

【校注】

[1] 之　其后，《大观》《政和》有"先服石药悉下，又可作末冷水服，及涂发背疮肿上，殊效。根碎之，浸油涂头，大生毛发。西南州郡多有之，而以戎州者为上。喜生阴中石上净处及竹箐中不见日处，或大木下，或古屋上。此草惟单生一叶，色青，长一二尺。至冬大寒，叶背生黄星点子，两行相对如金色，因得金星之名。其根盘屈如竹根而细，折之有筋，如猪马鬐。陵冬不凋，无花、实。五月和根采之，风干用新定"。

[2] 施州　今湖北恩施。

[3] 峡州　今湖北宜昌。

374　景天

四月[1]四日、七月七日采，阴干。

图 528　景天

【校注】

[1] 四月　其前，《大观》《政和》有"味苦、酸，平，无毒。主大热火疮，身热烦，邪恶气，诸蛊毒，痂疕寒几切，寒热风痹，诸不足。花：主妇人漏下赤白，轻身明目。久服通神不老。一名戒火，一名火母，一名救火，一名据火，一名慎火。生太山川谷"。

375 地锦草

味辛，无毒。主通流血脉，亦可用治气。生近道田野，出滁州者尤良[1]。

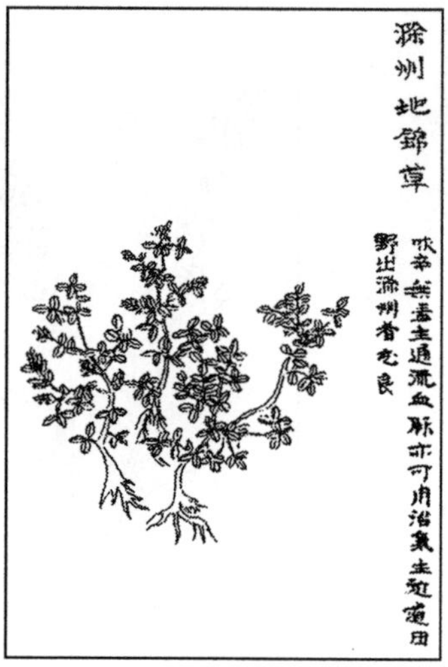

【校注】

[1] 良　其后，《大观》《政和》有"茎叶细弱，蔓延于地。茎赤，叶青紫色，夏中茂盛。六月开红花，结细实。取苗、子用之。络石注有地锦，是藤蔓之类，虽与此名同，而其类全别。新定"。

[2] 滁州　今安徽滁州。

图 529　滁州[2]地锦草

376 酢浆草

味酸，寒，无毒。主恶疮瘑瘘。捣傅之，杀诸小虫。生道傍。夏采日干，四月、五月采，阴干，六月、八月采苗，日干。[1]

【校注】

[1] 夏采日干……八月采苗，日干　以上 19 字，《大观》《政和》无。

图 530　酢浆草

377 薇衔[1]

绍兴校定[2]：薇衔，一名麋衔，采茎叶为用。主疗已载本经。《内经》说此物合泽泻、术以治酒风。其性味当从本经为正。然近世方家亦稀用之。

【校注】

[1] 薇衔　其后，《大观》《政和》有"味苦，平、微寒，无毒。主风湿痹历节痛，惊痫吐舌，悸气贼风，鼠瘘痈肿，暴癥，逐水，疗痿蹶。久服轻身明目。一名麋衔，一名承膏，一名承肌，一名无心，一名无颠。生汉中川泽及冤句、邯郸。七月采茎、叶，阴干得秦皮良"。

[2] 绍兴校定　其后文"薇衔……亦稀用之"，据《永乐大典》卷 9762"衔"字下"薇衔"条引《绍兴本草》文（《永乐大典·医药集》页 634）辑补。按本书例，当以"绍兴校定"4 字冠之。

378　卷柏

五月^[1]、七月采，阴干。

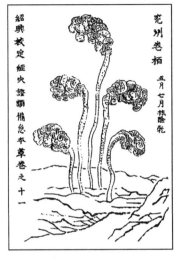

图 531　兖州^[2]卷柏

图 532　海州^[3]卷柏

【校注】

〔1〕**五月**　其前，《大观》《政和》有"味辛、甘，温、平、微寒，无毒。主五脏邪气，女子阴中寒热痛，癥瘕，血闭，绝子，止咳逆，治脱肛，散淋结，头中风眩，痿蹶，强阴益精。久服轻身，和颜色，令人好容体。一名万岁，一名豹足，一名求股，一名交时。生常山山谷石间"。

〔2〕**兖州**　今山东兖州。

〔3〕**海州**　今江苏东海。

绍兴校定经史证类备急本草卷之十一终

379 胡麻

味甘，平，无毒。主伤中虚羸，补五内，益气
力，长肌肉，填髓脑，坚筋骨，疗金疮，止痛及伤
寒，温疟，大吐后虚热羸困。久服轻身不老，明耳
目[1]，耐饥渴，延年。以作油，微寒，利大肠，胞衣
不落。生者摩疮肿，生秃发。一名巨胜，一名狗虱，
一名方茎，一名鸿藏。叶名青蘘音箱。生上党川谷[2]。

绍兴校定：胡麻，性味、主治已载本经。大率取
润利之性多矣，然但比脂麻色黑，有壳[3]者是矣。亦
名巨胜，显一物两名也。处处产之。本经云味甘，
平，无毒是矣。

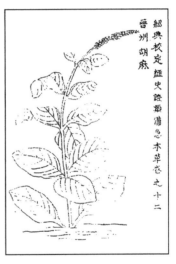

图 533　晋州[4]胡麻

【校注】

[1] **明耳目**　郑杨本脱"耳"字。
[2] **谷**　《大观》《政和》作"泽"。
[3] **壳**　原作"谷"，据文理改。
[4] **晋州**　今山西临汾。

380 青蘘

味甘，寒，无毒。主五脏邪气，风寒湿痹。益气，补脑髓，坚筋骨。久服耳目
聪明，不饥，不老，增寿。巨胜苗也。生中原川谷。

绍兴校定：青蘘即胡麻叶也。本经虽具性味、主治，亦未闻诸方用验之据。当

从胡麻味甘，平，无毒是矣。

381 胡麻油

微寒，利大肠，胞衣不落。生者摩疮肿，生秃发。

绍兴校定：胡麻油虽具主治，然但取润利之性尤多矣。当云味甘，微寒，无毒为定。

382 白油麻

大寒，无毒。治虚劳，滑肠胃，行风气，通血脉，去头上[1]浮风，润肌肉，食后生啖一合，终身不辍。与乳母食，其孩子永不生病。若客热，可作饮汁服之。停久者饮之，发霍乱。又生嚼，傅小儿头上诸疮良。久食抽人肌肉。生则寒，炒则热。又叶捣和浆水，绞去滓沐发，去风润发。其油[2]常食所用也，无毒。发冷疾，滑骨髓，发脏腑渴，困[3]脾脏，杀五黄，下三焦热毒气，通大小肠。治蛔心痛，傅一切恶[4]疮疥癣，杀一切虫。取油一合，和[5]鸡子两颗，芒消一两，搅服之，少时即泻下[6]，治热毒甚良。治饮食物须逐日熬熟用，经宿即动气，有牙齿疾[7]并脾胃疾人切不可吃。陈者煎膏，生肌长肉，止痛，消痈肿，补皮裂。

图534 油麻

绍兴校定：白油麻，此世呼脂麻是也。油乃常食所用，其麻即非大寒。其叶及油，然本经与诸方各具主治，大率取润利之性多矣。处处产之，其麻与油皆味甘，微寒，俱无毒为定。

【校注】

[1] 上 《大观》《政和》无。

[2] 油 其后，《大观》《政和》有"冷"字。

[3] 困 其前，《大观》有"令人"2字。

[4] 恶 《大观》《政和》无。

[5] 和 《大观》《政和》无。

[6] 下 《大观》《政和》无。

[7] 疾 《大观》《政和》无。

383　麻蕡、麻子

麻蕡　辛，平，有毒。主五劳七伤，利五脏，下血寒气，破积，止痹，散脓。多服[1]令人见鬼狂走。久服通神明，轻身。一名麻勃，此麻花上勃勃者。七月七日采，良[2]。

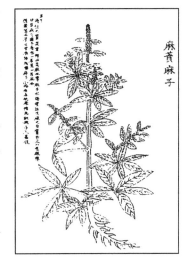

图535　麻蕡、麻子

麻子　味甘，平，无毒。主补中益气，中风汗出，逐水气[3]，利小便，破积血，复血脉，乳妇产后余疾，长发，可为沐药。久服肥健，不老神仙。九月采，入土者损人。生泰山川谷。

陶隐居云：麻蕡即牡麻，牡麻则无实，今人作布及履用之。麻勃，方药亦少用。

《图经》：麻蕡味辛，麻子味甘，此又似二物。疑本草与《尔雅》《礼记》有称谓不同者耳。又古方又有用麻花者，然则蕡也、子也、花也，其三物乎？

《尔雅》云：蕡，枲实。释曰：枲，麻也。蕡，麻子也。《仪礼》注：苴，麻之有蕡者。又曰苧麻。释曰：苴，麻之盛子者也。一名苧，一名麻母。

陈藏器本草云：早春种为春麻，子小而有毒；晚春种为秋麻，子入药佳。

绍兴校定：麻蕡、麻子，乃世之作布麻也。盖麻蕡乃麻花衣勃，其麻子即实也。然有花者即无实，有实者即不生花勃，似乎有牡牝，故所以分两种。《尔雅》注云以蕡为子，理颇远矣。性味、主治各具本经，及诸方亦间用之，随其所宜也。其花衣勃食之麻人。本经云有毒，麻实即无毒矣。处处产之。

【校注】

[1] 服　《大观》《政和》作"食"。

[2] 良　《大观》作"食"。

[3] 气　《大观》《政和》无。

384 小麦

味甘，微寒，无毒。主除客[1]热，止烦渴咽燥，利小便，养肝气，止漏血，唾血。以作曲，温，消谷止痢；以作面，温，不能消热止烦。

绍兴校定：小麦乃世之常食之物。然皮凉而作面性热，固显然矣。但取皮用之者罕，惟面世所用多矣。若经火煮而食之，其性壅热，善动风气，此甚验也。若生食颇利大肠，然本经及诸方虽各分主治之宜，即非起疾之物。亦可作蘖，入药用。为用其麦，当云味甘，平、微凉，无毒是矣。处处种产之。

图536 小麦

【校注】

[1] 客 《大观》《政和》无。

385 大麦

味咸，温、微寒，无毒。主消渴，除热，益气，调中。又云令人多热，为五谷长。

绍兴校定：大麦，本经云温，又云微寒；主除热，复云令人多热，此显无据矣。即非性寒除热之物，当云味咸，微温，无毒是矣。惟作蘖，诸方用之颇众。处处种产之。

386 荞麦

味甘，平、寒，无毒。实肠胃，益气力。久食动风，令人头眩。和猪羊[1]肉食之，患热风，脱人眉须[2]。虽动诸病，犹挫丹石，能炼五脏滓秽，续精神。作饭食，压丹石毒甚良。其饭法：可蒸使气馏，烈日暴，令开口，舂取米仁作之。叶作茹食之，下气，利耳目。多食即微泄。烧其穰作灰，淋洗六畜疮并驴马躁蹄。

绍兴校定[3]：荞麦，本经虽具性味、主治，然世之作面食之者亦众。发痼疾，动风气颇验，其疗病即未闻。及云挫丹石，续精神，未闻验据。西北地多种产。彼人亦喜食之，即非性寒之物。当云味苦，微温，有小毒是矣。

【校注】

[1] **羊** 《大观》《政和》无。

[2] **须** 《大观》《政和》同。郑杨本作"发"。

[3] **绍兴校定** 《永乐大典·医药集》作"绍兴本草"。

387 穬麦

味甘，微寒，无毒。主轻身，除热。久服令人多力，健行。以作蘗，温，消食和中。

绍兴校定：穬麦，乃[1]麦别一种矣。本经虽具性味、主治，及云亦可作蘗[2]，但诸方未闻用验。西北地多产，南中[3]罕有之。当云味甘，平，无毒是矣。

【校注】

[1] **乃** 郑杨本作"另"。

[2] **蘗** 郑杨本缺。

[3] **中** 郑杨本作"地"。

388 曲

味甘，大暖。疗脏腑中风气，调中下气，开胃消宿食，主霍乱，心膈气，痰逆，除烦，破癥结。及补虚，去冷气，除肠胃中塞，不下食，令人有颜色。六月作者良。陈久者入药，用之当炒令香。六畜食米胀欲死者，煮曲汁灌之消[1]。落胎，并下鬼胎。又神曲，使，无毒。化水谷宿食癥气，健脾暖胃。

绍兴校定：曲入方疗疾，惟六月上寅日，清水和白面为神曲可用矣。大率消谷嗜食，诸方多用之。陈久者良。盖谓有消化之性，故云落胎，即非毒利之药可比也。当云味苦、甘，温，无毒是矣。

【校注】

[1] **消** 《大观》《政和》作"立消"。

389 雀麦[1]

绍兴校定[2]：产田野，处处有之。主治、性味具载本经。虽古方治胎胞不出，及齿蜃等疾，然近世亦稀用之。当从味甘，平，无毒为正。

【校注】

[1] **雀麦** 其后，《大观》《政和》有"味甘，平，无毒。主女人产不出。煮汁饮之。一名䔖，一名燕麦。生故墟野林下。叶似麦"。

[2] **绍兴校定** 其后文"产田野……无毒为正"，辑自《永乐大典》卷22182"麦"字下"雀麦"引《绍兴本草》文（《永乐大典·医药集》页1125）。按本书例，当以"绍兴校定"冠之。

390 饴音贻糖

味甘，微温。主补虚乏，止渴去血。

绍兴校定：饴糖，制糵所成，乃饧也。但滋中消谷，诸方颇用，以佐他药取效。当云味甘，微温，无毒是矣。

391 稷米

味甘，寒，无毒。主益气，补不足。

陶隐居云：稷米，人亦不识，书记多云黍与稷相似。又有稌音渡，亦不知是何米。《诗》云：黍、稷、稻、粱、禾、麻、菽、麦，此即八谷也，俗人莫能证辨，如此谷稼尚弗能明，而况芝英乎？按氾胜之《种植书》有黍，即如前说。无稷有稻，犹是粳谷，粱是秫，禾即是粟。董仲舒云：禾是粟苗，麻是胡麻，枲是大麻，菽是大豆，大豆有两种。小豆一名荅丁合切，有三四种。麦有大、小穬，穬即宿麦，亦谓种麦。如此，诸谷之类也。菰米，一名雕胡，可作饼。又汉中有一种名枲粱，粒如粟而皮黑，亦可食，酿为酒，甚消玉。

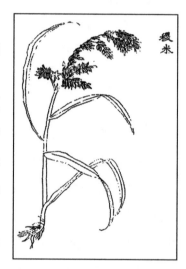

图537 稷米

绍兴校定：稷米即穄米是也。然本经虽具主治，但诸方未闻的验。此物唯以祠事则用，南人稀种之。亦可作粮，北地多产。今当作味甘，平，无毒为定。

392 丹黍米

味苦，微温，无毒。主咳逆，霍乱，止泄利，除热，止烦渴。

绍兴校定：丹黍米，与黍米一矣，但色赤而其性无异，亦穄之类也。本经虽具主治，亦未闻诸方用验。当云味甘、苦，微温，无毒是矣。

393 青粱米

味甘，微寒，无毒。主胃痹，热中，消渴，止泄痢，利小便，益气补中，轻身长年。

绍兴校定：青粱米乃粟之类矣，唯但颗粒稍大，色带微青。本经虽具主治，然未闻验据。北地多产之，作粥饭，常食之甚良，亦非性寒。当云味甘，平，无毒是矣。

图 538 丹黍米

394 白粱米

味甘，微寒，无毒。主除热，益气。

绍兴校定：白粱米亦粟之类也，但颗粒颇大，与粱米一矣，而色白少异，作饭粥甚佳，然治疾则未闻。当云味甘，平，无毒是矣。

395 黄粱米

味甘，平，无毒。主益气，和中，止泄。

绍兴校定：黄粱米亦粱米也，但色颇黄以名。本经虽分三种，而其性一矣，详所主治，皆未闻起疾之验。经云味甘，平，无毒是矣。

396 黍米

味甘，温，无毒。主益气补中。久食令人多热烦。

绍兴校定：黍米乃穄之类矣，但别有此一种。北地

图 539 粱米

247

多产之，可作粥饭，颇厚肠胃，或多以酿酒。本经及诸方虽各具主治，皆未闻验据。当云味甘，微温，无毒是矣。

397 稻米

味苦，温，无毒。主温中，令人多热。

绍兴校定：稻米即糯米是也，作糜酿酒及蒸而作食品。本经云温中，令人多热，大便坚，乃颇有验。虽诸方各具主治，但未闻验据。其性非寒，今当作味甘，温，无毒为定。南地多种产之。

陶隐居云：道家方药有俱用稻米、粳米，此则是两物矣。云稻米白如霜。又，江东无此，皆通呼粳为稻尔。不知其色类，复云何也。

唐本注云：稻者，穬谷通名。《尔雅》云：稌音渡，稻也。秔者不糯之称，一曰秈。汜胜之云：秔稻、秫稻，三月种秔稻，四月种秫稻，即并稻也。今陶为二事，深不可解也。

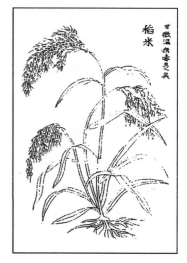

图540 稻米

今按：李含光《音义》云，按字书解粳字，云稻也，解秔字，云稻属也，不粘，解粢音慈字，云稻饼也。明稻米作粢，盖糯米尔。其细糠白如霜，粒大小似秔米，但体性粘殢为异尔。然今通呼秔、糯谷为稻，所以惑之。新旧注殆是臆说，今此稻米即糯米也。又检秔、粳二字同音，盖古人常分别二米为殊尔。

398 薏苡仁

八月[1]采实，采根无时。

【校注】

[1] 八月 其前，《大观》《政和》有"味甘，微寒，无毒。主筋急拘挛，不可屈伸，风湿痹，下气，除筋骨邪气不仁，利肠胃，消水肿，令人能食。久服轻身益气。其根，下三虫。一名解蠡，一名屋菼音毯，一名起实，一名蘱音感。生真定平泽及田野"。

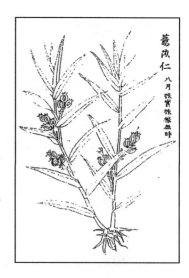

图541 薏苡仁

399 罂子粟

味甘，平，无毒。主丹石发动，不下饮食，和竹沥煮作粥食极美。一名象谷，一名米囊，一名御米花。花红白色，似髇箭头，中有米，亦名囊子。

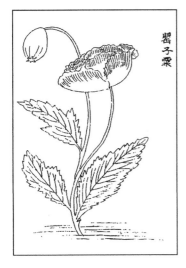

图 542 罂子粟

图 543 《大观》《政和》罂子粟[1]

绍兴校定：罂子粟，御米是也。性味、主治具于本经，然云主丹石发动，亦非专恃此而为疗。当作味甘，微寒，无毒为定。其壳[2]炒而断泄利，诸方颇用之，盖有收涩之性多矣。处处种产。

【校注】

[1] 《大观》《政和》罂子粟　此为《大观》《政和》图，与《绍兴本草》罂子粟图小异。

[2] 壳　原作"谷"，据文理改。

400 大豆[1]

味甘，平，无毒。涂痈肿，煮汁饮，杀鬼毒，止痛，逐水胀，除胃中热痹，伤中，淋露，下瘀血，散五脏结积、内寒，杀乌头毒。久服令人身重。炒为屑，主胃中热，除痹，去肿，止腹胀，消谷。生太山平泽。九月采。

绍兴校定：生大豆乃世呼黑豆是也。唯作酱作豉，炒熟用及生用。虽一物而成，以生熟之性[2]颇异，各

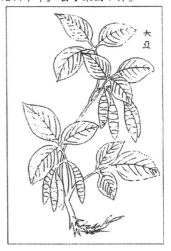

图 544 大豆

随其所宜而用之。唯[3]生者，性凉，解诸毒，除热颇验。当作味甘，平，无毒是矣。处处产之。

【校注】

[1] **大豆** 《大观》《政和》作"生大豆"。

[2] **性** 原作"姓"，据文理改。

[3] **唯** 原作"唯唯"，据文理改。

401 赤小豆

味甘、酸，平，无毒。主下水肿[1]，排痈肿脓血，寒热，热中消渴，止泄痢[2]，利小便，下腹胀满[3]，吐逆卒澼[4]。

绍兴校定：赤小豆，性味、主治具于本经。大率除湿利气之性多矣。其云止泄，显非所宜。当从味甘、酸，平，无毒是矣。处处产之。

图 545 赤小豆

【校注】

[1] **肿** 《大观》《政和》无。

[2] **痢** 《大观》《政和》无。

[3] **下腹胀满** 《大观》《政和》作"下胀满"。

[4] **澼** 郑杨本脱。

402 藊豆

味甘，微温，无毒。主和中下气。叶，主霍乱吐下不止。

绍兴校定：藊豆亦类大豆，但其形扁而颇大，然分白黑二种，入方唯用白者。但调和营卫，余无起疾之验。叶罕闻用据。处处产之。当从经注味甘，微温，无毒是矣。

图 546 藊豆

403 腐婢

味辛，平，无毒。主痎疟寒热，邪气，泄痢，阴不起，止消渴，病酒头痛。生汉中，即小豆花也。七月采，阴干。

绍兴校定：腐婢即赤小豆花之别名也。本经虽具性味、主治，及他方亦具疗病之宜，但未闻用验。然曰主泄痢，阴不起，复云止消渴，病酒头痛，颇相违矣。大率非起疾取效之物。本经云味辛，平，无毒是也。

图 547 腐婢

唐本注云：腐婢，山南相承，以为葛花。《本经》云小豆花，陶复称海边小树，未知孰是？然葛花消酒，大胜豆花，葛根亦能消酒，小豆全无此效。较量葛、豆二花，葛为真也。

《别说》云：谨按，腐婢，今既收在谷部，乃正是小豆花，设有别物同名，自从治疗所说，不必多辨。《外台》小豆，治失血尤多，功用殊胜矣。

404 大豆黄卷

味甘，平，无毒。主湿痹，筋挛，膝痛，五脏不足[1]，胃气结积，益气，止痛[2]，去黑皯，润肌肤[3]皮毛。《图经》文具生大豆条下。

绍兴校定：大豆黄卷即黑豆芽糵也。本经亦专具性味、主治，诸方佐他药随宜用之。大率性与大豆不远矣[4]。

【校注】

[1] **不足** 《大观》《政和》无。

[2] **止痛** 《大观》《政和》作“止毒”。

[3] **润肌肤** 《大观》《政和》作“润泽”。

[4] **不远矣** 神谷本此下小字补入一条：“酒，味苦、甘、辛，大热，有毒。主行药势，杀百邪恶毒气。”

405 绿豆

味甘，寒，无毒。主丹毒，烦热，风疹，药石发动，热气奔豚。生研绞汁服。

亦煮食，消肿，下气，压热，解毒[1]。用之[2]去皮，令人少壅[3]，当是皮寒、肉平。圆小绿者佳。又有植豆，苗子相似，主霍乱吐下，取叶捣绞汁，和少醋温服。子亦下气。

绍兴校定：绿豆，性味、主治已载本经。大率性凉，解诸热毒。多作食品用之。当云味甘，微寒，无毒是矣。处处种产之。又植豆苗子，然云相似绿豆，自别是一种，及叶皆罕闻疗疾用据。

【校注】

[1] **解毒** 《大观》《政和》作"解石"。

[2] **之** 其后，《大观》《政和》有"勿"字。

[3] **少壅** 《大观》《政和》作"小壅"。

406 白豆

甘，平，无毒。补五脏[1]，调中[2]，助十二经脉，暖肠胃。叶：利五脏，下气。嫩者作菜食，生食之亦佳，可常食。

绍兴校定：白豆即豇豆是也。本经虽具主治，乃世作食品矣，未闻起疾。当云味甘，平，无毒是矣。嫩叶可作菜，亦非常食。处处种产之。

【校注】

[1] **脏** 其后，《大观》《政和》作"益中"2字。

[2] **调中** 以上2字，《大观》《政和》在"助十二经脉"之后。

407 豌豆[1]

味甘，平，无毒。调营卫，益中平气。其豆如梧桐子，小而圆。其花青红色，引蔓而生。四月、五月熟，世之有以为酱者。南人呼为蚕豆，又呼为寒豆，处处种产之。亦可代粮，固非专起疾之物矣。经注皆不载，今附米谷部中品之末。绍兴新添

【校注】

[1] **豌豆** 《纲目》卷26"豌豆"条注出《本草拾遗》，但在"释名"下，仅言"胡豆"出《本草拾遗》，未言"豌豆"出《本草拾遗》。《绍兴本草》明"豌豆"经注皆不载，作为新添药收录。李时珍未见过《绍兴本草》，故未提及"豌豆"之名始出《绍兴本草》。

408　豉

味苦，寒，无毒。主伤寒，头痛寒热，瘴气恶毒，烦躁满闷，虚劳喘吸，两脚疼冷。又杀六畜胎子诸毒。[1]

绍兴校定：豉乃大豆制而所成。本经及诸方各具主治之宜，但世之食品多用。以近世验之，即非必起疾之物。唯入方服饵[2]致呕者，显然当云味苦、甘、咸，平，无毒。

【校注】

[1]　**味苦……胎子诸毒**　以上正文，郑杨本脱。

[2]　**饵**　郑杨本脱。

409　芥

味辛，温，无毒。主归鼻，除肾经邪气，利九窍，明耳[1]目，安中。久食温中。

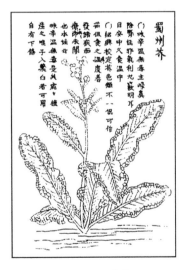

图 548　蜀州[2]芥

图 549　《大观》《政和》蜀州芥[3]

绍兴校定：芥，色类不一，俱可作茹，但食之过度，善发诸疾，而疗病即未闻也。本经云味辛，温，无毒是矣。处处种产之。唯子入药，白者可用，自有下条。

【校注】

[1]　**耳**　郑杨本脱。

[2]　**蜀州**　今重庆。

[3] 《大观》《政和》蜀州芥　此为《大观》《政和》图，与《绍兴本草》图小异。

410　芜菁及芦菔

味苦，温，无毒。主利五脏，轻身益气，可长食之。芜菁子主[1]明目。

绍兴校定：芜菁即蔓菁是也。唯子多入于方，然明目之效，固显有之。其叶与根，世之菜品，即未闻起疾之验。然根小者为蔓菁，大者呼为薹子。当云味苦、甘，平，无毒为定。处处产之，其芦菔自有条，难与此物作一类矣。

《尔雅》云：须，薞芜。释曰：《诗·谷风》云，采葑采菲。毛云：葑，须也。先儒即以须葑苁当之。孙炎云：须，一名葑苁。郭璞云：薞芜似羊蹄，叶细，味酢，可食。《礼·坊记》注云：葑，蔓菁也。

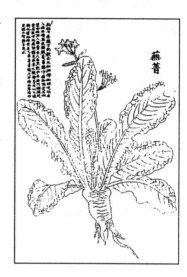

图550　芜菁

陈、宋之间谓之葑。陆机云：葑，芜菁也，幽州人谓之芥。杨雄《方言》云：蘴、荛，蔓菁也。陈、楚谓之蘴，齐、鲁谓之荛，关西谓之芜菁，赵、魏谓之大芥。蘴、葑音同，然则葑也，须也，芜菁也，蔓菁也，薞芜也，荛也，芥也，七者一物也。

《仙经》云：长服可断谷长生。和油傅蜘蛛咬，恐毒入肉，亦捣为末酒服。蔓菁园中无蜘蛛，是其相畏也。为油入面膏，令人去黑䵟。今并汾、河朔间烧食其根，呼为芜根，犹是芜菁之号。芜菁，南北之通称也。塞北种者，名九英蔓菁，根大，并将为军粮。菘菜，南土所种多是也。

【校注】

[1] 主　郑杨本讹作“生”。

411　莱菔音葍根

味辛、甘，温，无毒。主散服及炮煮，服食大下气，消谷和中，去痰癖，肥健人。生捣汁服，止消渴，试大有验。

绍兴校定：莱菔根乃萝卜是也。性味、主治已载本经。大率下气之性多矣。当云味辛、甘，平，无毒为定。其子诸方颇用。处处种产。

412 干姜[1]

【校注】

[1] **干姜** 其后，《大观》《政和》有"味辛，温、大热，无毒。主胸满，咳逆上气，温中，止血，出汗，逐风湿痹，肠澼下痢，寒冷腹痛，中恶霍乱，胀满，风邪诸毒，皮肤间结气，止唾血。生者尤良"。

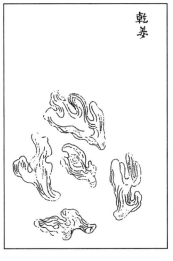

图 551　干姜

413 生姜

九月[1]采。

图 552　温州[2]生姜

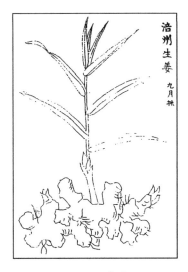

图 553　涪州[3]生姜

【校注】

[1] **九月** 其前，《大观》《政和》有"味辛，微温。主伤寒头痛鼻塞，咳逆上气，止呕吐。久服去臭气，通神明。生犍为川谷及荆州、扬州"。

[2] **温州** 今浙江温州。

[3] **涪州** 今重庆涪陵。

414 茼蒿

平。主安心气，养脾胃，消痰饮[1]。又动风气，薰人心，令人气满，不可多食。

绍兴校定：茼蒿乃菜品。本经云安心气，复云薰人心。但安心即未闻，其动风气固有之，即非起疾之物。本经不载其味，当云味辛，平，无毒为定。处处种产之。

【校注】

[1] 消痰饮 《大观》《政和》作"消水饮"。

415 邪蒿

味辛，温、平，无毒。似青蒿细软。主胸膈中臭烂恶邪气，利肠胃，通血脉，续不足气。生食微动风[1]，作羹食良。不与胡荽同食，令人汗臭气。

绍兴校定：邪蒿，亦青蒿之类也。本经虽具性味、主治，但诸方未闻用验。亦非常食之菜，正乃野生之物，世亦罕用之。

【校注】

[1] 风 其后，《大观》《政和》有"气"字。

416 胡荽

味辛，温—云微寒，微毒。消谷，治五脏，补不足，利大小肠，通小腹气，拔四肢热，止头痛。疗沙[1]疹，豌豆疮不出，作酒喷之立出。通心窍。久食令人多忘，发腋臭、脚气。根发痼疾，子：主小儿秃疮，油煎傅之。亦主蛊毒[2]、五痔及食肉中毒，吐[3]下血，煮汁冷服。并州[4]人呼香荽，入药炒用。

绍兴校定：胡荽，俗呼园荽是也。本经虽具主治，然近世多以渍酒服，发小儿疮疹，此实非所宜也。盖小儿疮疹，皆积热所发，其误伤者，近世颇多，不可将此为良法。但性颇薰烈，即非有毒，当云味辛，温，无毒是矣。其《外台》治齿痛一方，用胡荬子五升，窃详胡荬子乃荬耳子也，不应附此。今移于荬耳实条下。

【校注】

[1] 沙 郑杨本讹作"消"。

[2] 毒 《大观》《政和》无。

[3] 吐 《大观》《政和》无。

[4] 并州 今山西太原。

417　石胡荽

辛，寒，无毒。主通鼻气，利九窍，吐风痰，不能食[1]。亦去目翳，挼[2]塞鼻中，翳膜自落。俗名鹅不食草。

绍兴校定：石胡荽，亦胡荽之类。但产于石边，乃野生之物。本经虽具性及主治，然未闻诸方验据矣。

【校注】

[1]　**不能食**　《大观》《政和》作"不任食"。

[2]　**挼**　郑杨本作"挼"。

418　葫萝卜

味甘，平，无毒。主下气，调利肠胃，乃世之常食菜品矣。然与芜菁相类，固非一种。处处产之。以本经不载，今当收附菜部。绍兴新添

419　香菜

味辛，平，无毒。乃世之菜品矣，然合诸菜食之气香，辟腥。多食即使人口爽。又呼为茵蔯蒿，处处种产之。以本经不载，今当收附菜部。绍兴新添

420　罗勒

味辛，温，微毒。主调中消食，去恶气，消水气，宜生食。又疗齿根烂疮，为灰用甚良，不可过食，壅关节，涩营卫，令人血脉不行。又动风，发脚气。患㿗呕者，取汁服半合定[1]，冬月用干者煮汁。子：主目翳及尘物入目，以三五颗安目中，少顷当湿胀，与物俱出。又主风赤眵泪。根：主小儿黄烂疮，烧灰傅之佳。北人呼为兰香，为石勒讳也。此有三种：一种堪作生菜；一种[2]叶大，二十步内[3]闻香；一种似紫苏叶。

绍兴校定：罗勒乃兰香菜是也。本经虽具性味及主治之宜，然但未闻必验之据。若食过多而动疾者有之，即非有毒。当云味辛，温，无毒是矣。处处种产之。其根与子今罕见用。

【校注】

[1] **定** 原脱，据《大观》《政和》补。

[2] **种** 原脱，据《大观》《政和》补。

[3] **内** 原作"中"，据《大观》《政和》改。

421 苋实

味甘，寒[1]，无毒。主青盲[2]，明目，除邪，利大小便，去寒热。久服益气力，不饥轻身。治白翳，杀蛔虫。一名马苋，一名莫实。细苋亦同。生淮阳[3]川泽及田中。叶如蓝。十一月采。

绍兴校定：苋实乃苋菜子[4]。性味、主治[5]载本经，然云利大小肠，复云益气力，颇相违矣。大率非补助之物，其性亦非大寒，当云味苦、甘，微寒，无毒是也，岂恃此而起疾。唯茎叶世之作菜品，过多即动气。处处种产之。

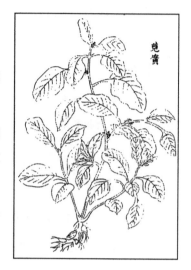

图 554 苋实

【校注】

[1] **寒** 其后，《大观》《政和》有"大寒"2字。按，"寒"为《本经》文，"大寒"为《别录》文。

[2] **盲** 其后，《大观》《政和》有"白翳"2字。

[3] **淮阳** 今河南桐柏。

[4] **子** 其后，郑杨本有"也"字。

[5] **治** 其后，郑杨本有"虽"字。

422 红苋[1]

【校注】

[1] **红苋** 《大观》《政和》不单独立为一条，将其并在"苋实"条中。唐本注名"赤苋"。《政和》引唐本注云："赤苋，味辛，寒，无毒。主赤痢，又主射工、沙虱，此是赤叶苋也。马苋，一名马齿草，味辛，寒，无毒。主诸肿瘘、疣目，捣揩之。饮汁，主反胃，诸淋，金疮，血流，破血，癥癖，小儿尤良。用汁洗紧唇，面疱，马汗、射工毒，涂之差。"

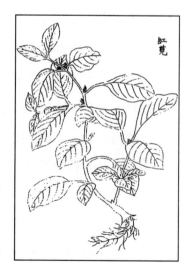

图 555 红苋

423 紫苋[1]

【校注】

[1] 紫苋 《大观》《政和》不单独立为一条，将其并在"苋实"条中。《政和》引《本草图经》云："紫苋，茎、叶通紫，吴人用染菜瓜者，诸苋中此无毒、不寒，兼主气痢。"

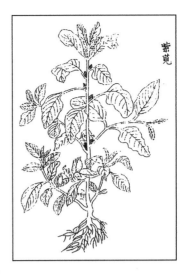

图 556 紫苋

424 菘

味甘，温，无毒。主通利肠胃，除胸中烦，解酒渴。

绍兴校定：菘，惟作菜品之外，余无为用。本经虽具性味、主治之宜，而未闻起疾之验。当云味甘，平，无毒。其云子亦可作油，但世之罕为用矣。处处种产之。

425 苦菜

味苦，寒，无毒。主五脏邪气，厌谷胃痹，肠澼，渴热中疾，恶疮。久服安心益气，聪察，少卧，轻身耐老，耐寒，高气不老。一名茶草，一名选，一名游冬。生益州川谷山陵道旁，凌冬不死。三月三日采，阴干。

图 557 菘菜

绍兴校定：苦菜，本经虽具性味、主治，然近世未闻验据，亦非常食菜品，乃川蜀野生之物。当从本经味苦，寒[1]，无毒是矣[2]。

【校注】

[1] 寒 原脱，据以上正文补。

[2] 矣 郑杨本作"也"。

426 苦瓠[1]

绍兴校定[2]：苦瓠，性味、主治已具本经。然云治水，古方中间有用之，而未闻的验。但味甘者，其性无异，乃世之菜品，余无为用，俱当作微寒、无毒为定。处处种产之。

【校注】

[1] **苦瓠** 其后，《大观》《政和》有"味苦，寒，有毒。主大水，面目、四肢浮肿，下水，令人吐。生晋地川泽"。

[2] **绍兴校定** 其后文辑自《永乐大典》卷2259"瓠"字下"苦瓠"条引《绍兴本草》文（《永乐大典·医药集》页429）。

427 白瓜子

味甘，平、寒，无毒。主令人悦泽，好颜色，益气不饥。久服轻身耐老，除烦满不乐。久服寒中。可作面脂，令面悦泽。一名水芝，一名白爪子。生嵩高平泽。冬瓜仁也。八月采。

绍兴校定：白瓜子即冬瓜仁也。本经已具性味、主治，但世之多以研取汁与蜜同煎。全如罂粟作汤，唯止烦解渴，余无功矣。即非甜瓜子也。当云味甘，微寒，无毒是矣。

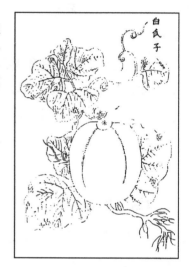

图 558 白瓜子

428 白冬瓜

味甘，微寒，无毒。主除小腹水胀，利小便，止渴。

绍兴校定：白冬瓜，性味、主治已载本经，然世之作菜及蜜煎作果品甚众，固非起疾之物。当从本经味甘，微寒，无毒是矣。

429 苣蕒

味苦，平，无毒。主安中，利人。可久食。

绍兴校定：苣蕒采根为用。本经虽具主治，而未闻起疾之验据。当从味苦，平，无毒是矣。但以杂伪作黄耆，世之不能辨者，多误用，宜审识之。

430 荠

味甘，温，无毒。主利肝气，和中。其实主明目，目痛。

绍兴校定：荠乃荠菜也。唯实与根疗目疾颇用之，茎叶未闻起疾之验。多野生，处处有之。本经云味[1]甘，温，无毒是矣。

【校注】

[1] **味** 原作"唯"，据文理改。

431　百合

二月[1]、八月采根，暴干。

图559　成州[2]百合

图560　滁州[3]百合

【校注】

[1] **二月** 其前，《大观》《政和》有"味甘，平，无毒。主邪气腹胀，心痛，利大小便，补中益气，除浮肿胪胀，痞满，寒热，通身疼痛，及乳难，喉痹，止涕泪。一名重箱，一名摩罗，一名中逢花，一名强瞿。生荆州川谷"。

[2] **成州** 今甘肃成县。

[3] **滁州** 今安徽滁州。

432　芋

味辛，平，有毒。主宽肠胃，充肌肤。滑中。一名土芝。

绍兴校定：芋，采根为用，形色大小不一，其性

图561　芋

261

不异。性味、主治虽具经注[1]。俱园圃中种者，人常炊煮食之，然多食善动风气、瘤疾，而未闻疗病之验。其经火熟者，当[2]云味甘，平，无毒；生者食之戟人，乃有小毒。其野生者，生熟皆不可食矣。处处产[3]之。

【校注】

[1] 注　原脱，据文理补。

[2] 当　原作"常"，据文理改。

[3] 产　郑杨本作"种"。

433　蘹香子[1]

即茴香是，采实用。[2]

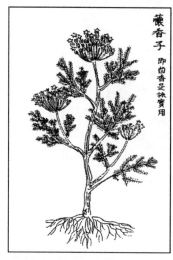  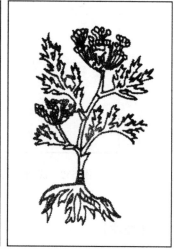

图562　蘹香子　　　　图563　简州蘹香子[3]　　　　图564　《大观》《政和》

蘹香子[4]

【校注】

[1] 蘹香子　其后，《大观》《政和》有"味辛，平，无毒。主诸瘘，霍乱及蛇伤"。

[2] 蘹香子：即茴香是，采实用　以上10字，观其文义及行文语气，似是"绍兴校定"文。

[3] 简州蘹香子　此药图，《绍兴本草》缺，据《大观》《政和》补。简州，即今四川简阳东。

[4] 《大观》《政和》蘹香子　该图中植物叶片与《绍兴本草》图小异，附此以资比较。

434　莳萝

味辛，温，无毒[1]。

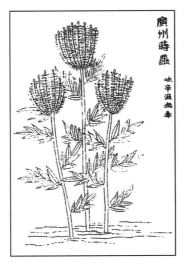

图565　广州蒔萝

【校注】

[1] **毒**　其后，《大观》《政和》有"主小儿气胀，霍乱呕逆，腹冷食不下，两肋痞满。生佛誓国，如马芹子，辛香。亦名慈谋勒。今附"。

435　蒲公草

味甘，平，无毒。主妇人乳痈肿，水[1]煮汁饮及封之，立消。一名構耨草。四月、五月采之。[2]

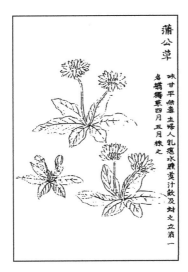

图566　蒲公英

【校注】

[1] **肿，水**　原作"水肿"，据《大观》《政和》改。

[2] **四月、五月采之**　以上6字出自"唐本注"。

436　薯蓣

二月[1]、八月采根，暴干。

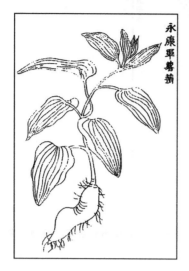

图 567　永康军[2]薯蓣

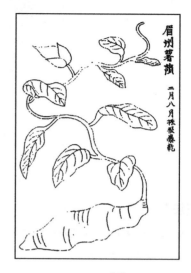

图 568　眉州[3]薯蓣

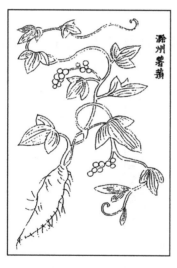

图 569　滁州[4]薯蓣

图 570　明州[5]薯蓣

【校注】

[1] **二月**　其前，《大观》《政和》有"味甘，温，平，无毒。主伤中，补虚羸，除寒热邪气，补中，益气力，长肌肉，主头面游风，头风，眼眩，下气，止腰痛，补虚劳羸瘦，充五脏，除烦热，强阴。久服耳目聪明，轻身，不饥，延年。一名山芋，秦、楚名玉延，郑、越名土薯音除。生嵩高山谷"。

[2] **永康军**　今四川都江堰。

[3] **眉州** 今四川眉山。

[4] **滁州** 今安徽滁州。

[5] **明州** 今浙江宁波。

437 苦耽苗子

味苦，寒，小毒。主传尸[1]伏连鬼气，疰忤邪气，腹内热结，目黄，不下食，大小便涩，骨热，咳嗽，多睡劳乏，呕逆痰壅，痃癖痞满，小儿无辜疬子，寒热，大腹，杀虫，落胎，去蛊毒。并煮汁服，亦生捣绞汁服，亦研薄小儿闪癖。生故墟垣堑间，高二三尺，子作角，如撮口袋，中有子如珠，熟则赤色。人有骨蒸多服之。关中人谓之洛神珠，一名王母珠，一名皮弁草。又有一种小者，名苦蘵。

绍兴校定：苦耽苗子，出产、形质、性味悉具本经。大率野生之物，当云性寒，有毒是也。虽有主治之宜，然诸方未闻用验之据矣。

【校注】

[1] **传尸** 指传染性肺结核，俗称肺痨。昔日得此病多死，死后又能传及他人。

438 苦苣

味苦，平。除面目及舌下黄，强力不睡。折取茎中白汁，傅丁肿，出根。又取汁滴疿上，立溃。碎茎叶，傅蛇咬。根：主赤白痢及骨蒸，并煮服之。今人种为菜，生食之。久服轻身少睡，调十二经[1]，利五脏，霍乱后胃气逆烦。生捣汁饮，虽冷甚益人，不可同血食，食作痔疾。苦苣即野苣也。野生者又名褊苣，今人家常食为白苣。江外、岭南、吴[2]人无白苣，尝植野苣以供厨馔。

绍兴校定：苦苣叶茎根，本经各具主治之宜。然外用间有之，在服饵未闻起疾之验。当云味苦，平，无毒为定。处处种产之。

【校注】

[1] **经** 其后，《大观》《政和》有"脉"字。

[2] **吴** 原作"美"，据《大观》《政和》改。

绍兴校定经史证类备急本草卷之十二终

绍兴校定经史证类备急本草卷之十三

439　李核仁

味苦，平，无毒。主僵仆蹉折[1]，瘀血骨痛。根[2]：大寒，主消渴，止心烦逆，奔豚气[3]。实：味苦，主去痼热，调中。

绍兴校定：李核仁，根皮及实，本经虽各分主治，但未闻诸方用验之据。李实乃果品，多食喜生霍乱之疾。大率其性冷多矣。然种类不一，其性无[4]异。李核仁根皮，当云味苦，惟实味甘、酸，皆微寒，无毒是矣。处处产之。《别本》注引郁李核仁说，固非此类，自别有一种矣。

图 571　蜀州[5]李核仁

【校注】

[1] **蹉折** 《大观》《政和》作"跻"。

[2] **根** 《大观》《政和》作"根皮"。

[3] **奔豚气** 《大观》《政和》无"豚"字。

[4] **无** 龙谷本作"每"。

[5] **蜀州** 今四川成都地区。

440　杏核仁

味甘、苦，温，冷利，有小[1]毒。主咳逆上气，雷鸣，喉痹，下气，产乳金疮，寒心贲豚，惊痫，心下烦热，风气往来[2]，时行头痛，解肌，消心下急满痛[3]，杀狗毒。五月采之。其两仁者杀人，可以毒狗。花：味苦，温，无毒。主

269

补不足，女子伤中，寒热痹，厥逆。实：味酸，不可多食，伤筋骨。生晋川山谷[4]。

绍兴校定：杏核仁，性味、主治已载本经，然但宁肺理气方中多用。大率杏[5]性微热，其核仁当作味苦、温是矣。以食之戟人喉咽，当云有小毒也。花亦未闻用验之据。惟杏实乃果品，多食喜生热疾。处处产之，北地者佳。

图572 杏核仁

【校注】

[1] **小** 《大观》《政和》无。

[2] **往来** 《大观》《政和》作"去来"。

[3] **满痛** 以上2字，《大观》《政和》无。

[4] **晋川山谷** 《大观》《政和》作"晋山川谷"。

[5] **杏** 郑杨本作"杏仁"。

441 梅实

味酸，平，无毒。主下气，除热烦满，安心，止肢体痛，偏枯不仁，死肌。去青黑痣，蚀恶肉[1]，止下痢，好唾，口干。生汉中[2]山谷。五月采，火干。

绍兴校定：梅实，性味、主治已载本经，然种类不一，其性无异。唯一种黄大梅，以火熏之令干，今乌梅是也。温州[3]等处多造之，治虫、断痢诸方多用。又入盐干之为白梅，主治虽异，又入于方。其梅或以生，或以干，亦世之果品。然伤肺作痰颇验，当云味酸，温，无毒为定。又根叶、核仁，虽各分主疗，皆未闻验据。江南多产之。

图573 郢州[4]梅实

【校注】

[1] **蚀恶肉** 《大观》《政和》作"恶疾"。

[2] **汉中** 今陕西汉中。

[3] **温州** 今浙江温州。

[4] **郢州** 今湖北钟祥。

442 桃核仁

味苦、甘，平，无毒。主瘀血，血闭，癥瘕邪气，杀小虫，止咳逆上气，消心下坚硬，除卒暴击血[1]，通月水，止心腹痛。七月采，取仁阴干。桃枭：味苦，微温，主杀百鬼精物，疗中恶腹痛，杀精魅、五毒不祥。一名桃奴，一名枭景。是实著树不落，实中者良。正月采之。桃毛：主破血闭[2]，下血瘕，寒热积聚，无子，带下诸疾，刮取毛用之。桃蠹：杀鬼，辟邪恶不祥，食桃树虫也。茎白皮：味苦、辛，无毒。主除邪鬼，中恶腹痛，去胃中热。叶：味苦，平，无毒。主除尸虫，出疮中小虫。胶：炼之，主保中不饥，忍风寒。实：味酸，多食令人有热。生泰山川谷。

图 574　桃核仁

绍兴校定：桃核仁，本经已具主治，及古今诸方时亦用之，但佐他药破血为用。当从本经味苦、甘，平，无毒是矣。又桃花、桃枭、桃毛、桃蠹及茎白皮、叶、胶等并各分主治。虽诸方间亦用之，皆未闻独取效之验，及有相违治者亦众。且如引《外台》治霍乱吐利以桃叶[3]为疗，又云虚热渴将桃胶如弹含之，如此等用，显非所宜多矣。唯桃实一种，世之果品，多食黏滑肠胃颇验。当云味甘、酸，平，无毒是也。处处产之，唯北地者佳。

【校注】

[1] **血**　其后，《大观》《政和》有"破癥瘕"3字。

[2] **破血闭**　以上3字，《大观》《政和》无。

[3] **以桃叶**　以上3字，郑杨本脱。

443 栗子

味咸，温，无毒。主益气，厚肠胃，补肾气，令人耐饥。生山阴。九月采。

绍兴校定：栗，性味、主治已载本经，乃世之常食果品。若恃此起疾者，即未闻验据。然多食涩气有之，当云味甘，平，无毒是矣。处处皆产之。

图 575　栗子

444 大枣

味甘，平，无毒。主心腹邪气，安中养脾气，平胃气，通九窍，助十二经，补少气，少津液，身中不足，大惊，四肢重，和百药，久服轻身延年[1]，补中益气，坚志，强力，除烦闷，疗心下悬，除肠澼。久服不饥神仙。一名干枣，一名美枣，一名良枣。八月采，暴干。

三岁陈枣核中仁　燔之，味苦，平，无毒。主腹痛，邪气。

生枣　味甘、辛，热，无毒。多食令人寒热，凡羸瘦者，不可食。

叶　主覆麻黄，能令出汗。生河东[2]平泽。

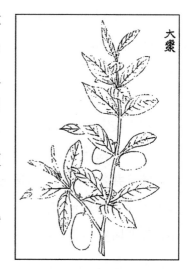

图 576　大枣

【校注】

[1] 延年　《大观》《政和》作“长年”。

[2] 河东　今山西。黄河流经山西、陕西之间，呈南北向。山西位于黄河之东，故称河东。

445 梨

味甘、微酸，寒，无毒[1]。多食令人寒中、萎困[2]。金疮、乳妇血虚者[3]，尤不可食。

绍兴校定：梨随土地所[4]产，形色种类不同，性寒一矣。本经不云主治，但称寒中及云金疮、乳妇不

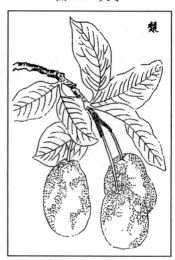

图 577　梨

可食之。此极验矣。其乳妇未满百日，切不可食，若食之生疾，而必使不起，当宜谨畏之也。其疗病之验未闻。当云味酸，寒，无毒是矣。处处产之。[5]

【校注】

[1] **无毒** 《大观》《政和》无。

[2] **萎困** 《大观》《政和》无。

[3] **血虚者** 《大观》《政和》无。

[4] **所** 原脱，据文理补。

[5] **处处产之** 以上4字原作"所产"，据龙谷本改。

446　木瓜实

味酸，温，无毒。主湿痹，脚气[1]，霍乱大吐下，转筋[2]不止。其枝亦可煮用。

绍兴校定：木瓜实，性味、主治已载本经。然理脚膝，诸方多用。盖佐他药，亦非专恃此而起疾，唯收涩之性多矣。世作果品。本经云味酸，温，无毒是也。枝叶虽亦具主治，俱未闻方家用据。所在皆产之，宣州[3]者佳。

陶隐居云：其木状若柰，花生于春末而深红色，其实大者如瓜，小者如拳。《尔雅》谓之楙。又有一种榠音冥楂音查，木、叶、花、实，酷类木瓜。陶云大而黄，可进酒去痰者是也。欲辨之，看蒂间，别有重蒂如乳者为木瓜，无此者为榠楂也。[4]

图578　蜀州[5]木瓜

【校注】

[1] **脚气** 《大观》《政和》作"邪气"。

[2] **转筋** 小腿肚抽筋。

[3] **宣州** 今安徽宣州。

[4] **陶隐居云……为榠楂也** 以上一段文原是《本草图经》文中一部分，神谷本从中节录并附于此。

[5] **蜀州** 今重庆。

447 榅桲

味酸、甘，微温，无毒。主温中，下气，消食，除心间酸水[1]，去臭，辟衣鱼。生北土，似楂子而小。

绍兴校定：榅桲多食涩气，聚胸中痰固有之，然疗病即未闻矣。西北地产之。本经云味酸、甘，微温，无毒是也。

陈藏器云：树如林檎，花白绿[2]色。

【校注】

[1] **酸水** 《大观》《政和》作"醋水"。

[2] **绿** 原作"红"，据《政和》改。

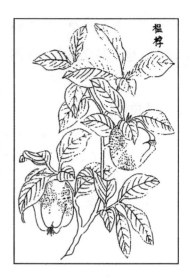

图 579 榅桲

448 庵摩勒

味苦[1]，寒，无毒。主风虚热气。一名余甘子。生岭南交、广、爱等州。

绍兴校定：庵摩勒即余甘子是也。出产、主治已具经注，但今人多作果实食之，以解酒毒。其经注所载性味小异，今当从本经味苦、甘，寒，无毒是矣。

【校注】

[1] **苦** 其后，《大观》《政和》有"甘"字。

[2] **戎州** 今四川宜宾。

图 580 戎州[2]庵摩勒

449 林檎

味酸、甘，温。不可多食，发热涩气，令人好睡，发冷痰，生疮疖，脉闭不行。其树似柰树，其形丸圆如柰。六月、七月熟，今在处有之。

绍兴校定：林檎有甘、有[1]酸二种，但食之过多，喜作痰热及发疮疡，若疗疾即未闻。当云性温，无毒是也。处处产之。

图 581 林檎

【校注】

[1] **有** 郑杨本脱。

450 柿

味甘，寒，涩，无毒。主通耳鼻气，治肠澼不足。

绍兴校定：柿，种类不一，其性亦无大异。然但涩气，性冷多矣。注云健脾胃之说，显不可为据。处处有之，但南北所产，形质各异。当[1]从本经味甘，寒，无毒是矣。柿蒂疗气逆，亦未闻诸方验据。

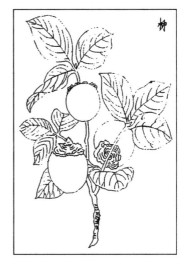

图 582 柿

【校注】

[1] **当** 郑杨本脱。

451 安石榴

味甘、酸，无毒。主咽喉燥渴。损人肺，不可多食。酸实壳：疗下痢，止漏精。东行根：疗蛔虫、寸白。

绍兴校定：安石榴采皮为用，惟酸实壳以醋熬之，断泄痢颇验。盖取收涩之性多矣。当云温，无毒是也。其实味有甘有酸者，乃世之果品。本经云多食损人肺，盖为味酸及多食过其节矣。其主咽喉燥渴，显非所宜。但根疗虫方亦间用。处处产之，唯西北地者佳。

图 583 安石榴

452 橘柚

味辛，温，无毒。主胸中瘕热逆气，利水谷，下气，止呕咳，除膀胱留热停水，起淋，利小便。疗[1]脾不能消谷，气冲胸中吐逆，霍乱，止泄，去寸白虫。久服去臭，下气通神，轻身长年。一名橘皮。生江南及山南山谷[2]。十月采。

图 584　柚　　　　　　　　　　　　图 585　橘

绍兴校定：柚橘[3]总小大而名之也，柚大而不堪入药，当取橘，采皮为用。性味、主治已载本经，大率除痰下气功力多矣。当作味苦、辛，温，无毒是也。其瓤肉唯作果实食之，而复能致痰饮，故所以用皮而须净去其白也。又有青皮一种，与此橘全别，乃臭橘之类，亦取其皮用，其下气功力尤倍于此也。二物江南多产之。唯橘皮以陈久者佳。

【校注】

[1] **疗**　《大观》《政和》作"主"。

[2] **山南山谷**　《大观》《政和》作"南山山谷"。

[3] **柚橘**　按以上正文，应作"橘柚"。

453　椑音卑柿

味甘，寒，无毒。主压丹石药发热，利水，解酒毒。久食令人寒中，去胃中热。生江淮以南，似柿而青黄。《闲[1]居赋》云梁侯乌椑之柿是也。

绍兴校定：椑柿乃柿之别一种矣，但形色颇异，其性一也。本经虽具主治，然多食致中寒之疾有之，其疗病未闻。当从本经味甘，寒，无毒是矣。江南多产之。

【校注】

[1] **闲**　原作"间"，据《大观》《政和》改。

454　橙子皮

味苦、辛，温。作酱醋香美，散肠胃恶气，消食下气[1]，去胃中浮风气。其瓤味酸，去恶心。不可多食，伤肝气。又以瓤洗去酸汁，细切，和盐蜜煎成煎[2]，食之，去胃中浮风恶气。其树亦似橘树，而叶大，其形圆，大于橘而香，皮厚而皱。八月熟。

绍兴校定：橙子皮，性味、主治虽具本经，然[3]皮与瓤性亦无异。但世之多取其气香新为果品，盖作痰饮甚验，而起疾未闻。当味苦、辛、酸，温，无毒是矣。江南多产之。

【校注】

[1] **下气**　《大观》《政和》无。

[2] **成煎**　郑杨本脱。

[3] **然**　其后原衍"与"字，据文理删。

455　乳柑子

味甘，大寒。主利肠胃中热毒，解丹石，止暴渴，利小便。多食令人肺冷生痰[1]，脾冷发痼癖，大肠泻利[2]，发阴汗[3]。又有沙柑、青柑、山柑，体性相类，惟山柑皮疗咽喉痛效，余者皮不堪用。其树若橘树，其形似橘而圆大，皮色生青，熟黄赤，未经霜时尤酸，霜后甚甜，故名柑子。生岭南及江南。

绍兴校定：乳柑子种类不一，其性无异。本经虽具主治，亦非起疾之物，唯作果品。其未经霜者味颇酸，善作痰涎；已经霜冬临者味甜。当云味甘，微寒，无毒是矣，即非大寒之物。江南多产之。

【校注】

[1] **肺冷生痰**　以上4字，《大观》《政和》无。

[2] **泻利**　《大观》《政和》作"泄"。

[3] **发阴汗**　《大观》《政和》无。

456　杨梅

味酸，温，无毒。主盐藏食[1]，去痰，止呕哕，消食，下酒。干作屑，临饮酒时服方寸匕，止吐酒。久食令人发热，损齿及筋[2]。其树若荔枝树而叶细，阴青；子形似水杨子而生青、熟红；肉在核上，无皮壳。生江南、岭南山谷。四月、五月采。

绍兴校定：杨梅，本经云去痰、止呕哕，显非所宜。然食之发热致痰及喜生疮疡者固有之，即[3]非疗疾之物。江南产之。本经云味酸，温，无毒是。

【校注】

[1] **盐藏食** 以上3字，《大观》《政和》无。

[2] **损齿及筋** 以上4字，《大观》《政和》无。

[3] **即** 原作"及"，据文理改。

457 槵音患实

味甘，无毒。主五痔，去三虫，蛊毒鬼疰恶毒[1]。生永昌。

绍兴校定：槵实，取实中仁为用。出产、性味、主治已具于[2]经，但疗痔颇验。当云味甘，平，无毒是矣。今多作果食之。

【校注】

[1] **恶毒** 《大观》《政和》无。

[2] **于** 郑杨本作"本"。

458 银杏

世之果实。味苦、甘，平，无毒。唯炒或煮食之，生食戟人。诸处皆产，唯宜州[1]形大者佳。七月、八月采实，暴干。以其色如银，形似小杏，故以名之。乃叶如鸭脚，而又谓之鸭脚子。生采，取皮上肉涂奸黯，世用颇验。详本草不载，今附果部。绍兴新添

【校注】

[1] **宜州** 今广西宜州。

459　枇杷叶

味苦，平，无毒。卒啘不止，下气。

绍兴校定：枇杷叶，性味、主治已具本经。然调顺中气诸方，但佐他药为用，亦非专恃起疾之药。当从本经味苦，平，无毒是也。其枇杷子乃果品，未闻疗病，但多食发痰热固有之。江南多产之。

【校注】

[1] **眉州**　今四川眉山。

图586　眉州[1]枇杷叶

460　樱桃

味甘。主调中，益脾气，令人好颜色，美志。

绍兴校定：樱桃，本经但云味甘，不云性、有无毒。虽具主治，而未闻起疾之据。然是果实，多食喜生客热之疾，乃发暗风者有之。当云味甘、酸，温，无毒为定。处处产之。

陶隐居云：此即今朱樱。味甘、酸，可食，而所主又与前樱桃相似，恐医家滥载之，未必是今者尔。

《图经》云：谨按，书传引《吴普本草》曰：樱桃，一名朱茱，一名麦甘酣。今本草无此名，乃知有脱漏多矣。又《尔雅》云：楔吉黠切，荆桃。郭璞云：今之樱桃。而孟诜以为樱非桃类，未知何据。

《食疗》云：此名樱桃，俗名李桃，亦名奈桃者是也。

司马相如赋：山朱樱，即樱桃也。

《礼记》：谓之含桃。

《尔雅》：谓之荆桃。

图587　樱桃

461　胡桃

味甘，平，无毒。食之令人肥健，润肌，黑须发[1]。取瓢，烧令黑，末，断

279

烟，和松脂研，傅瘰疬疮。和胡粉为泥，拔白须发，以内孔中，其毛皆黑。多食利小便，能脱人眉，动风故也。去五痔。外青皮染髭及帛，皆黑。其树皮止水痢，可染褐。《仙方》取青皮压油，和詹糖香涂毛发，色如漆。生北土。云张骞从西域将来。其木，春斫皮，中出水，承取沐头至黑。今附

图 588　胡桃

绍兴校定：胡桃取实中仁为用。性味、主治已载本经。然诸方各分所宜，服饵外用，亦作果品。多食喜作风热疾。当云味甘，温，无毒是矣。所产不一，惟北地者佳。

【校注】

[1] **黑须发**　《大观》《政和》作"黑发"。

462　猕猴桃[1]

味酸、甘，寒，无毒。止暴渴，解烦热，冷脾胃，动泄澼，压丹石，下石淋。热壅反胃者，取汁和生姜汁服之。一名藤梨，一名木子，一名猕猴梨。生山谷。藤生著树，叶圆有毛。其形似鸡卵大，其皮褐色，经霜始甘美可食。枝叶杀虫，煮汁饲狗，疗痀也。

【校注】

[1] **猕猴桃**　此条原并在"胡桃"条内，据《大观》《政和》将"猕猴桃"条拔出，单独立为一条。

463　榛子

味甘，平，无毒。主益气力，实[1]肠胃，令人不饥，健行。生辽东[2]山谷，树高丈许，子如小栗。军行食之当粮，中土亦有。郑注礼云：榛似栗而小，关中[3]鄜坊甚多。

绍兴校定：榛子，性味、主治已载本经，乃世之果品，即非起疾之物。当从味甘，平，无毒是矣。辽东及河东[4]皆产之。

【校注】

[1] **实** 《大观》《政和》作"宽"。

[2] **辽东** 今东北辽宁等地。

[3] **关中** 今陕西。

[4] **河东** 今山西。

464 橡实

味苦，微温，无毒。主下痢，厚肠胃，肥健人。其壳为散及煮汁服，亦主止下[1]痢，并堪染用。一名杼斗。槲、栎皆有斗，以栎为胜[2]。所在山谷中皆有。

【校注】

[1] **止下** 《大观》《政和》无。

[2] **以栎为胜** 原作"以槵为所"，据《大观》《政和》改。

[3] **郢州** 今湖北钟祥。

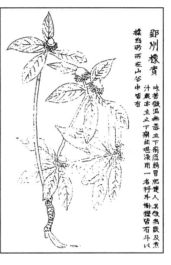

图 589 郢州[3]橡实

465 荔枝子

味甘，平，无毒。主止渴，益人颜色。生岭南[1]及巴中[2]，其树高二三丈[3]，叶青阴，凌冬不凋，形如松子大。壳朱若红罗文，内青白，若水精，其美[4]如蜜。四五月熟，百鸟食之皆肥矣。

绍兴校定：荔枝子，本经已载性味，然[5]止渴显非所宜。但世之唯作果品，生食或干食之。过多喜作热疾。当云味甘，温，无毒是矣。闽、蜀、交、广[6]皆产之。

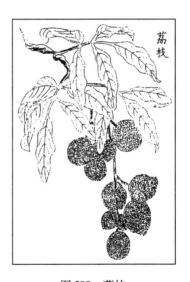

图 590 荔枝

【校注】

[1] **岭南** 泛指广东一带。

[2] **巴中** 今四川境内。

[3] **二三丈** 《大观》《政和》作"一二丈"。

[4] **其美** 《大观》《政和》作"甘美"，郑杨本作"甚美"。

[5] **然** 其后，郑杨本有"云"字。

[6] **闽、蜀、交、广** 闽，今福建。蜀，今四川。交，今越南北部河内。广，今广东。

466 龙眼

味甘，平，无毒。主五脏邪气，安志，厌食，除蛊毒，去三虫[1]。久服强魂聪明，轻身不老，通神明。一名益智。其大者似槟榔。生南海山谷。

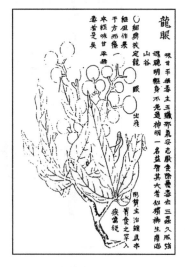

图 591　龙眼

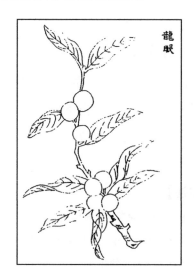

图 592　龙眼

绍兴校定：龙眼，出产、形质、主治虽具本经，但作果实食之，罕入于方而疗疾。当从本经味甘，平，无毒者是矣。

【校注】

[1] **除蛊毒，去三虫**　《大观》《政和》作"除虫去毒"。

467 橄榄

味酸、甘，温，无毒。主消酒毒[1]，解鲦音侯鲐音怡鱼毒。人误食此鱼肝及子迷闷者，可煮汁服之，必解。其木作舟楫，拨著鱼，皆浮出，故知物有相畏如此者。核中仁，研傅唇吻燥痛。其树似木槵子树而高，端直。结子形如生诃子[2]，无棱瓣。生岭南[3]。八月、九月采。又有一种，名波斯橄榄，色类亦相似，其形核作两瓣，可以蜜渍食之。生邕州[4]。

绍兴校定：橄榄，性味、主治已载本经，唯酒家

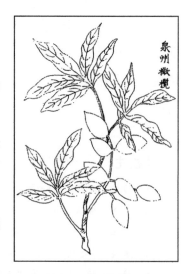

图 593　泉州[5]橄榄

喜食之，其云消酒毒[6]是也。然多食亦伤喉咽，当云味酸、苦、甘，温，无毒是矣。核中仁虽有主治，而未闻用验。闽中岭南皆产之。

【校注】

[1] **毒** 《大观》《政和》无。

[2] **结子形如生诃子** 《大观》《政和》作"其形似生诃子"。

[3] **岭南** 今广东地区。

[4] **邕州** 今广西邕宁。

[5] **泉州** 今福建闽侯。

[6] **毒** 原脱，据上文补。

468　椰子皮

味苦，平，无毒。主[1]止血，疗鼻衄，吐逆、霍乱，煮汁饮之。壳中肉：益气治风[2]。浆：服之，主止[3]消渴；涂头，益发令黑。生安南[4]。树如棕榈，子壳可为器。《交州记》曰：椰子中有浆，饮之得醉。

绍兴校定：椰子皮，谓实上皮也。并壳中肉及[5]浆，本经各分主疗。详壳中肉即果类，并皮稀见入方而疗疾。又云浆主消渴，亦非的验。当云皮苦，肉与浆甘，俱性平、无毒是也。岭南[6]多产之。

图 594　椰子

【校注】

[1] **主** 《大观》《政和》无。

[2] **治风** 《大观》《政和》作"去风"。

[3] **止** 《大观》《政和》无。

[4] **安南** 宋代安南，即今越南北部河内。

[5] **及** 原作"乃"，据文理改。

[6] **岭南** 泛指今广东一带。

469 桄榔

味苦,平,无毒。主破[1]宿血。其木似枏榈而[2]坚硬。斫其内取[3]面,大者至数石,食之不饥。其皮至柔[4]堪作绠。生岭南山谷。今附

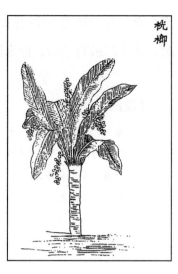

图 595 桄榔

【校注】

[1] **破** 《大观》《政和》无。

[2] **而** 《大观》《政和》无。

[3] **取** 《大观》《政和》作"有"。

[4] **至柔** 《大观》《政和》无。

470 槟榔

味辛,温,无毒。主消谷逐水,除痰澼,杀三虫、伏尸[1]、寸白。生南海[2]。

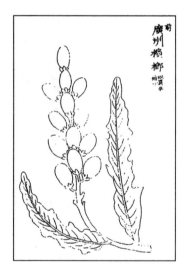

图 596 广州[3]槟榔

图 597 槟榔

【校注】

[1] **伏尸** 指肺结核。

[2] **南海** 今广东广州一带。

[3] **广州** 今广东广州。

471 蜀椒

味辛，温、大热，有毒。主邪气咳逆，温中，逐骨节皮肤死肌，寒湿痹痛，下气，除六腑寒冷，伤寒、温疟、大风，汗不出。心腹留饮宿食，肠澼下痢，泄精，女子字乳余疾，散风邪瘕结，水肿，黄疸，鬼疰蛊毒，杀虫鱼毒。久服头不白，轻身增年。开腠理，通血脉，坚齿发，明目，调关节，耐寒暑。可作膏药。多食令人乏气喘促。口闭者杀人[1]。八月采实，阴干。

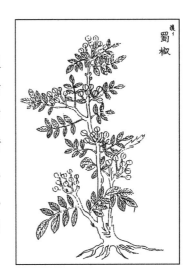

图 598　蜀椒

绍兴校定：蜀椒，出产、性味、主疗已载经注。大率助阳散冷[2]，诸方用之颇验。取肉厚色赤、气味烈者佳。虽产处[3]不一，唯蜀川者正可入方。今当作味辛，热，有毒为定。又云多食令人乏气，盖多食致气盛，而喜作喘有之，非为损气故也。又椒目能行水，然在诸方时用，亦未闻独恃此而取效矣。

【校注】

[1] **人**　其后，《大观》《政和》有"一名巴椒，一名蓎音唐蓎音毅。生武都川谷及巴郡"。

[2] **冷**　郑杨本作"寒"。

[3] **产处**　原作"处产"，据文理改。

472 秦椒[1]

图 599　越州[2]秦椒

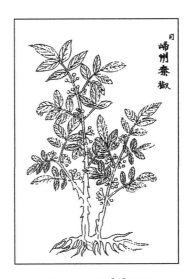

图 600　归州[3]秦椒

【校注】

[1] **秦椒** 其后，《大观》《政和》有"味辛，温，生温熟寒，有毒。主风邪气，温中除寒痹，坚齿发，明目，疗喉痹，吐逆，疝瘕，去老血，产后余疾腹痛，出汗，利五脏。久服轻身，好颜色，耐老增年，通神。生太山川谷及秦岭上或琅邪。八月、九月采实"。

[2] **越州** 今浙江绍兴。

[3] **归州** 今湖北秭归。

473 崖椒[1]

图601 施州[2]崖椒

【校注】

[1] **崖椒** 《绍兴本草》卷13目录有"崖椒"，但正文中仅有图。《大观》《政和》"蜀椒"条注中有"崖椒"，并引《本草图经》云："施州又有一种崖椒，彼土人四季采皮入药，云味辛，性热，无毒。主肺气上喘兼咳嗽，并野姜筛末，酒服钱匕，甚效。"

[2] **施州** 今湖北恩施。

绍兴校定经史证类备急本草卷之十三终

474　吴茱萸

味辛，温、大热，有小毒。主温中下气，止痛，咳逆寒热，除湿血痹，逐风邪，开腠理，去痰冷，腹内绞痛，诸冷实不消，中恶，心腹痛，逆气，利五脏。

根　杀三虫。根白皮杀蛲虫，治喉痹，咳逆，止泄注，食不消，女子经产余血，疗白癣[1]。九月九日采，阴干。

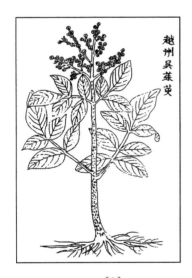

图 602　越州[2]吴茱萸

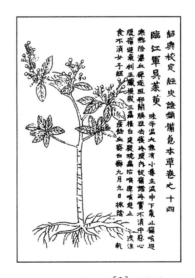

图 603　临江军[3]吴茱萸

【校注】

[1]　**癣**　其后，《大观》《政和》有"一名藙。生上谷川谷及冤句"。

[2]　**越州**　今浙江绍兴。

[3]　**临江军**　今江西临江。

475　食茱萸

味辛、苦，大热，无毒。功用与吴茱萸同。少为劣尔。疗水气，用之佳。与吴茱萸同验之。[1]

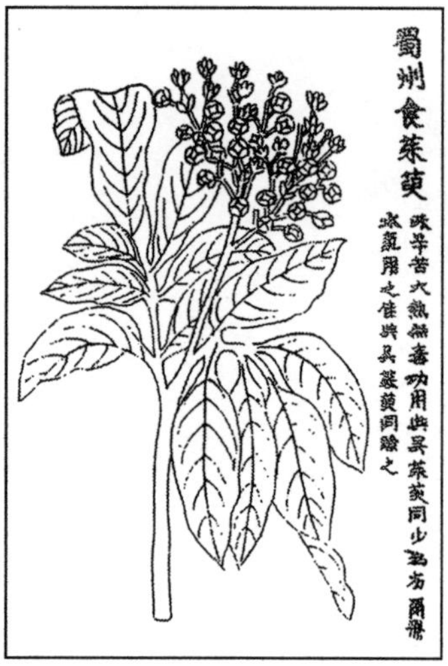

【校注】

[1] **与吴茱萸同验之**　以上7字，《大观》《政和》无。

[2] **蜀州**　今重庆。

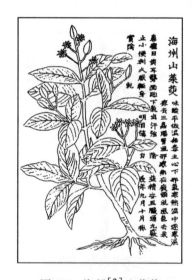

图 604　蜀州[2]食茱萸

476　山茱萸

味酸，平、微温，无毒。主心下邪气，寒热，温中，逐寒湿痹，去三虫，肠胃风邪，寒热疝瘕，头风，风气去来，鼻塞，目黄，耳聋，面疱，下气，出汗，强阴益精，安五脏，通九窍，止小便利。久服轻身，明目，强力长年[1]。九月、十月采实，阴干。

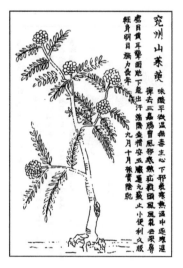

图 605　兖州[2]山茱萸

图 606　海州[3]山茱萸

【校注】

[1] **年**　其后，《大观》《政和》有"一名蜀枣，一名鸡足，一名魌音妓实。生汉中山谷及琅邪冤句、东海承县"。

[2] **兖州**　今山东兖州。

[3] **海州**　今江苏东海。

477 茗苦㯯

味甘，微寒，无毒。主瘘疮，利小便，去痰热，止渴，令人少睡。春采之[1]。

【校注】

[1] 之 其后，《大观》《政和》有"苦㯯，主下气，消宿食。作饮，加茱萸、葱、姜等良"。

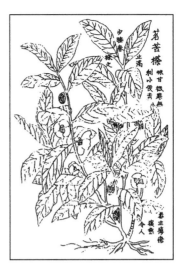

图 607 茗苦㯯

478 瓜蒂

味苦，寒，有毒。主大水，身面四肢浮肿，下水，杀蛊毒[1]，咳逆上气，及食诸果，病在胸腹中，皆吐下之。去鼻中息肉，疗黄疸。花：主心痛咳逆。生嵩高[2]平泽。七月七日采，阴干。

绍兴校定：瓜蒂，乃甜[3]瓜蒂是也。本经虽具性味、主治，然用之服饵，多取其吐，亦非良药。及有外用之，当从味苦，寒，有毒为定。花虽具主治，未闻用验。处处种产。

【校注】

[1] 杀蛊毒 《政和》同，《大观》作"杀虫毒"。

[2] 嵩高 今河南登封。

[3] 甜 龙谷本作"胡"。

图 608 瓜蒂

479 葡萄

味甘，平，无毒。主筋骨湿痹，益气倍力，强志，令人肥健，耐饥忍风寒。久食轻身不老延年。可作酒。逐水，利小便。生陇西、五原、敦煌[1]山谷。

绍兴校定：葡萄，性味、主治已载本经，然世之唯作[2]果品，而未闻起疾之验。多食亦喜生疮疹，当云味甘，温，无毒是矣。处处产之，唯太原[3]者佳。

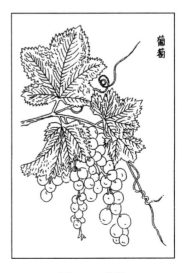

图 609 葡萄

《图经》苗为木通者，但同名木通，即非木通也。

【校注】

[1] **陇西、五原、敦煌** 陇西，即今甘肃陇西。五原，即今宁夏盐池。敦煌，即今甘肃敦煌。

[2] **作** 原脱，据文理补。

[3] **太原** 今山西太原。

480 甘蔗音柘

味甘，平，无毒。主下气和中，助脾气，利大肠。

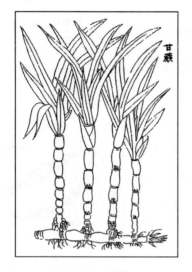

图 610　甘蔗

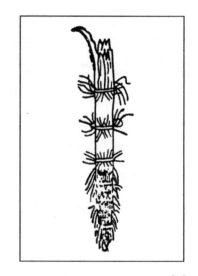

图 611　《大观》《政和》甘蔗[1]

绍兴校定：甘蔗，本经虽具主治，然利大肠固有之，其和中助脾，即未闻验据，显非起疾之物。但于果品，味甘美，解烦[2]可矣。今当作味甘，微寒，无毒是也。江南、闽、蜀[3]皆产。

【校注】

[1] **《大观》《政和》甘蔗** 此为《大观》《政和》图，与《绍兴本草》甘蔗图小异。

[2] **烦** 龙谷本作"颐"。

[3] **江南、闽、蜀** 江南，即今长江以南地区。闽，即今福建。蜀，即今四川。

481 沙糖[1]

绍兴校定：沙糖出自甘蔗，煎制而成，固非疗病之物。然善利大肠，当云味甘，微寒，无毒是矣。闽广、蜀川皆有之。又糖霜一种，乃煎糖之精英也，然其性一矣[1]。今经注不载，理当附之。

【校注】

[1] **糖** 其后，《大观》《政和》有"味甘，寒，无毒。功体与石蜜同，而冷利过之。笮音诈甘蔗汁，煎作。蜀地、西戎、江东并有之"。

482 石蜜[1]

绍兴校定：石蜜即乳糖也，非虫鱼部石蜜。本经虽具主治，固非疗病之物。本经云味甘，寒，无毒是也。惟蜀[2]中一种甘蔗可以煎制，多食亦致滑肠矣。

【校注】

[1] **石蜜** 其后，《大观》《政和》有"乳糖也。味甘，寒，无毒。主心腹热胀，口干渴，性冷利。出益州及西戎。煎炼沙糖为之，可作饼块，黄白色"。

[2] **蜀** 今四川。

483 藕实茎

味甘，平、寒，无毒。主补中养神，益气力，除百疾。久服轻身耐老，不饥延年。一名水芝丹，一名莲。生汝南池泽。八月采。

绍兴校定：藕实即莲子也。其茎未出水名银条，其根即藕矣。及实中青薏，并有裹实者。莲与叶各分主治，其藕破血，莲实补心，荷鼻坚齿，青薏涩精，莲能洗痔，乃世之所传矣。其藕实茎，当从本经味甘，平、寒，无毒是也。此世之常食果品。又花药[1]一名金缨草，补益心神。及荷叶敛汗，诚有验矣。以本经不载，宜当附之。

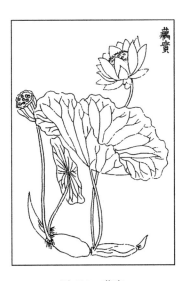

图 612　藕实

【校注】

[1] **药** 龙谷本作"蕊"。

484 芰_{音妓}

味甘，平，无毒。主安中，补五脏，不饥轻身。一名菱。

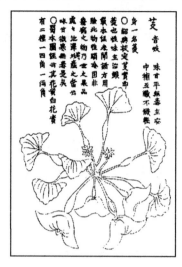

图 613 芰

绍兴校定：芰实即菱也。性味、主治虽载本经，而未闻诸方用验。此物性颇冷，固非疗病之物，乃世之果品。处处池泽皆产之。当云味甘，微寒，无毒是矣。

蜀本《图经》云：其花黄白色。实有二种：一，四角；一，两角。

485 鸡头实

味甘，平，无毒。主湿痹，腰脊膝痛，补中，除暴疾，益精气，强志，令耳目聪明。久服轻身不饥，耐老神仙。一名雁喙实，一名芡_{音俭}实。生雷泽池泽[1]。八月采。

绍兴校定：鸡头实，性味、主治已具本经。助阴益精，诸方亦用之。但佐他药，非独恃此而取验，乃世之果品。本经云味甘，平，无毒是矣。处处池泽皆产之。

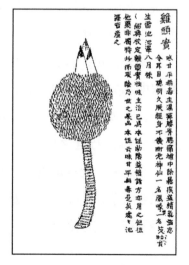

图 614 鸡头实

【校注】

[1] **雷泽池泽** 原作"雷池池泽"，郑杨本同。据《大观》《政和》改。

486　乌芋

味苦、甘，微寒，无毒。主消渴痹热，温中益气。一名藉姑，一名水萍。二月生叶如芋，三月三日采根，暴干。

绍兴校定：乌芋，乃世呼荸荠是也。性味已载本经。及云主消渴、痹热，又却云温中益气，显无据矣。大率性冷多矣，亦非起疾之物，但作果品煮食之。当云味甘，微寒，无毒是也。处处产之。然茈菰所识者众，其色非乌，即非此一种也。

唐本注云：一名槎牙，一名茈菰[1]。

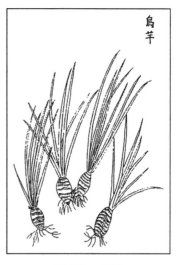

图 615　乌芋

【校注】

[1] **茈菰**　《大观》《政和》作"茨菰"。

487　侧柏

柏实　味甘，平，无毒。主惊悸，安五脏，益气，除风湿，疗恍惚，虚损吸吸，历节腰中重痛，益血，止汗。久服令人润泽美色，耳目聪明，不饥不老，轻身延年。生泰山[1]山谷。柏叶尤良。

柏叶[2]　味苦，微温，无毒。主吐血、衄血、痢血，崩中赤白，轻身益气，令人耐寒暑，去湿痹，生肌[3]。四时各依方面采，阴干。

根白皮[4]　主火灼烂疮，长毛发。

图 616　密州[5]侧柏

图 617　《大观》《政和》密州侧柏[6]、
乾州柏实[7]

【校注】

[1] **泰山** 今山东泰山。

[2] **柏叶** 即侧柏叶。

[3] **生肌** 《大观》《政和》作"止饥"。

[4] **根白皮** 《大观》《政和》作"柏白皮"。

[5] **密州** 今山东诸城。

[6] **密州侧柏** 此为《大观》《政和》图。该图中枝叶形态与《绍兴本草》图不同。

[7] **乾州柏实** 此为《大观》《政和》图，而《绍兴本草》缺此图。乾州，即今陕西乾县。

488　松脂

味苦、甘，温，无毒。主痈[1]疽恶疮，头疡，白秃，疥瘙风气，安五脏，除热，除胃中伏热，咽干，消渴，风痹，死肌。炼之令白。其赤者主恶痹。久服轻身，不老延年[2]。生太山山谷。六月采[3]。

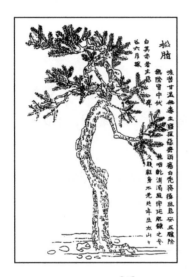　　

图 618　松脂[4]　　　　　图 619　《大观》《政和》松脂[5]

【校注】

[1] **痈** 《大观》《政和》无。

[2] **年** 其后，《大观》《政和》有"一名松膏，一名松肪"。

[3] **采** 其后，《大观》《政和》有"松实：味苦，温，无毒。主风痹寒气，虚羸少气，补不足。九月采，阴干。松叶：味苦，温。主风湿疮，生毛发，安五脏，守中，不饥延年。松节：温。主百节久风，风虚，脚痹疼痛。松根白皮：主辟谷不饥"。

[4] **松脂** 此为《绍兴本草》图。该图中枝叶形态与前侧柏图极相似，其图疑有错简。

[5] **《大观》《政和》松脂** 此为《大观》《政和》图，与《绍兴本草》松脂图小异。

489 杉材

味[1]，微温，无毒。主疗漆疮。

绍兴校定：杉材采木为用，其性、主治已载本经。但止有间而外用者，其服饵未闻。当云味辛，温，无毒是也。南北[2]多产之。

【校注】

[1] **味** 其后有脱文。按，《大观》《政和》"杉材"条并无关于味的记载。

[2] **北** 郑杨本作"地"。

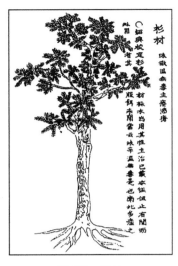

图 620 杉材

490 桂花[1]

味甘、辛，大热，有小毒。主温中，利肝肺气，心腹寒热，冷疾，霍乱转筋，头痛腰痛，出汗，止烦止唾，咳嗽鼻齆，堕胎，坚筋骨[2]，通血脉，理疏不足，宣导百药，无所畏。久服神仙不老。生桂阳。二月、八月、十月采皮，阴干。[3]

【校注】

[1] **桂花** 《大观》《政和》附在"桂"条下，不另立为一条。

[2] **坚筋骨** 《大观》《政和》作"坚骨节"。

[3] **味甘、辛……阴干** 以上一段文，《绍兴本草》列在"桂花"名下，视为"桂花"条正文。《大观》《政和》列在"桂"条下，视为"桂"条正文。

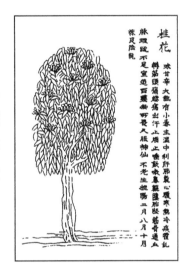

图 621 桂花

491 桂[1]

分三种，其实一也。采皮为用。

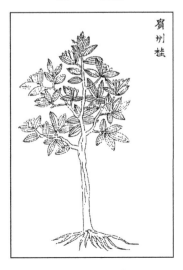

图 622 宾州[2]桂

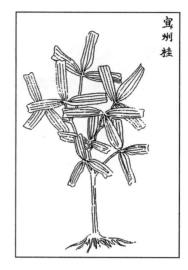

图623　桂　　　　　　　　　　图624　宜州[3]桂

【校注】

[1]　**桂**　其后，《大观》《政和》有"味甘、辛……采皮，阴干"一段正文，《绍兴本草》将其移在"桂花"名下，详见前"桂花"条。

[2]　**宾州**　今广西宾阳。

[3]　**宜州**　今广西宜州。

492　木兰

味苦，寒，无毒。主身大热在皮肤中，去面热、赤疱、酒皶，恶风癫疾，阴下痒湿，明耳目，疗中风伤寒，及痈疽水肿，去臭气[1]。十二月采皮，阴干。

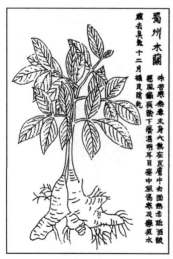

图625　蜀州[2]木兰　　　图626　春州[3]木兰　　　图627　韶州[4]木兰

【校注】

[1] **气** 其后,《大观》《政和》有"一名林兰,一名杜兰。皮似桂而香。生零陵山谷及太山"。

[2] **蜀州** 今重庆。

[3] **春州** 今广东阳春。又"春州"原讹为"秦州",据《大观》《政和》改。按,秦州,即今甘肃天水。其地寒冷,不产木兰(因木兰产于温热地带)。

[4] **韶州** 今广东曲江。

493 辛夷

味辛,温,无毒[1]。九月采实,暴干。

图 628 辛夷

【校注】

[1] **毒** 其后,《大观》《政和》有"主五脏身体寒热,风头脑痛,面皯,温中解肌,利九窍,通鼻塞涕出,治面肿引齿痛,眩冒,身兀兀如在车船之上者,生须发,去白虫。久服下气,轻身明目,增年耐老。可作膏药用之,去心及外毛。毛射人肺,令人咳。一名辛矧,一名侯桃,一名房木。生汉中川谷"。

494 沉香

微温。疗风水毒肿,去恶气。

图 629 广州[1]沉香

图 630 崖州沉香

图 631 《大观》《政和》

广州沉香[2]

【校注】

[1] **广州**　今广东广州。

[2] **《大观》《政和》广州沉香**　此为《大观》《政和》图，与《绍兴本草》沉香图小异。

495　丁香

味辛，温，无毒。主温脾胃，止霍乱，壅胀，风毒诸肿，齿疳䘌。能发诸香。其根疗风热毒肿。生交、广、南番[1]。二月、八月采。

图 632　广州丁香

【校注】

[1] **交、广、南番**　交，即今越南北部。广，即今广东广州。南番，泛指东南亚一带。

496　乌药

味辛，温，无毒[1]。八月采根。似山芍药根。

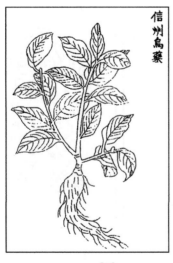

图 633　信州[2]乌药

图 634　潮州[3]乌药

图 635　衡州[4]乌药

图 636　台州[5]乌药

【校注】

[1]　**毒**　其后,《大观》《政和》有"主中恶心腹痛,蛊毒疰忤鬼气,宿食不消,天行疫瘴,膀胱肾间冷气攻冲背膂,妇人血气,小儿腹中诸虫。其叶及根,嫩时采作茶片,炙碾煎服,能补中益气,偏止小便滑数。生岭南邕、容州及江南。树生似茶,高丈余。一叶三桠,叶青阴白。根色黑褐,作车毂形,状似山芍药根,又似乌樟根。自余直根者不堪。一名旁其"。

[2]　**信州**　今江西上饶。

[3]　**潮州**　今广东潮州。

[4]　**衡州**　今湖南衡阳。

[5]　**台州**　今浙江临海。

497　枫香脂

味辛、苦,平,无毒。主瘾疹风痒,浮肿,齿痛[1]。十一月采脂。

【校注】

[1]　**痛**　其后,《大观》《政和》有"一名白胶香。其树皮,味辛,平,有小毒。主水肿,下水气,煮汁用之。所在大山皆有"。

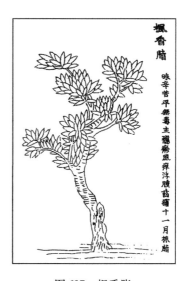

图 637　枫香脂

498 没药

味苦，平，无毒。主破血止痛，疗金疮、杖疮，诸恶疮痔漏，卒下血，目中翳，晕痛，肤赤。生波斯国[1]。似安息香，其块大小不定，黑色。

【校注】

[1] 波斯国　伊朗的古名。

[2] 广州　今广东广州。

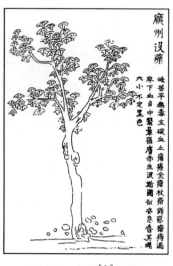

图638　广州[2]没药

499 骐驎竭

紫鉚音矿　味甘、咸，平，有小毒。主五脏邪气，带下，止痛，破积血，金疮生肉。与骐驎竭二物大同小异。

【校注】

[1] 广州　今广东广州。

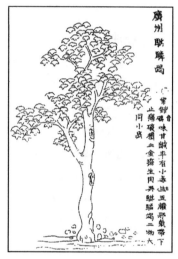

图639　广州[1]骐驎竭

500 龙脑

味辛、苦，微寒一云温、平，无毒。主心腹邪气，风湿积聚，耳聋，明目，去目赤肤翳。出婆律国。形似白松脂，作杉木气，明净者善。久经风日或如雀屎者不佳。云合糯一作粳米炭、相思子贮之则不耗。膏主耳聋。

【校注】

[1] 广州　今广东广州。

图640　广州[1]龙脑

501 阿魏

味辛，平，无毒。主杀诸小虫，去臭气，破癥积，下恶气，除邪鬼蛊毒。生西番及昆仑。三月生叶，叶形似鼠耳，无花。[1]

【校注】

[1] **三月生叶，叶形似鼠耳，无花** 以上11字出段成式《酉阳杂俎》。

[2] **广州** 今广东广州。

图641　广州[2]阿魏

502 卢会

味苦，寒，无毒。主热风烦闷，胸膈间热气，明目镇心，小儿癫痫惊风，疗五痔，杀三虫及痔病疮瘘，解巴豆毒。一名讷会，一名奴会。俗呼为象胆，盖以其味如胆故也。生波斯国[1]，似黑锡。

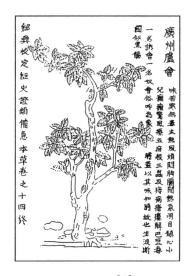

图642　广州[2]卢会

【校注】

[1] **波斯国** 伊朗的古名。

[2] **广州** 今广东广州。

绍兴校定经史证类备急本草卷之十四终

503 胡桐泪[1]

图 643 胡桐泪

【校注】

[1] **胡桐泪** 其后,《大观》《政和》有"味咸、苦,大寒,无毒。主大毒热,心腹烦满,水和服之,取吐。又主牛马急黄黑汗,水研三二两灌之,立差。又为金银焊药。出肃州以西平泽及山谷中。形似黄矾而坚实。有夹烂木者,云是胡桐树滋沦入土石碱音减卤地作之。其树高大,皮、叶似白杨、青桐、桑辈,故名胡桐木,堪器用。又名胡桐律。律、泪声讹也。《西域传》云:胡桐似桑而曲"。

307

504 黄檗[1]

图644 商州[2]黄檗　　　　　图645 黄檗　　　　　图646 《大观》《政和》

商州黄檗[3]

【校注】

[1] **黄檗**　《大观》《政和》作"檗木，黄檗也"。其后，《大观》《政和》有"味苦，寒，无毒。主五脏肠胃中结热，黄疸，肠痔，止泄痢，女子漏下赤白，阴伤蚀疮，疗惊气在皮间，肌肤热赤起，目热赤痛，口疮。久服通神。根：一名檀桓。主心腹百病，安魂魄，不饥渴。久服轻身延年，通神。生汉中山谷及永昌。恶干漆"。

[2] **商州**　今陕西商州。

[3] **《大观》《政和》商州黄檗**　此为《大观》《政和》图，与《绍兴本草》黄檗图小异。

505 厚朴[1]

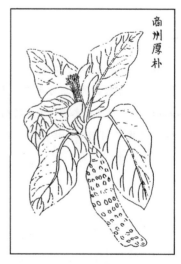

图647 归州[2]厚朴　　　　　　　图648 商州[3]厚朴

【校注】

[1] **厚朴** 其后，《大观》《政和》有"味苦，温、大温，无毒。主中风伤寒，头痛，寒热，惊悸，气血痹，死肌，去三虫，温中益气，消痰下气。疗霍乱及腹痛胀满，胃中冷逆，胸中呕不止，泄痢淋露，除惊，去留热，心烦满，厚肠胃。一名厚皮，一名赤朴。其树名榛，其子名逐折。疗鼠瘘，明目，益气。生交阯、冤句。三月、九月采皮，阴干"。

[2] **归州** 今湖北秭归。

[3] **商州** 今陕西商州。

506 杜仲[1]

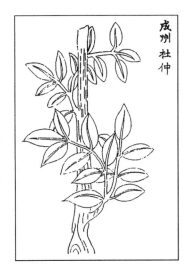

图649 成州[2]杜仲

【校注】

[1] **杜仲** 其后，《大观》《政和》有"味辛、甘，平、温，无毒。主腰脊痛，补中，益精气，坚筋骨，强志，除阴下痒湿，小便余沥，脚中酸疼不欲践地。久服轻身耐老。一名思仙，一名思仲，一名木绵。生上虞山谷及上党、汉中。二月、五月、六月、九月采皮"。

[2] **成州** 今甘肃成县。

507 樗木[1]

图650 樗木

【校注】

[1] **樗木** 《大观》《政和》不单独立为一条，将其附在"椿木叶"条下。其后，《大观》《政和》有"根、叶尤良"。

508　椿木[1]

绍兴校定[2]：椿木与樗木虽[3]分二种，其性一矣。但以香臭有异，其主治亦不相远。经注用枝叶根皮，虽各分主治，诸方时亦用之。本经但具叶苦及有毒，而不载性寒温，俱当作味苦，温，有小毒者是矣。处处产之。

【校注】

[1]　**椿木**　其后，《大观》《政和》有"叶：味苦，有毒。主洗疮疥，风疽。水煮叶汁用之。皮：主甘蜃"。

[2]　**绍兴校定**　以上4字原缺，据文义补。

[3]　**虽**　原作"然"，据文理改。

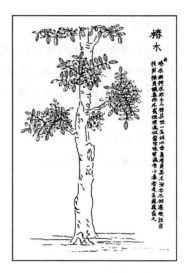

图 651　椿木

509　干漆[1]

【校注】

[1]　**干漆**　其后，《大观》《政和》有"味辛，温，无毒、有毒。主绝伤，补中，续筋骨，填髓脑，安五脏，五缓六急，风寒湿痹。疗咳嗽，消瘀血，痞结，腰痛，女子疝瘕，利小肠，去蛔虫"。

[2]　**峡州**　今湖北宜昌。

图 652　峡州[2]干漆

510　梓白皮[1]

【校注】

[1]　**梓白皮**　其后，《大观》《政和》有"味苦，寒，无毒。主热去三虫，疗目中疾。叶：捣傅猪疮。饲猪，肥大三倍。生河内山谷"。

图 653　梓白皮

511 桐花[1]

绍兴校定：桐叶，性味本经已载。虽有主治，但外用，间入于方，在服饵罕见为用。又，花亦外用之。其结实取油误食之，喜作吐利，此非梧桐一种尔。处处产之。当作味苦，寒，有毒是矣，其皮未闻验据。

【校注】

［1］桐花 《大观》《政和》附在"桐叶"条下，不单独立为一条。其后，《大观》《政和》有"花：主傅猪疮。饲猪，肥大三倍。生桐柏山谷"。

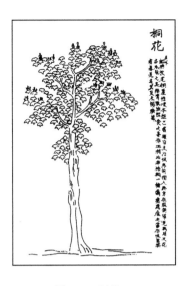

图 654　桐花

512 梧桐[1]

【校注】

［1］梧桐 《大观》《政和》作"桐叶"。其后，《大观》《政和》有"桐叶：味苦，寒，无毒。主恶蚀疮著阴。皮：主五痔，杀三虫。疗贲豚气病"。

图 655　梧桐

513 海桐皮[1]

【校注】

［1］海桐皮 其后，《大观》《政和》有"味苦，平，无毒。主霍乱中恶，赤白久痢，除甘蜃疥癣，牙齿虫痛，并煮服及含之。水浸洗目，除肤赤。堪作绳索，入水不烂。出南海已南山谷。似梓一作桐白皮"。

［2］雷州 今广东雷州。

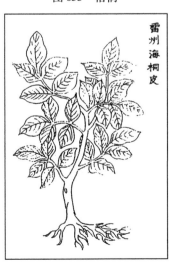

图 656　雷州[2]海桐皮

514　楝实[1]

绍兴校定：楝实即川楝子是也。性味、主治具于本经。但近世方家治疝瘕，除痛气殊验，大抵利气之性多矣。若以专除热[2]者，即未闻验据。今当作味苦，微寒，有小毒为定。产蜀川大者佳。又根皮[3]杀虫，治疮诸方颇见用之。若根色赤者，不堪入药。

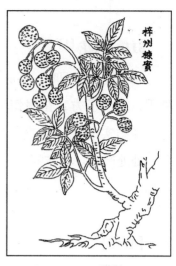

图657　梓州[4]楝实

【校注】

[1] **楝实**　其后，《大观》《政和》有"味苦，寒，有小毒。主温疾伤寒，大热烦狂，杀三虫，疥疡，利小便水道。根：微寒。疗蛔虫，利大肠。生荆山山谷"。

[2] **热**　原作"杀"，据龙谷本改。

[3] **皮**　原作"及"，据文理改。

[4] **梓州**　今四川三台。

[5] **简州**　今四川简阳。

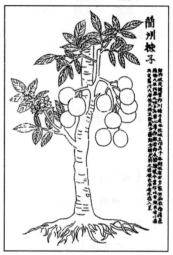

图658　简州[5]楝实

515　楝花[1]

图659　梓州[2]楝花

图660　《大观》《政和》
梓州楝花[3]

【校注】

[1] **楝花** 《大观》《政和》不单独立为一条，仅有一图附在楝实图旁。

[2] **梓州** 今四川三台。

[3] **《大观》《政和》梓州楝花** 此图与《绍兴本草》梓州楝花图小异。

516 槐实[1]

图 661 高邮军[2]槐实

图 662 《大观》《政和》高邮军槐实[3]

【校注】

[1] **槐实** 其后，《大观》《政和》有"味苦、酸、咸，寒，无毒。主五内邪气热，止涎唾，补绝伤，五痔，火疮，妇人乳瘕，子脏急痛。以七月七日取之，捣取汁，铜器盛之，日煎令可作丸，大如鼠屎，内窍中，三易乃愈。又堕胎。久服明目，益气，头不白，延年"。

[2] **军** 原作"郡"，据《大观》《政和》改。

[3] 《大观》《政和》高邮军槐实 此为《大观》《政和》图，与《绍兴本草》图小异。

517 秦皮 [1]

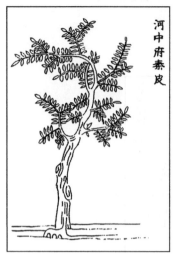

图 663 河中府 [2] 秦皮

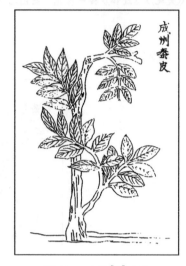

图 664 成州 [3] 秦皮

【校注】

[1] **秦皮** 其后，《大观》《政和》有"味苦，微寒、大寒，无毒。主风寒湿痹，洗洗寒气，除热，目中青翳白膜，疗男子少精，妇人带下，小儿痫，身热。可作洗目汤。久服头不白，轻身，皮肤光泽，肥大有子。一名岑皮，一名石檀。生庐江川谷及冤句。二月、八月采皮，阴干"。

[2] **河中府** 今山西永济。

[3] **成州** 今甘肃成县。

518 合欢 [1]

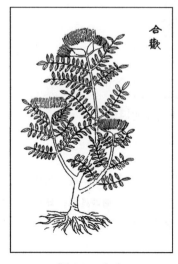

图 665 合欢

图 666 《大观》《政和》合欢 [2]

【校注】

[1] **合欢** 其后,《大观》《政和》有"味甘,平,无毒。主安五脏,利心志,令人欢乐无忧。久服轻身明目,得所欲。生益州山谷"。

[2] **《大观》《政和》合欢** 此为《大观》《政和》图,与《绍兴本草》合欢图小异。

519 皂荚[1]

图 667　皂荚

图 668　猪牙皂荚

【校注】

[1] **皂荚** 其后,《大观》《政和》有"味辛、咸,温,有小毒。主风痹死肌邪气,风头泪出,利九窍,杀精物,疗腹胀满,消谷,除咳嗽,囊结,妇人胞不落,明目,益精。可为沐药,不入汤。生雍州川谷及鲁邹县,如猪牙者良。九月、十月采荚,阴干"。

520 溲_{音搜}疏[1]

绍兴校定[2]:溲疏,性味、主治具于本经。虽云枸杞相类,然与溲疏即非一种矣。但近世诸方罕见用之,其性味当从本经为正。

【校注】

[1] **溲疏** 其后,《大观》《政和》有"味辛、苦,寒、微寒,无毒。主身皮肤中热,除邪气,止遗溺,通利水道,除胃中热,下气。可作浴汤。一名巨骨。生熊耳川谷及田野故丘墟地。四月采"。

[2] **绍兴校定** 其下文字辑自《永乐大典》卷2408"疏"字下"溲疏"条引《绍兴本草》文(《永乐大典·医药集》页450)。按本书例,冠以"绍兴校定"4字。

521　栾华 [1]

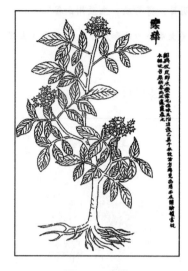

图 669　栾华　　　　　　　　　　　图 670　栾华

　　绍兴校定：即木栾华也。性味、主治、出产已具于本经。诸方稀见为用，亦未闻验据。当从本经味苦，寒，无毒为正。处处产之。

【校注】

　　[1] **栾华**　其后，《大观》《政和》有"味苦，寒，无毒。主目痛泪出，伤眦，消目肿。生汉中川谷。五月采"。

522　诃梨勒 [1]

【校注】

　　[1] **诃梨勒**　其后，《大观》《政和》有"味苦，温，无毒。主冷气，心腹胀满，下食。生交、爱州"。

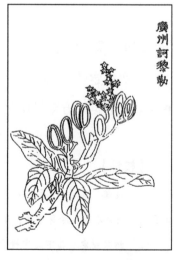

图 671　广州诃梨勒

523 柳华 [1]

【校注】

[1] **柳华** 其后，《大观》《政和》有"味苦，寒，无毒。主风水黄疸，面热黑，痂疥恶疮，金疮。一名柳絮。叶：主马疥痂疮。取煎煮以洗马疥，立愈。又疗心腹内血，止痛。实：主溃痈，逐脓血。子汁：疗渴，生琅邪川泽"。

图 672　柳华

524 赤柽柳 [1]

图 673　赤柽柳

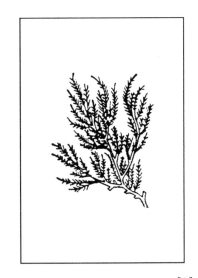

图 674　《大观》《政和》赤柽柳 [2]

【校注】

[1] **赤柽柳** 《大观》《政和》附在"柳华"条中，不单独立为一条。《政和》并引《本草图经》云："赤柽木，生河西沙地。皮赤叶细，即是今所谓柽柳者，又名春柳。《尔雅》曰：柽，河柳。郭璞云：今河傍赤茎小杨。陆机《诗疏》云：皮正赤如绛，一名雨师。枝、叶似松是也。其木中脂，一名柽乳。医方稀用。"

[2] **《大观》《政和》赤柽柳** 此为《大观》《政和》图，与《绍兴本草》赤柽柳图小异。

525 水杨[1]

叶、嫩枝 味苦，平，无毒。主久痢赤白，和水绞取汁，服一升，日二，大效。

绍兴校定：水杨叶、嫩枝，亦柳之类，但生水旁，故名水杨。本经云主久痢赤白，诚非所宜尔，泥。诸方亦罕用之。当从本经苦，平，无毒为正。

【校注】

[1] 水杨 原本目录中有药名，正文中仅有图而无文。其后文字乃据龙谷本补。文中"绍兴校定"4字，按本书例增。

图 675 水杨

526 白杨[1]

树皮 味苦，无毒。主毒风脚气肿，四肢缓弱不从，毒气游易音翼在皮肤中，痰癖等，酒渍服之。

绍兴校定：白杨皮，经注虽具性味、主治，大率外用，而间入于方。其服饵罕闻用之矣。今当味苦，冷，无毒为定。北地多产之。

【校注】

[1] 白杨 原本目录中有药名，正文中仅有图而无文。其后文字乃据龙谷本补。文中"绍兴校定"4字，按本书例增。

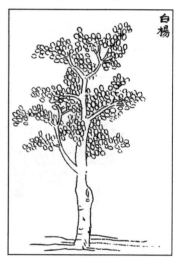

图 676 白杨

527 芜荑[1]

【校注】

[1] 芜荑 其后，《大观》《政和》有"味辛，平，无毒。主五内邪气，散皮肤、骨节中淫淫温行毒，去三虫，化食，逐寸白，散肠中喝喝喘息。一名无姑，一名蕨音殿藩音唐。生晋山川谷。三月采实，阴干"。

图 677 芜荑

528　棕榈[1]

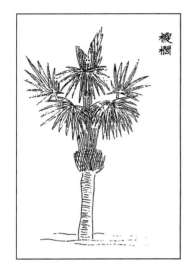

图 678　棕榈

图 679　《大观》《政和》棕榈[2]

【校注】

［1］**榈**　其后，《大观》《政和》有"子：平，无毒。涩肠，止泻痢肠风，崩中带下及养血。皮：平，无毒。止鼻洪、吐血，破癥，治崩中带下，肠风赤白痢，入药烧灰用，不可绝过。新补"。

［2］**《大观》《政和》棕榈**　此为《大观》《政和》图，与《绍兴本草》棕榈图小异。

529　巴豆[1]

【校注】

［1］**豆**　其后，《大观》《政和》有"味辛，温，生温熟寒，有大毒。主伤寒、温疟寒热，破癥瘕结聚坚积，留饮痰癖，大腹水胀，荡练五脏六腑，开通闭塞，利水谷道，去恶肉，除鬼毒蛊疰邪物，杀虫鱼，疗女子月闭，烂胎，金疮脓血，不利丈夫阴，杀班猫毒。可练饵之。益血脉，令人色好，变化与鬼神通。一名巴椒。生巴郡川谷。八月采，阴干。用之去心、皮"。

［2］**戎州**　今四川宜宾。

图 680　戎州[2]巴豆

530　桑根白皮[1]

图 681　桑根白皮

【校注】

[1] **桑根白皮**　其后，《大观》《政和》有"味甘，寒，无毒。主伤中，五劳六极，羸瘦，崩中脉绝，补虚益气，去肺中水气，唾血，热渴，水肿腹满胪胀，利水道，去寸白，可以缝金疮。采无时。出土上者杀人"。

531　桑黄[1]

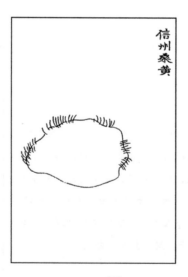

图 682　信州[2]桑黄

【校注】

[1] **桑黄**　《大观》《政和》不单独立为一条，将其图附在桑根白皮图旁。《政和》引《本草图经》云："桑耳，一名桑黄。有黄熟陈白者，又有金色者，皆可用。碎切，酒煎，主带下。"

[2] **信州**　今江西上饶。

532 楮实[1]

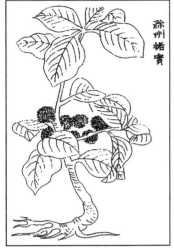

图683　滁州[2]楮实

图684　明州[3]楮实

图685　《大观》《政和》
滁州楮实[4]

【校注】

[1] **楮实**　其后,《大观》《政和》有"味甘,寒,无毒。主阴痿,水肿,益气,充肌肤,明目。久服不饥不老,轻身。生少室山。一名谷实。所在有之。八月、九月采实,日干,四十日成。叶:味甘,无毒。主小儿身热,食不生肌,可作浴汤。又主恶疮,生肉。树皮:主逐水,利小便。茎:主瘾疹痒。单煮洗浴。皮间白汁:疗癣"。

[2] **滁州**　今安徽滁州。

[3] **明州**　今浙江宁波。

[4] **滁州楮实**　此为《大观》《政和》图,与《绍兴本草》滁州楮实图小异。

533 枳壳[1]

【校注】

[1] **枳壳**　其后,《大观》《政和》有"味苦、酸,微寒,无毒。主风痒麻痹,通利关节,劳气咳嗽,背膊闷倦,散瘤结胸膈痰滞,逐水,消胀满,大肠风,安胃,止风痛。生商州川谷。九月、十月采,阴干。用当去瓤核乃佳。此与枳实主疗殊别,故特出此条。今附"。

[2] **汝州**　今河南汝州。

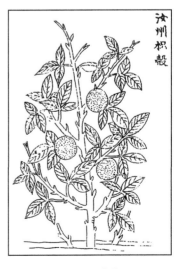

图686　汝州[2]枳壳

534 枳实[1]

图687 成州[2]枳实

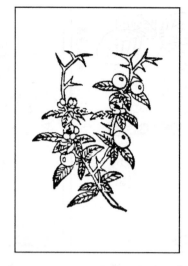

图688 《大观》《政和》成州枳实[3]

【校注】

[1] **枳实** 其后,《大观》《政和》有"味苦、酸,寒、微寒,无毒。主大风在皮肤中如麻豆苦痒,除寒热结,止痢,长肌肉,利五脏,益气轻身,除胸胁痰癖,逐停水,破结实,消胀满,心下急痞痛逆气,胁风痛,安胃气,止溏泄,明目。生河内川泽。九月、十月采,阴干"。

[2] **成州** 今甘肃成县。

[3] **《大观》《政和》成州枳实** 此为《大观》《政和》图,与《绍兴本草》图小异。

535 栀子[1]

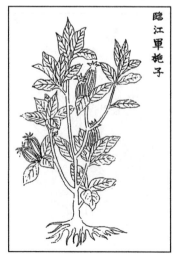

图689 临江军[2]栀子

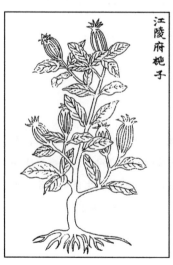

图690 江陵府[3]栀子

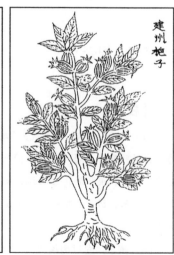

图691 建州[4]栀子

【校注】

[1] **栀子** 其后，《大观》《政和》有"味苦，寒、大寒，无毒。主五内邪气，胃中热气，面赤、酒疱、齄鼻、白癞，赤癞疮疡，疗目热赤痛，胸、心、大小肠大热，心中烦闷，胃中热气。一名木丹，一名越桃。生南阳川谷。九月采实，暴干"。

[2] **临江军** 今江西临江。

[3] **江陵府** 今湖北江陵。

[4] **建州** 今福建建瓯。

536 酸枣[1]

图692 酸枣

图693 《大观》《政和》酸枣[2]

【校注】

[1] **酸枣** 其后，《大观》《政和》有"味酸，平，无毒。主心腹寒热，邪结气聚，四肢酸疼，

湿痹，烦心不得眠，脐上下痛，血转久泄，虚汗，烦渴，补中，益肝气，坚筋骨，助阴气，令人肥健。久服安五脏，轻身延年。生河东川泽。八月采实，阴干，四十日成"。

[2]《大观》《政和》酸枣　此图中植物的叶无叶脉。

537　蕤核[1]

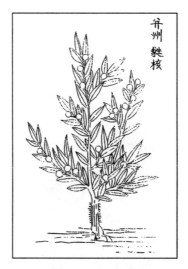

图694　并州[2]蕤核

【校注】

[1] 蕤核　其后，《大观》《政和》有"味甘，温、微寒，无毒。主心腹邪结气，明目，目赤，痛伤泪出，目肿眦烂，鼻齆鼻，破心下结痰痞气。久服轻身益气，不饥。生函谷川谷及巴西"。

[2] 并州　今山西太原。

538　金樱子[1]

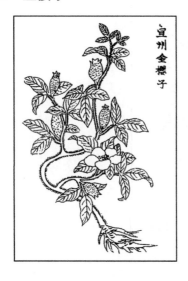

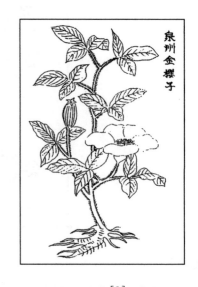

图695　宜州[2]金樱子　　　　图696　泉州[3]金樱子

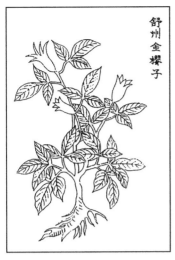

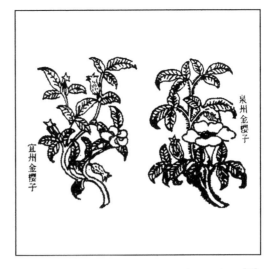

图697　舒州[4]金樱子　　　　图698　《大观》《政和》宜州、泉州金樱子[5]

【校注】

[1]　**金樱子**　其后，《大观》《政和》有"味酸、涩，平、温，无毒。疗脾泄下痢，止小便利，涩精气。久服令人耐寒，轻身。方术多用。云是今之刺梨子。形似榅桲而小，色黄有刺，花白。在处有之"。

[2]　**宜州**　今广西宜州。

[3]　**泉州**　今福建闽侯。

[4]　**舒州**　今安徽舒城一带。

[5]　**《大观》《政和》宜州、泉州金樱子**　此二幅图为《大观》《政和》图，与《绍兴本草》图小异。

539　郁李仁[1]

图699　隰州[2]郁李仁　　　　图700　郁李花

绍兴校定[3]：采实中人用。性[4]味、主治于本经，大率下气，利水道。诸方[5]多用之。当从本经味酸，平，无毒是矣。又根疗牙齿等疾，时见为用。产山东，肥者佳。

【校注】

[1] **郁李仁** 其后，《大观》《政和》有"味酸，平，无毒。主大腹水肿，面目、四肢浮肿，利小便水道。根：主齿龈肿，龋丘禹切齿，坚齿，去白虫。一名爵李，一名车下李，一名棣。生高山川谷及丘陵上。五月、六月采根"。

[2] **隰州** 今山西隰县。

[3] **绍兴校定** 其后文字原缺，据龙谷本补。按原书例增"绍兴校定"4字冠于文首。

[4] **性** 原脱，据文理补。

[5] **方** 原脱，据文理补。

540　鼠李[1]

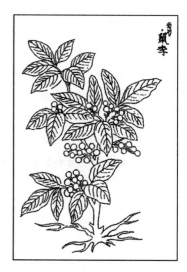

【校注】

[1] **鼠李** 其后，《大观》《政和》有"主寒热，瘰疬疮。其皮味苦，微寒，无毒。主除身皮热毒。一名牛李，一名鼠梓，一名椑音卑。生田野。采无时"。

[2] **蜀州** 今重庆。

图701　蜀州[2]鼠李

541　女贞实[1]

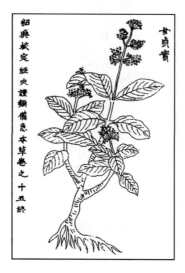

图702　女贞实　　　　图703　《大观》《政和》女贞实[2]

【校注】

［1］ **实** 其后,《大观》《政和》有"味苦、甘,平,无毒。主补中,安五脏,养精神,除百疾。久服肥健,轻身不老。生武陵川谷。立冬采"。

［2］ **《大观》《政和》女贞实** 此为《大观》《政和》图,与《绍兴本草》女贞实图小异。

绍兴校定经史证类备急本草卷之十五终

542　卫矛

味苦，寒，无毒。主女子崩中下血，腹满汗出，除邪，杀鬼毒蛊疰，中恶腹痛，去白虫，消皮肤风毒肿，令阴中解[1]。八月采，阴干。

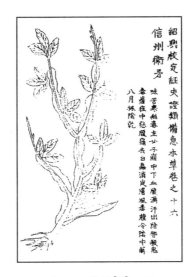

图 704　信州[2]卫矛

【校注】

[1]　**解**　其后，《大观》《政和》有"一名鬼箭。生霍山山谷"。

[2]　**信州**　今江西上饶。

543　南烛

枝叶：味苦，平，无毒。止泄除睡，强筋益气力。久服轻身长年，令人不饥，变白发却老。取叶捣碎渍汁，浸粳米九蒸九暴，米粒紧小正黑如瑿珠，袋盛之可适远方。日进一合，不饥，益颜色，坚筋骨，能行。取汁炊饭名乌饭，亦名乌草，亦名牛筋。言食之健如牛筋也。色赤名文烛。生高山，经冬不凋。

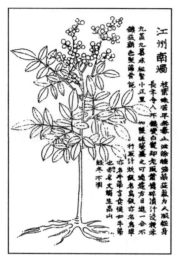
图 705　江州[1]南烛

图 706　《大观》《政和》江州南烛[2]

【校注】

[1]　**江州**　今江西九江。

[2]　**《大观》《政和》江州南烛**　此为《大观》《政和》图，与《绍兴本草》江州南烛图小异。

544　五加皮

味辛、苦，温、微寒，无毒。主心腹疝气，腹痛，益气，疗躄，小儿三岁[1]不能行，疽疮阴蚀，男子阴痿，囊下湿，小便余沥，女人阴痒及腰脊痛，两脚疼痹风弱，五缓虚羸，补中益精，坚筋骨，强志意。久服轻身耐老[2]。五叶者良[3]。五月、七月采茎，十月采根，阴干。

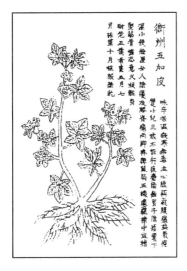

图707　衡州[4]五加皮

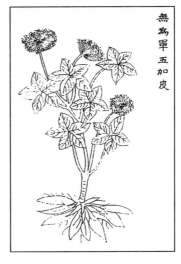

图708　无为军[5]五加皮

【校注】

[1] **三岁**　《大观》《政和》无。

[2] **老**　其后，《大观》《政和》有"一名豺漆，一名豺节"。

[3] **良**　其后，《大观》《政和》有"生汉中及冤句"。

[4] **衡州**　今湖南衡阳。

[5] **无为军**　今安徽无为。

545　石南

味辛、苦，平，有毒。主养肾气，内伤阴衰，利筋骨皮毛，疗脚弱，五脏邪气，除热。女子不可久服，令思男。实：杀虫[1]毒，破积聚，逐风痹[2]。二月、四月采叶，八月采实，阴干。

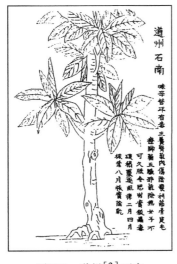

图709　道州[3]石南

图710　《大观》《政和》道州石南[4]

333

【校注】

[1] 虫 《大观》《政和》作"蛊"。

[2] 舜 其后，《大观》《政和》有"一名鬼目。生华阴山谷"。

[3] 道州 今湖南道县。

[4] 《大观》《政和》道州石南 此图与《绍兴本草》道州石南图小异。

546 牡荆

味苦，温，无毒。主除骨间寒热，通利胃气，止咳逆，下气[1]。八月、九月采实，阴干。

【校注】

[1] 气 其后，《大观》《政和》有"生河间、南阳、冤句山谷，或平寿、都乡高岸上及田野中"。

[2] 蜀州 今重庆。

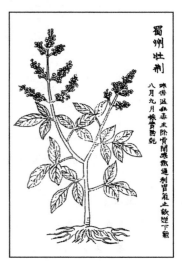

图 711 蜀州[2]牡荆

547 蔓荆

味辛，微寒、平、温，无毒。主筋骨间寒热，湿痹拘挛，明目坚齿，利九窍，去白虫、长虫，主风头痛，脑鸣，目泪出，益气。久服轻身耐老，令人光泽，脂致。八月、九月采。[1]

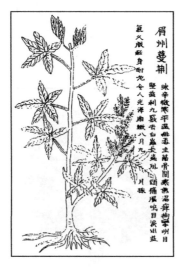

图 712 眉州[2]蔓荆

图 713 《大观》《政和》眉州蔓荆[3]

[1] **八月、 九月采** 《大观》《政和》作"小荆实亦等"。

[2] **眉州** 今四川眉山。

[3] **《大观》《政和》眉州蔓荆** 此图与《绍兴本草》眉州蔓荆图小异。

548 栾荆

味辛、苦，温，有小毒。主大风，头面手足诸风，癫痫狂痉，湿痹寒冷疼痛。俗方大用之，而本草不载，亦无别名。但有栾华，功用又别，非此物花也。冬夏不枯。六月开花，花有紫、白二种。子似大麻。四月采苗叶，八月采实。合柏油同熬，涂人畜疮疥。

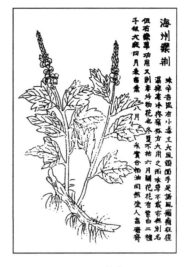

图714 海州[1]栾荆

【校注】

[1] **海州** 今江苏东海。

549 紫荆

味苦，平，无毒。主破宿血，下五淋，浓煮服之。今人多于庭院间种者，花艳可爱。

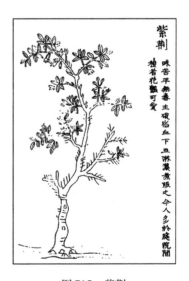

图715 紫荆

550 枸杞

味苦，寒，根大寒，子微寒，无毒。主五内邪气，热中消渴，周痹，风湿，下胸胁气，客热头痛，补内伤大劳嘘吸，强阴，利大小肠。久服坚筋骨，轻身不老，耐寒暑[1]。冬采根，春夏采叶，秋采茎、实，阴干。

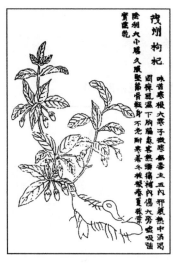

图716　茂州[2]枸杞

图717　《大观》《政和》茂州枸杞[3]

【校注】

[1] **暑**　其后，《大观》《政和》有"一名杞根，一名地骨，一名枸忌，一名地辅，一名羊乳，一名却暑，一名仙人杖，一名西王母杖。生常山平泽及诸丘陵阪岸"。

[2] **茂州**　今四川茂县。

[3] **《大观》《政和》茂州枸杞**　此图与《绍兴本草》茂州枸杞图小异。

551　伏牛花

味苦、甘，平，无毒。疗久风湿痹，四肢拘挛，骨肉疼痛。作汤，治风眩头痛，五痔下血[1]。三月采。

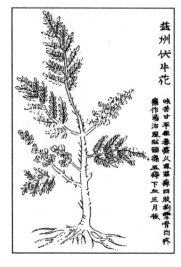

图718　益州[2]伏牛花

图719　《大观》《政和》益州伏牛花[3]

【校注】

[1] **下血** 其后，《大观》《政和》有"一名隔虎刺花。花黄色，生蜀地，所在皆有"。

[2] **益州** 今四川成都。

[3] **《大观》《政和》益州伏牛花** 此图与《绍兴本草》益州伏牛花图小异。

552 密蒙花

味甘，平、微寒，无毒。主青盲肤翳，赤肿多眵泪，消目中赤脉，小儿麸豆及疳气攻眼。生益州[1]。二月、三月采花，暴干。

【校注】

[1] **益州** 今四川成都。其后，《大观》《政和》有"川谷。树高丈余。叶似冬青叶而厚，背色白有细毛"。

[2] **简州** 今四川简阳。

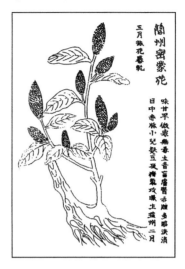

图 720 简州[2]密蒙花

553 卖子木

味甘、微咸，平，无毒。主折伤血内溜，续绝，补骨髓，止痛，安胎。生剑南邛州[1]山谷中。五月采其枝叶用。[2]

【校注】

[1] **剑南邛州** 原讹为"岭南功州"，据《本草图经》改。

[2] **五月采其枝叶用** 以上7字出自《本草图经》。

[3] **渠州** 今四川渠县。

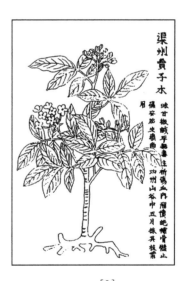

图 721 渠州[3]卖子木

554 木天蓼

味辛，温，有小毒。主癥结积聚，风劳虚冷。生山谷中。三月采根，阴干。[1]

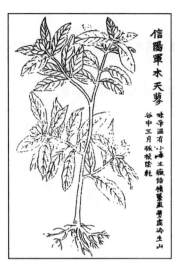

图 722　信阳军[2]木天蓼

图 723　《大观》《政和》信阳军木天蓼[3]

【校注】

[1]　**三月采根，阴干**　《大观》《政和》无。

[2]　**信阳军**　今河南信阳。

[3]　**《大观》《政和》信阳军木天蓼**　此图与《绍兴本草》信阳军木天蓼图小异。

555　接骨木

味甘、苦，平，无毒。主折伤，续筋骨，除风痹，龋齿，可作浴汤。

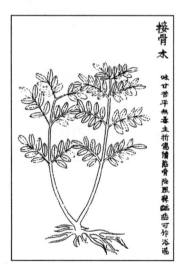

图 724　接骨木

图 725　《大观》《政和》接骨木[1]

【校注】

[1]　**《大观》《政和》接骨木**　此图与《绍兴本草》接骨木图小异。

556 榆皮

味甘，平，无毒。主大小便不通，利水道，除邪气，疗肠胃邪热气，消肿。性滑利。久服轻身不饥，其实尤良。疗小儿头疮痂疥。花：主小儿痫，小便不利，伤热[1]。二月采皮，取白暴干，八月采实[2]。

【校注】

[1] **热** 其后，《大观》《政和》有"一名零榆。生颍川山谷"。

[2] **实** 其后，《大观》《政和》有"并勿令中湿，湿则伤人"。

[3] **秦州** 今甘肃天水。

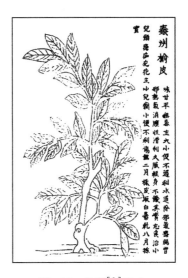

图726 秦州[3]榆皮

557 落雁木[1]

味苦，温，无毒。主霍乱吐泻，小儿吐乳，暖胃，并宜煎服。

【校注】

[1] **落雁木** 此药名见于《海药本草》。其后文字不见于《大观》《政和》，疑是"绍兴校定"文。

[2] **雅州** 今四川雅安。

图727 雅州[2]落雁木

558 白棘

味辛，寒，无毒。主心腹痛，痈肿溃脓，止痛，决刺结，疗丈夫虚损，阴痿精自出，补肾气，益精髓[1]。四月采之。

【校注】

[1] **髓** 其后，《大观》《政和》有"一名棘针，一名棘刺。生雍州川谷"。

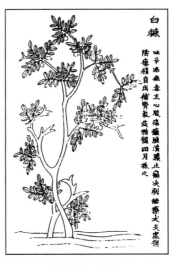

图728 白棘

559　五倍子

味苦、酸，平，无毒。疗齿宣疳䘌，肺脏风毒流溢皮肤，作风湿癣疮，瘙痒脓水，五痔下血，小儿面鼻疳疮[1]。

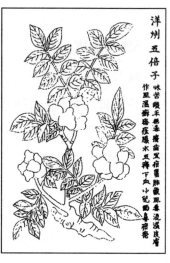

图729　洋州[2]五倍子

【校注】

［1］**疮**　其后，《大观》《政和》有"一名文蛤。在处有。其子色青，大者如拳，内多虫。一名百虫仓"。

［2］**洋州**　今陕西洋县。

560　槲若

味甘、苦，平，无毒。主痔，止血及血痢，止渴，取脉炙[1]用之。皮：味苦，水煎浓汁，除虫及漏[2]，甚效。

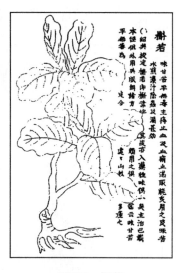

图730　槲若

图731　《大观》《政和》槲若[3]

绍兴校定：槲若即槲叶也。其皮亦入药，性味俱一矣。主治已载本经。但外用与服饵诸方颇用之。俱当云味甘、苦，平，无毒为定。今处处山林多产之。

【校注】

［1］**炙**　郑杨本作"灸"。

［2］**除虫及漏**　《大观》《政和》作"除蛊及瘘"。

[3] 《大观》《政和》槲若　此图与《绍兴本草》槲若图小异。

561　柏实

性味、主治出于侧柏图处[1]。

【校注】

[1] 侧柏图处　见本书卷14"487　侧柏"条。

[2] 乾州　今陕西乾县。

图 732　乾州[2]柏实

562　杉菌[1]

图 733　宜州[2]杉菌

图 734　《大观》《政和》宜州杉菌、杉材[3]

【校注】

[1] 杉菌　《大观》《政和》将其并在"杉材"条下，不单独立为一条。《政和》引《本草图经》云："杉菌，出宜州，生积年杉木上，若菌状。云味苦，性微温。主心脾气疼及暴心痛。采无时。"

[2] 宜州　今广西宜州。

[3] 《大观》《政和》宜州杉菌、杉材　《大观》《政和》宜州杉菌图与《绍兴本草》宜州杉菌图小异。《绍兴本草》无杉材图，兹附于此，以供参考。

563 茯苓

味甘，平，无毒[1]。

【校注】

[1] **毒** 其后，《大观》《政和》有"主胸胁逆气，忧恚、惊邪、恐悸，心下结痛，寒热，烦满，咳逆，口焦舌干，利小便，止消渴，好睡，大腹淋沥，膈中痰水，水肿淋结，开胸腑，调脏气，伐肾邪，长阴，益气力，保神守中。久服安魂养神，不饥延年。一名茯菟。其有抱根者，名茯神"。

[2] **西京** 今陕西长安。

图 735 西京[2]茯苓

564 茯神

二月[1]、八月采，阴干。

【校注】

[1] **二月** 其前，《大观》《政和》有"平。主辟不祥，疗风眩、风虚，五劳，口干，止惊悸，多恚怒，善忘，开心益智，安魂魄，养精神。生太山山谷大松下"。

[2] **兖州** 今山东兖州。

图 736 兖州[2]茯神

565 猪苓

味甘、苦，平，无毒。主痎疟，解毒蛊疰不祥，利水道。久服轻身耐老[1]。二月、八月采，阴干。

【校注】

[1] **老** 其后，《大观》《政和》有"一名猳猪屎。生衡山山谷及济阴冤句"。

[2] **龙州** 今四川平武。

图 737 龙州[2]猪苓

566 刺猪苓[1]

绍兴校定：猪苓，采根为用。性味、主治具于本经。大率利水道，诸方多用之。《药性论》云微热，误矣。今当从本经味甘、苦，平，无毒为定。生山东，取去皮白实而不蛀者佳。又《图经》载，刺猪苓，一种蔓生，止傅疮毒，而不入服饵，即非此一种矣。

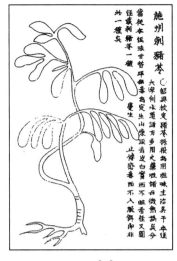

图 738 施州[2]刺猪苓

【校注】

[1] **刺猪苓** 《大观》《政和》不单独立为一条，将其图附在猪苓图旁。《政和》引《本草图经》云："今施州有一种刺猪苓，蔓生。春夏采根，削皮焙干。彼土人用傅疮毒，殊效。云味甘，性凉，无毒。"

[2] **施州** 今湖北恩施。

567 桑上寄生

味苦、甘，平，无毒。主腰痛，小儿背强痈肿，充肌肤，坚发齿，长须眉，安胎，主金疮，去痹，去女子崩中，内伤不足，产后余疾，下乳汁。其实明目，轻身通神[1]。三月三日采茎叶，阴干。

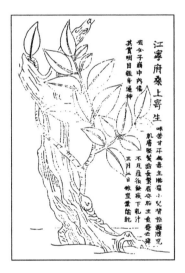

图 739 江宁府[2]桑上寄生

【校注】

[1] **神** 其后，《大观》《政和》有"一名寄屑，一名寓木，一名宛童，一名蔦音鸟，又音吊。生弘农川谷桑树上"。

[2] **江宁府** 今江苏南京。

568 无食子

味苦，温，无毒。主赤白痢，肠滑，生肌肉。出西戎。

绍兴校定：无食子即没石子是也。性味、主治具于本经。但治肠滑泄利有验，在小儿疳痢方中亦多用之。当从本经味苦，温，无毒是矣。产南海，不蛀者佳。

569 雷丸

味苦、咸，寒、微寒，有小毒。主杀三虫，逐毒气，胃中热，利丈夫，不利女子。作摩膏，除小儿百病，逐邪气，恶风汗出，除皮中热结，积蛊毒，白虫、寸白，自出不止。久服令人阴痿。一名雷矢，一名雷实。赤者杀人。生石城[1]山谷及汉中[2]土中。八月采根，暴干。

绍兴校定：雷丸，性味、主治本经具载。但下虫诸方用之颇验，然有攻里之性多矣。本经云利丈夫、不利女子，似无可据。今当作味咸、苦，微寒，有小毒为定。产汉中，实而不蛀者佳。若色赤者，但不堪入药，然亦不致于杀人。

【校注】

[1] **石城** 今河南林州。

[2] **汉中** 今陕西汉中。

570 淡竹叶[1]

味辛，平，大寒。主胸中痰热，咳逆上气。

图740 淡竹

图741 《大观》《政和》淡竹[2]

【校注】

[1] **淡竹叶** 《大观》《政和》将其并在"竹叶"条下，不单独立为一条。

[2] **《大观》《政和》淡竹** 此图与《绍兴本草》淡竹图小异。

571 苦竹叶[1]

味甘，无毒。主消渴，利水道，益气。可久食。[2]及沥疗口疮，目痛，明目，利九窍。

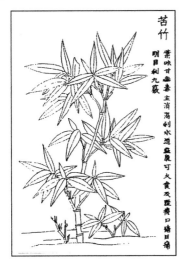

图 742 苦竹

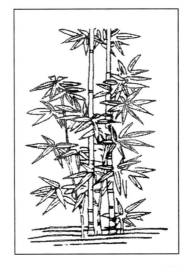

图 743 《大观》《政和》苦竹[3]

【校注】

[1] **苦竹叶** 《大观》《政和》将其并在"竹叶"条下，不单独立为一条。

[2] **味甘，无毒……可久食** 以上文字在《大观》《政和》中为"竹笋"条内容。此文后"及沥疗口疮，目痛，明目，利九窍"12字为"苦竹叶"条内容。

[3] **《大观》《政和》苦竹** 此图与《绍兴本草》苦竹图小异。

572 篁竹[1]

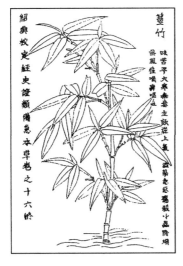

图 744 篁竹

图 745 《大观》《政和》篁竹[2]

味苦，平、大寒，无毒。主咳逆上气，溢筋急，恶疡，杀小虫，除烦热，风痓，喉痹，呕吐。

【校注】

[1] 箽竹 《大观》《政和》将其并在"竹叶"条下，不单独立为一条。

[2] 《大观》《政和》箽竹 此图与《绍兴本草》箽竹图小异。

绍兴校定经史证类备急本草卷之十六终

573　鲤鱼

胆：味苦，寒，无毒。主目热赤痛，青盲，明目。久服强悍，益志气。肉：味甘。主咳逆上气，黄疸，止渴。生者主水肿，脚满下气。骨：主女子带下赤白。齿：主石淋。生九江[1]池泽，取无时。

绍兴校定：鲤鱼胆、肉、骨、齿虽各分主治，惟胆、齿古方间用之，骨亦未闻验据。但肉多作食品，其味甘、平，即非起疾之物。其胆味苦、寒，但无毒是矣。

图746　鲤鱼

【校注】

[1] **九江**　今江西九江。

574　青鱼

味甘，平，无毒。肉：主脚气湿痹。作鲊，与服石人相反。眼睛：主能夜视。头中枕骨：蒸取，干，代琥珀，用之摩服，主心腹痛。胆：主目暗，滴汁目中，并涂恶疮。生江湖间。

绍兴校定：青鱼，乃[1]青鳢鱼是也。肉、睛、头中枕骨及胆，本经虽各具主疗，然但皆未闻方用验据，唯肉世作食品，固非起疾之物。江湖多产之。本经云味甘，平，无毒是也。

【校注】

[1] **乃** 原作"及"，据文理改。

575 鲫鱼

主诸疮，烧以酱汁和涂之，或取猪脂煎用。又主肠痈。头灰臣禹锡等谨按，《药对》云头温，主小儿头疮，口疮，重舌，目翳。一名鲋音父鱼。合莼作羹，主胃弱不下食。作鲙，主久赤[1]白痢。

绍兴校定：鲫鱼，本经虽分主治，然皆未闻验据。及云作鲙，主久赤白痢，尤非宜矣。但多作食品，当云味甘，温，无毒是也。热疾[2]者尤不宜食之。处处池泽皆产矣。

【校注】

[1] **赤** 郑杨本脱。
[2] **热疾** 龙谷本作"热痰"。

576 蠡音礼鱼

味甘，寒，无毒。主湿痹，面目浮肿，下大水，疗五痔。有疮者不可食，令人瘢音盘白。一名鲖音铜鱼。生九江[1]池泽，取无时。

绍兴校定：蠡鱼，俗呼黑鳢鱼是也。性味、主治已具经注。虽云疗五痔、下水肿，但未闻验据，亦非专起疾之物。世人以为食品，今当作味甘，平，无毒是矣。处处池泽有之。

图 747　青鱼

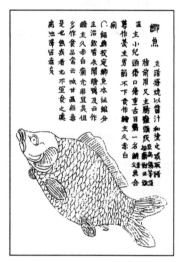

图 748　鲫鱼

图 749　蠡鱼

图 750　《大观》《政和》蠡鱼[2]

【校注】

[1] **九江**　今江西九江。

[2] **《大观》《政和》蠡鱼**　此图与《绍兴本草》蠡鱼图小异。

577　鳗音谩**鲡**音黎**鱼**

味甘，有毒。主五痔，疮瘘，杀诸虫。

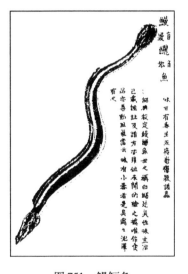

图 751　鳗鲡鱼

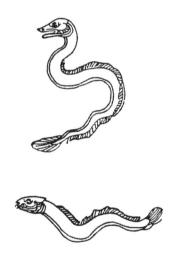

图 752　《大观》《政和》鳗鲡鱼[1]

绍兴校定：鳗鲡鱼，世之称白鳝是矣。性味、主治已载经注，及诸方亦用，但未闻的验之据。唯作食品，亦善动风气。当云味甘[2]、有小毒者是矣。处处池泽有之。

【校注】

[1] **《大观》《政和》鳗鲡鱼**　该图中鳗鲡鱼的行动状态与《绍兴本草》鳗鲡鱼图小异。

[2] **甘**　原脱，据上文补。

578 鮠鱼[1]

图753 鮠鱼[1]　　　　　　　　图754 《大观》《政和》鮠鱼[2]

【校注】

[1] 鮠鱼 《大观》《政和》将其附在"鮧鱼"条中，不单独立为一条。《政和》引禹锡谨按："蜀本《图经》云：有三种，口腹俱大者名鳠音护，背青而口小者名鮎，口小背黄腹白者名鮠，三鱼并堪为臛，美而且补。"

[2] 《大观》《政和》鮠鱼 此图与《绍兴本草》鮠鱼图小异。

579 鮧音夷，又音题鱼

味甘，无毒。主百病。

图755 鮧鱼　　　　　　　　图756 《大观》《政和》鮧鱼[1]

绍兴校定：鳀鱼、鳠鱼、鮠鱼，皆一种，即鲇鱼也。然世作食品，盖此鱼无鳞而[2]须，食之过多，发痼疾即有之。本经云主百病，颇无据矣。当云味甘，平，无毒为定。江湖池泽皆有之。

【校注】

[1] 《大观》《政和》鳀鱼　该图中鱼皮色与《绍兴本草》鳀鱼图小异。

[2] 而　郑杨本作"无"。

580　鲛鱼

皮：主蛊气，蛊痓方用之。即装刀靶音霸鯌 音鹊鱼皮也。

图 757　鲛鱼

图 758　《大观》《政和》鲛鱼皮[1]

绍兴校定：鲛鱼，世呼沙鱼是也。其皮，本经虽具[2]主治，但未闻入方验据。其肉亦作食品，善动风气。产海中。当云性温，微毒为定。

【校注】

[1] 《大观》《政和》鲛鱼皮　该图中鱼有须，而《绍兴本草》鲛鱼图中鱼无须。

[2] 具　原作"其"，据文理改。

581　沙鱼[1]

绍兴校定[2]。

图 759　沙鱼

图 760　《大观》《政和》沙鱼[3]

【校注】

[1] **沙鱼**　《大观》《政和》将其附在"鲛鱼"条下，并引《本草图经》云："沙鱼，然有二种：其最大而长喙如锯者，谓之胡沙，性善而肉美；小而皮粗者曰白沙，肉强而有小毒。二种彼人皆盐为修脯，其皮刮治去沙，蒌为脍，皆食品之美者，食之益人。"

[2] **绍兴校定**　仅一标题，其下并无文。

[3] **《大观》《政和》沙鱼**　此图与《绍兴本草》沙鱼图小异。

582　乌贼鱼

骨：味咸，微温，无毒。主女子漏下，赤白经汁，血闭，阴蚀肿痛，寒热癥瘕，无子，惊气入腹，腹痛环脐，丈夫阴中肿痛[1]。令人有子，又止疮多脓汁不燥。肉：味酸，平。主益气强志。生东海池泽，取无时。

绍兴校定：乌贼鱼骨，俗呼海螵蛸。性味、主治已载本经。然但治女人漏下，断血诸方颇用。当从本经味咸，微温，无毒是也。产海中，厚而大者佳。其肉未闻入方，唯作食品，而善动风气矣。

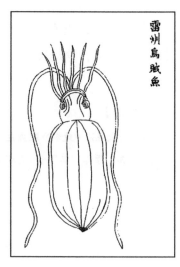

图 761　雷州[2]乌贼鱼

【校注】

[1] **丈夫阴中肿痛** 《大观》《政和》作"阴中寒肿"。

[2] **雷州** 今广东雷州。

583 白鱼

味甘，平，无毒。主开胃下气[1]，去水气，令人肥健。大者六七尺，色白，头昂。生江湖中。

绍兴校定：白鱼，本经已载性味、主治。但作食品，固非起疾之物。江湖池泽中皆产之。当从本经味甘，平，无毒是矣。

【校注】

[1] **主开胃下气** 《大观》《政和》作"主胃气，开胃下食"。

584 鳜居卫切鱼

味甘，平，无毒。主腹内[1]恶血，益气力，令人肥健，去腹内小虫。背有黑点，味尤重。昔有仙人刘凭常食石桂鱼，今此鱼犹有桂名，恐是此也。生江湖[2]间。

绍兴校定：鳜鱼，本经虽具主治，而未闻起疾之验，但世作食品多矣。本经云味甘，平，无毒是也。处处池泽皆产之。

【校注】

[1] **内** 《政和》同，《大观》作"中"。

[2] **湖** 《大观》《政和》作"溪"。

585 河豚音屯

味甘，温，无毒[1]。主补虚，去湿气，理腰脚，去痔疾，杀虫。江淮河海[2]皆有之。

绍兴校定：河豚产江淮中，但食之致疾者有之，其疗病者固无矣，即非无毒之物。有误食肠胃物，则可以杀人。当作味甘，温，有毒者是矣。

【校注】

[1] **无毒** 《本草衍义》云:"河豚,经言无毒,实有大毒。味虽珍,然修治不如法,食之杀人。"

[2] **江淮河海** 《大观》《政和》作"江河淮"。

586 鱓音善鱼

味甘,大温,无毒。主补中益血,疗沈音审唇。五月五日取头骨烧之,止痢。

绍兴校定:鱓鱼,性味、主治已具经注,但世作食品,然食之过多,亦发痼疾。当云味甘,温,无毒为定。处处池泽皆有之。又云取头骨烧之止痢,无可准也。

587 鼍鱼甲

味辛,微温,有毒。主心腹癥瘕,伏坚积聚,寒热,女子崩中,下血五色,小腹阴中相引痛,疮疥死肌,五邪涕泣时惊,腰中重痛,小儿气癃眦溃。肉:主少气吸吸,足不立地。生南海[1]池泽,取无时。

绍兴校定:鼍鱼甲,今之鼍甲也。形质、出产、性味、主疗,经注已载。但今方家亦罕用之。然性味、有毒,当从本经为正。其肉在方中尤无用验。

【校注】

[1] **南海** 今广东广州。

588 鲍鱼

味辛臭,温,无毒。主坠堕骸吐猬切蹶音厥踠折瘀血,血痹在[1]四肢不散者,女子崩中血不止,勿令中咸。

绍兴校定:鲍鱼,乃海生之鱼,其性颇臭,然《素问》有治血枯,饮鲍鱼汁,以利肠中之说,但今未闻用验之据。虽有性味、主治,固非起疾之物矣。

【校注】

[1] **在** 原作"有",据《大观》《政和》改。

589 秦龟

味苦,温,无毒。主除湿痹气,身重,四肢关节不可动摇。生山之阴土中。二月、八月采之[1]。

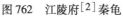

图 762　江陵府[2]秦龟

图 763　《大观》《政和》江陵府秦龟[3]

绍兴校定：秦[4]龟以秦地称之，产山土中。性味、主治大率与龟甲无异多矣。谓其非水中生，故又立此一条，亦非专起疾之物也。

【校注】

[1] **采之**　《大观》《政和》作“取”。

[2] **江陵府**　今江苏南京。

[3] **《大观》《政和》江陵府秦龟**　该图中秦龟头颈的活动状态与《绍兴本草》图小异。又该图中龟背稍平，《绍兴本草》图中龟背凸起。

[4] **秦**　郑杨本作“江陵府”。

590　瑇瑁[1]

味甘[2]，寒，无毒。主解岭南百药毒，俚人刺其血饮，以解诸药毒。大如扇[3]，似龟甲，中有文。生岭南海畔山水间。

图 764　瑇瑁

绍兴校定：瑇瑁，形如龟之类，采壳为用。出产、形质及性与主治经注已载。但解诸毒、退风热，用之颇验。今当作味咸，微寒，无毒为定。其血肉虽分所疗，而未闻验据矣。

图765　《大观》《政和》玳瑁[4]

【校注】

［1］ **瑇瑁**　即玳瑁。

［2］ **味甘**　《大观》《政和》无。

［3］ **大如扇**　《大观》《政和》作"大如帽"。

［4］ **《大观》《政和》玳瑁**　该图中玳瑁背稍平，四肢呈伏状，而《绍兴本草》图中玳瑁背凸出较高，四肢呈划水状。

591　鳖

甲：味咸，平，无毒。主心腹癥瘕坚积，寒热，去痞疾、息肉、阴蚀、痔核、恶肉。疗温疟，血瘕腰痛，小儿胁下坚。肉：味甘。主伤中，益气，补不足。生丹阳[1]池泽。采无时。

图766　江陵府[2]鳖

图767　《大观》《政和》江陵府鳖[3]

绍兴校定：鳖甲乃壳也。性味、主治已载本经。然治蒸劳诸方颇用之。当从本经味咸，平，无毒是矣。其肉虽有主治，但罕入于方，唯作食品，多食即发痼疾。处处池泽有之。

【校注】

[1] **丹阳** 今江苏江宁东。

[2] **江宁府** 今江苏南京。

[3] **《大观》《政和》江宁府鳖** 该图中鳖背稍平，而《绍兴本草》中鳖背凸出很高。

592 蟹

味咸，寒，有毒。主胸中邪气热结痛，喎僻面肿。能败漆，烧之致鼠，解结散血，愈漆疮，养筋益气。爪：主破胞堕胎。生伊洛[1]池泽诸水中，取无时。

图768 蟹

图769 《大观》《政和》蟹[2]

绍兴校定：蟹，本经虽具主治，唯爪[3]古方间亦用之。其肉与壳中黄，但食之发风、动痼疾，显有验据，即非起疾之物。当从本经味咸，寒，有毒是矣。

【校注】

[1] **伊洛** 今河南伊水、洛水。

[2] **《大观》《政和》蟹** 此图与《绍兴本草》蟹图小异。

[3] **爪** 原作"风"，据上文改。

593 蟳蛑[1]

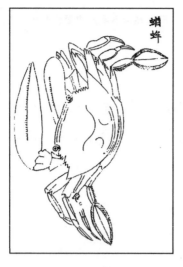

图 770 蟳蛑   图 771 《大观》《政和》蟳蛑[2]

【校注】

[1] **蟳蛑** 《大观》《政和》将其并在"蟹"条下。《政和》引《本草图经》云："扁而最大，后足阔者，为蟳蛑，岭南人谓之拨棹子，以后脚形如棹也。一名蟳。随潮退壳，一退一长。其大者如升，小者如盏碟。两螯无毛，所以异于蟹。……主小儿闪癖，煮与食之良。"

[2] **《大观》《政和》蟳蛑** 此图与《绍兴本草》蟳蛑图小异。

594 拥剑[1]

图 772 拥剑   图 773 《大观》《政和》拥剑[2]

【校注】

[1] **拥剑** 《大观》《政和》将其并在"蟹"条中，不单独立为一条。《政和》又引《本草图经》云："一螯大，一螯小者，名拥剑，又名桀步。常以大螯斗，小螯食物。一名执火，以其螯赤故也。"

[2] **《大观》《政和》拥剑** 此图与《绍兴本草》拥剑图小异。

595 蚌蛤

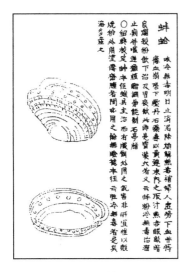

图 774　蚌蛤

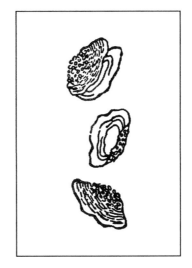

图 775　《大观》《政和》蚌蛤[2]

味冷，无毒。明目，止消渴，除烦，解热毒，补妇人虚劳下血，并痔瘘，血崩带下，压丹石药毒。以黄连末内之，取汁点赤眼、眼暗良。烂壳粉饮下，治反胃痰饮。此即是宝装大者。又云蚌粉冷，无毒。治疳，止痢，并呕逆，痈肿，醋调傅[1]，兼能制石亭脂。

绍兴校定：蚌，本经虽具主治，而有服饵、外用之说，皆非所宜。惟以壳烧粉外用涂傅疮肿者，间亦用之，余无验据。本经云性冷，无毒者是矣。海多产之。

【校注】

[1] **傅** 原脱，据《大观》《政和》补。

[2] **《大观》《政和》蚌蛤** 此为《大观》《政和》图，与《绍兴本草》图小异。

596 牡蛎

味咸，平、微寒，无毒。主伤寒寒热，温疟洒洒，惊恚怒气。除拘缓，鼠瘘，女子带下赤白，除留热在关节，营卫虚热，去来不定，烦满，心痛气结，止汗止渴，除老血，疗泄精，涩大小肠，止大小便。治喉痹，咳嗽，心胁下痞热。久服强骨节，杀邪鬼，延年。一名蛎蛤，一名牡蛤。生东海[1]池泽。采无时。

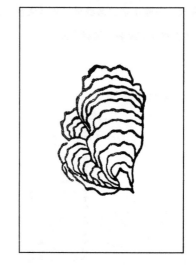

图776　牡蛎　　　　　　　　图777　《大观》《政和》泉州牡蛎[2]

绍兴校定：牡蛎乃海生之物，采壳烧粉为用。性味、主治本经具载。大率固涩之性，用之取效多矣，而疗热未闻的验。今当作味咸，平，无毒为定。其肉非起疾之物矣。

【校注】

[1] **东海**　今江苏东海。

[2] **《大观》《政和》泉州牡蛎**　此为《大观》《政和》图，与《绍兴本草》牡蛎图小异。又泉州，即今福建闽侯。

597 马刀

味辛，微寒，有毒。主妇人漏下赤白，寒热，破石淋，杀禽兽贼鼠，除五脏间热，肌中鼠䘌蒲剥切，止烦满，补中，去厥痹，利机关，用之当炼。得水烂人肠，又云得水良。一名马蛤。生江湖池泽及东海，取无时。

绍兴校定：马刀，如蚌蛤之类，别是一种之物。本经虽具性味、主治，然非起疾良药，况未闻入方用验。当云性冷，有毒是矣。江海多产之。

图778　马刀

598　真珠子[1]

味寒，无毒。主涂手足，去皮肤逆胪。绵裹塞耳，主聋。傅面，令人润泽，好颜色，镇心。点目中，去肤翳障膜。

绍兴校定：真珠子[2]，性与主治、出产已[3]载经注，但破毒定志、利经络，用之颇验。当云微寒，无毒者是矣。

【校注】

[1] **真珠子**　《大观》《政和》无"子"字。

[2] **真珠子**　郑杨本作"廉州真珠子"。

[3] **已**　原作"之"，据文理改。

[4] **廉州**　今广西合浦。

[5] **子**　《大观》《政和》作"牡"。

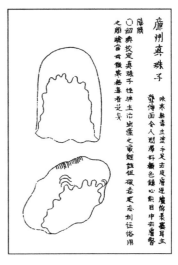

图779　廉州[4]真珠子[5]

599　石决明

味咸，平，无毒。主目障翳痛、青盲。久服益精轻身。生南海[1]。

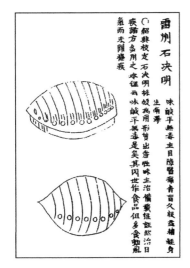

图780　雷州[2]石决明

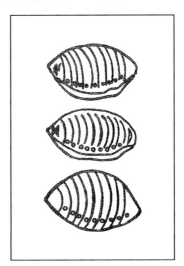

图781　《大观》《政和》雷州石决明[3]

绍兴校定：石决明，采壳为用。形质、出产、性味、主治备载经注，然治目疾诸方多用之。本经云味咸，平，无毒是矣。其肉世作食品，但多食亦动风气，而未闻疗疾。

【校注】

[1] **南海** 原作"南泽"，郑杨本同，据《大观》《政和》改。

[2] **雷州** 今广东雷州。

[3] **《大观》《政和》雷州石决明** 该图中壳为九孔，而《绍兴本草》图中壳为八孔或十一孔。

600 海蛤

味苦、咸，平，无毒。主咳逆上气，喘息烦满，胸痛寒热，疗阴痿。一名魁蛤。生东海[1]。

绍兴校定：海蛤，采壳为用。性味、主治、形质、出产已载经注，然治[2]咳嗽诸方亦间用之。今从本经味咸，平，无毒是矣。

【校注】

[1] **东海** 今江苏、浙江沿海。

[2] **然治** 其后原缺文，但龙谷本有"咳嗽诸方亦间用之。今从本经味咸，平，无毒是矣"19字，据此以补之。

[3] **沧州** 今河北沧县。

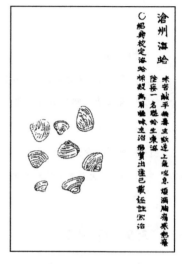

图782 沧州[3]海蛤

601 贝子

图783 贝子

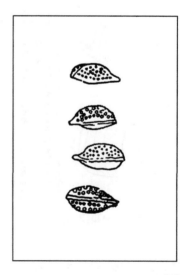

图784 《大观》《政和》贝子[1]

味咸，平，有毒。主目翳，鬼疰蛊毒，腹痛下血，五癃，利水道，除寒热，温疰，解肌，散结热，烧用之良。一名贝齿。生东海[2]池泽。

绍兴校定：贝子，乃海螺之类，别一种矣。性味、主治已载本经，然利小水方中多用之，呼贝齿是也。产海中。当云味咸，有小毒是矣。

【校注】

[1]**《大观》《政和》贝子**　该图中贝子数目比《绍兴本草》图少3个。

[2]**东海**　今江苏、浙江沿海。

602　紫贝

明目，去热毒。

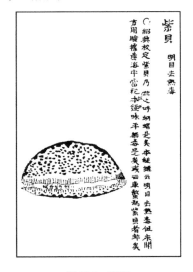

图 785　紫贝

图 786　《大观》《政和》紫贝[1]

绍兴校定：紫贝，乃世之呼蚜螺是矣。本经虽云明目、去热毒，但未闻方用验据。产海中。当从本经味[2]平，无毒是矣。或云车螯为紫贝者，非矣。

【校注】

[1]**《大观》《政和》紫贝**　该图中贝壳上紫斑点排列很整齐，而《绍兴本草》图中贝壳上紫斑点排列不规则。

[2]**味**　疑为"性"之讹。

603　甲香

味咸，平，无毒。主心腹满痛，气急，止痢，下淋。生南海[1]。

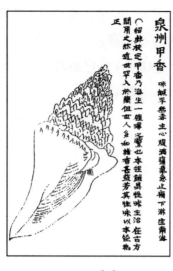

图787　泉州[2]甲香

图788　《大观》《政和》泉州甲香[3]

绍兴校定：甲香，乃海生，一种螺之厣也。本经虽具性味、主治，在古方间用之，然近世罕入于药。但世人多和诸香，甚益芳。其性味以本经为正。

【校注】

[1] **南海**　今广东广州。

[2] **泉州**　今福建闽侯。

[3] **《大观》《政和》泉州甲香**　该图中围壳岨峿呈平头，而《绍兴本草》图中围壳岨峿呈尖头。

604　蛤蜊音梨

冷，无毒。润五脏，止消渴，开胃，解酒毒，主老癖，能为寒热者及妇人血块，煮食之。此物性虽冷，乃与丹石相反，服丹石人食之，令腹结痛。

605　车螯

冷，无毒。治酒毒，消渴，酒渴并痈肿。壳：治疮疖肿毒，烧二度，各以醋锻捣为末，又甘草等分，酒服，以醋调傅肿上，妙。车螯是大蛤，一名蜃，能吐气为楼台。海中春夏间依约岛溆常有此气。

绍兴校定：车螯，本经云治酒毒、消渴之说，显非所宜。然多食之动风致痰者固有之。产海中。当从本经性冷，无毒者是矣。其壳又未闻入方验据。

606　文蛤

味咸，平，无毒。主恶疮，蚀五痔，咳逆胸痹，腰痛胁急，鼠瘘，大孔出血，女人崩中漏下。生东海[1]，表有文。取无时。

绍兴校定：文蛤，主治已具本经，与海蛤性味无异多矣。但古方亦用之，未闻的验。当从本经味咸，平，无毒为正。

【校注】

[1] **东海**　今江苏、浙江沿海。

607　魁蛤

味甘，平，无毒。主痿痹，泄痢便脓血。一名魁陆，一名活东。生东海。正圆两头空，表有文。采无时。

608　珂

味咸，平，无毒。主目中翳，断血生肌，贝类也。大如鳆，皮黄黑而骨白，以为马饰。生南海[1]。采无时。

绍兴校定：珂乃海生螺属是也。性味、主治虽载本经，但未闻诸方验据。本经云味咸，平，无毒是矣。

【校注】

[1] **南海**　今广东广州。

609　田中螺汁[1]

绍兴校定：田中螺汁，乃田螺汁是也。主治已具本经，而不载有无毒，但云大寒，当作性凉、无毒为定。处处田泽皆产之。然但陈久者壳，烧[2]粉傅疮，近世用之颇验。

【校注】

[1] **汁** 其后，《大观》《政和》有"大寒。主目热赤痛，止渴"。

[2] **烧** 原作"晓"，据文理改。

绍兴校定经史证类备急本草卷之十七终

绍兴校定经史证类备急本草卷之十八

610　蜜

石蜜：味甘，平、微温，无毒。主心腹邪气，诸惊痫痓，安五脏诸不足，益气补中，止痛解毒，除众病，和百药，养脾气，除心烦，食饮不下，止肠澼，肌中疼痛，口疮，明耳目。久服强志轻身，不饥不老，延年神仙。一名石饴。生武都[1]山谷及诸山石中，色白如膏者良。

绍兴校定：石蜜乃蜂作成之物。性味、主治已载本经，固非专起疾之物。但以和百药，用之无害而所益无多。又云久服不饥不老，延年神仙，未见的验。今当作味甘，平，无毒为定。色白者佳，处处有之。盖在[3]于石崖中作窝而成者，故有石蜜之称。

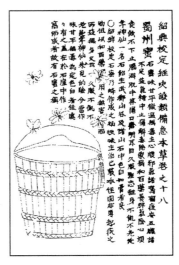

图789　蜀州[2]蜜

【校注】

[1] **武都**　今甘肃武都。

[2] **蜀州**　今重庆。

[3] **在**　郑杨本作"有"。

611　蜂子

味甘，平、微寒，无毒。主风头，除蛊毒，补虚羸，伤中，心腹痛，大人、小儿腹中五虫从口吐出者，面目黄。久服令人光泽，好颜色，不老，轻身，益气。大

黄蜂子：主心腹胀满痛，干呕，轻身，益气。土蜂子：主痈肿嗌音益，喉也痛，一名
蜚零。生武都[1]山谷。

图790　蜂子

图791　《大观》《政和》蜂子[2]

图792　峡州[3]蜂子

图793　《大观》《政和》峡州蜂子[4]

绍兴校定：蜂子[5]乃未成翅足土产者，然分三种，性味即一。本经虽具主治，
固非起疾之物。今世之多作果馔，当作味甘，平，无毒者是矣。

【校注】

[1] **武都**　今甘肃武都。

[2] **《大观》《政和》蜂子**　此为《大观》《政和》图，与《绍兴本草》蜂子图小异。

[3] **峡州**　今湖北宜昌。

[4] **《大观》《政和》峡州蜂子**　此为《大观》《政和》图，与《绍兴本草》峡州蜂子图小异。

［5］**蜂子** 郑杨本作"土蜂子"。

612　蜜蜡

味甘，微温，无毒。主下痢脓血，补中，续绝伤，金疮，益气，不饥，耐老。

613　白蜡

疗久泄澼后重，见白脓，补绝伤，利小儿。久服轻身不饥。生武都[1]山谷，生于蜜房、木石间。

绍兴校定：蜡即蜜之脚也。虽有黄、白二种，然其性一矣。本经虽具性味、主治，固无验据。但诸方家多以用匮[2]毒药而不化，或以合油药而涂傅，皆非专恃此而取功效也。今当作味甘，平，无毒者是矣。

【校注】

［1］**武都** 今甘肃武都。

［2］**匮** 义同"匦"，引申有藏的含义。又"匮"，郑杨本作"医"。

614　露蜂房

味苦、咸，平，有毒。主惊痫瘛疭，寒热邪气，癫疾，鬼精蛊毒，肠痔，火熬之良。又疗蜂毒、毒[1]肿。一名蜂肠，一名百穿，一名蜂窠。生牂牁[2]山谷。七月采，阴干。

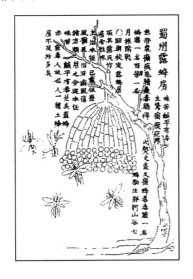

图 794　蜀州[3]露蜂房　　　　图 795　《大观》《政和》蜀州露蜂房[4]

绍兴校定：露蜂房，取其露天作房者。性味、主治本经已载，但疗风痫及治牙齿风痛，诸方颇用之。今从本经味苦、咸，平，有毒是矣。盖蜂亦能毒人故也。又[5]一种土蜂房，不及此多矣。

【校注】

[1] **毒**　郑杨本无。

[2] **牂柯**　今贵州思南以西。

[3] **蜀州**　今重庆。

[4] **《大观》《政和》蜀州露蜂房**　该图为一树枝连接一蜂房，而《绍兴本草》图为树的全株，其枝连接蜂房。

[5] **又**　原作"人"，据文理改。

615　桑螵蛸

味甘、咸，平，无毒。主伤中疝瘕，阴痿，益精生子，女子血闭腰痛，通五淋，利小便水道。又疗男子虚损，五脏气微，梦寐失精，遗溺。久服益气养神。一名蚀肬音尤。生桑枝上，螳螂子也。二月、三月采，蒸之。当火炙[1]，不尔令人泄。

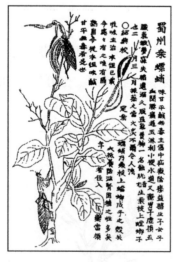

图796　蜀州[2]桑螵蛸

图797　《大观》《政和》蜀州桑螵蛸[3]

绍兴校定：桑螵蛸，乃桑枝上螳螂成子之壳矣。性味、主治本经已载，大抵养阴滋肾、固精之性多矣。今处处有之，唯有隔年者佳，入药当须熟用。今从本经味咸、甘，平，无毒者是也。

【校注】

[1] 灸　郑杨本作"灸"。

[2] 蜀州　今重庆。

[3] 《大观》《政和》蜀州桑螵蛸　该图中树为一枝，而《绍兴本草》图中树为全株。

616　蠮音噎螉乌红切

味辛，平，无毒。主久聋咳逆，毒气，出刺，出汗。疗鼻窒睫栗切。其土房主痈肿风头。一名土蜂。生熊耳[1]川谷及牂牁[2]，或人屋间。

图798　蠮螉

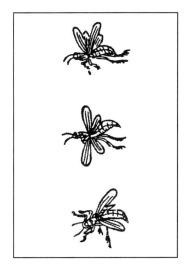

图799　《大观》《政和》蠮螉[3]

绍兴校定：蠮螉乃蜂之别种，注云细腰蜂是也。本经虽有性味、主治，然未闻入方验据。即非无毒之物，当作有毒是矣。

【校注】

[1] 熊耳　今河南卢氏县。

[2] 牂牁　今贵州思南以西。

[3] 《大观》《政和》蠮螉　此为《大观》《政和》图，与《绍兴本草》蠮螉图小异。

617　雀瓮

味甘，平，无毒。主小儿惊痫，寒热结气，蛊毒，鬼疰。一名躁舍。生汉中[1]，采蒸之。生树枝间，蛄音髯蟖音斯房也。八月采。

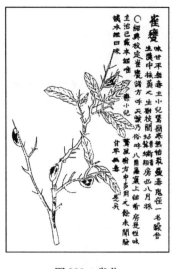

图 800　雀瓮

图 801　《大观》《政和》雀瓮[2]

绍兴校定：雀瓮，诸方呼天浆[3]，乃俗呼八角虫窠上结者房是也。性味、主治已载本经。唯疗小儿惊风疳方中多用之，余未闻验据。本经曰味甘，平，无毒是矣。

【校注】

[1] 汉中　今陕西汉中。

[2] 《大观》《政和》雀瓮　该图中树枝无刺无叶，而《绍兴本草》图中树枝有刺有叶。

[3] 浆　其后，郑杨本有"子"字。

618　原蚕蛾

雄者有小毒。主益精气，强阴道，交接不倦，亦止精。屎：温，无毒。主肠鸣，热中消渴，风痹瘾疹。一名马鸣退。[1]

图 802　原蚕蛾

图 803　《大观》《政和》原蚕蛾[2]

绍兴校定：原蚕蛾，本经云益精强阴，及世之传用亦多，但未闻专恃此而取的验，亦非有毒之物。其屎乃云蚕沙是也，但诸方多外用之。俱当作性温，无毒是也。

【校注】

[1] 一名马鸣退 为"蚕退"别名，当删。

[2] 《大观》《政和》原蚕蛾 此图与《绍兴本草》原蚕蛾图小异。

619 蚕退[1]

主血风病，益妇人。一名马鸣退。近世医家多用蚕退纸，而东方诸医用蚕欲老眠起所蜕皮，虽二者之用各殊，然东人所用者为正。用之当微炒[2]，和诸药，可作丸散服。新定

绍兴校定：蚕退，云老眠起所蜕皮，虽有主治，而未闻方用验据。唯蚕纸者，间亦有用，即非专起疾之物。本经不载性味，当与蚕同是矣。

【校注】

[1] 蚕退 原书目录缺"蚕退"。

[2] 炒 原脱，据《大观》《政和》补。

620 白僵蚕

味咸、辛，平，无毒。主小儿惊痫夜啼，去三虫，灭黑黯，令人面色好，男子阴疡音亦病，女子崩中赤白，产后腹痛，灭诸疮瘢痕。生颍川[1]平泽。四月取自死者，勿令中湿，湿有毒，不可用。

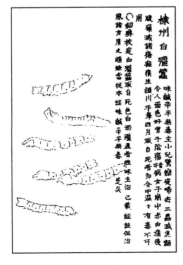

图804 棣州[2]白僵蚕

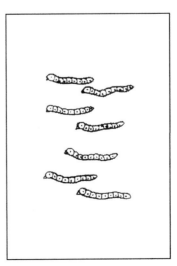

图805 《大观》《政和》棣州白僵蚕[3]

绍兴校定：白僵蚕，取自死色白而僵直者。性味、主治已载经注，但治风诸方用之颇验。当从本经味咸、辛，平，无毒是矣。

【校注】

[1] 颖川　今河南禹州。

[2] 棣州　今山东惠民。

[3] 《大观》《政和》棣州白僵蚕　该图中白僵蚕的数目多于《绍兴本草》图中白僵蚕的数目。

621　石蚕

味咸，寒，有毒。主五癃，破石淋，堕胎。其肉解结气，利水道，除热。一名沙虱。生江汉池泽。

图806　常州[1]石蚕　　　　　图807　《大观》《政和》常州石蚕[2]

绍兴校定：石蚕，附池泽石而生，其形如蚕，故有是名。本经虽具性味、主治，但近世罕入于方，亦未闻验据矣。

【校注】

[1] 常州　今江苏常州。

[2] 《大观》《政和》常州石蚕　该图与《绍兴本草》图中的山水不同。

622　蜻蛉上音青，下音零

一名诸乘，俗呼胡蜊，一名蜻蜓。[1]微寒，强阴止精。

图 808　蜻蛉

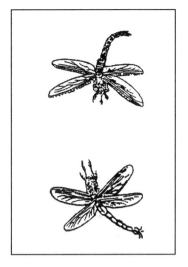

图 809　《大观》《政和》蜻蛉[2]

绍兴校定：蜻蛉，世呼蜻蜓是也。本经虽具主治，然但固精强阴方中，未闻用验的据。处处产之。当从《日华子》凉，无毒为定。

【校注】

[1] **一名诸乘，俗呼胡蜊，一名蜻蜓**　以上12字出自陶隐居注，非"蜻蛉"条的正文。

[2] **《大观》《政和》蜻蛉**　该图与《绍兴本草》蜻蛉图中蜻蛉的动态小异。

623　樗鸡樗，丑如切

味苦，平，有小毒。主心腹邪气，阴痿，益精强志，生子，好色，补中轻身。又疗腰痛，下气，强阴多精，不可近目。生河内[1]川谷樗树上。七月采，暴干。

图 810　樗鸡

图 811　《大观》《政和》樗鸡[2]

绍兴校定：樗鸡，世之呼红娘子是也。此物性毒，破血颇验。本经云补中益精，实非所宜。形质、出产已载经注，当云味苦，有毒者是也。

【校注】

[1] **河内**　今河南省。

[2] **《大观》《政和》樗鸡**　此为《大观》《政和》图，与《绍兴本草》樗鸡图小异。又该图中樗鸡数目少于《绍兴本草》图中樗鸡数目。

624　斑猫

味辛，寒，有毒。主寒热鬼疰，蛊毒，鼠瘘，疥癣疮疽，蚀死肌，破石癃，血积，伤人肌，堕胎。一名龙蚝。生河东[1]山谷。八月取，阴干。

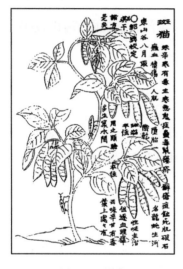

图812　斑猫

图813　《大观》《政和》斑猫[2]

绍兴校定：斑猫，性味、主治具于本经，但逐血理痛诸方用之颇验。本经云味辛，甘[3]，有毒是矣。多生窠木间[4]叶上，处处有。

【校注】

[1] **河东**　今山西省。黄河流经山西、陕西之间，呈南北向。山西位于黄河东，故称河东。

[2] **《大观》《政和》斑猫**　该图与《绍兴本草》斑猫图中植物叶及形态小异。

[3] **甘**　郑杨本作"寒"。

[4] **间**　其后，郑杨本有"或"字。

625　芫青

味辛，微温，有毒。主蛊毒，风疰，鬼疰，堕胎。三月取，暴干。

图 814　南京[1]芫青

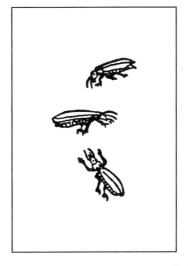

图 815　《大观》《政和》南京芫青[2]

绍兴校定：芫青乃斑猫之类也，形色别是一种。性味、主治已载本经，然但破血之性多矣。本经云味辛，温，有毒是也。处处产之。

【校注】

［1］**南京**　今河南商丘。

［2］**《大观》《政和》南京芫青**　该图与《绍兴本草》南京芫青图中芫青的形态小异。又该图中芫青数目少于《绍兴本草》图中芫青数目。

626　葛上亭长

味辛，微温，有毒。主蛊毒鬼疰，破淋结积聚，堕胎。七月取，暴干。

绍兴校定：葛上亭长，乃斑猫、芫青之类，然别是一种。验其破血之性亦不远矣，大率破畜血坚积多见用之。本经云味辛，微温，有毒者是矣。注云此一虫五变，若以一岁，能周游四州者，即无据矣。惟山东州郡多产之。

627　地胆

味辛，寒，有毒。主鬼疰寒热，鼠瘘，恶疮死肌，破癥瘕，堕胎，蚀疮中恶肉，鼻中息肉，散结气石淋。去子服，一刀圭即下。一名蚖青，一名青蛙乌娲反。生汶山[1]山谷。八月取。

绍兴校定：地胆亦芫青之类，但分此一种。本经虽具性味、主治及载于方，但今未闻用验之据。性味当同芫青矣。

【校注】

［1］**汶山** 今四川汶川。

628 蜘蛛

微寒。主大人小儿癀。七月七日取其网，疗喜音戏忘。

图 816 蜘蛛

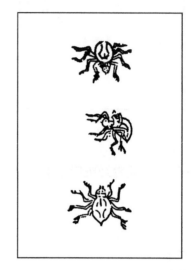

图 817 《大观》《政和》蜘蛛[1]

绍兴校定：蜘蛛，经注已具主治，然网丝系疣赘，世用颇验。及诸方亦各分用治之宜，然固非良药矣。当云微寒，有毒为定。又壁镜虫[2]亦此类云。

【校注】

［1］**《大观》《政和》蜘蛛** 该图与《绍兴本草》蜘蛛图中蜘蛛形态小异，其数目亦少于《绍兴本草》图中蜘蛛数目。

［2］**壁镜虫** "镜"，疑为"钱"之讹。《日华子》云："壁钱虫，平，微毒。治小儿吐逆，止鼻洪并疮。滴汁，傅鼻中及疮上，并傅瘘疮。是壁上作茧蜘蛛也。"

629 蝎

味甘，辛，有毒。疗诸风瘾疹及中风半身不遂，口眼㖞斜，语涩，手足抽掣。形紧小者良[1]。

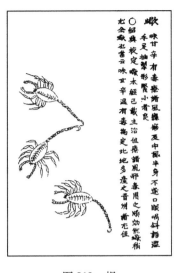

图818 蝎

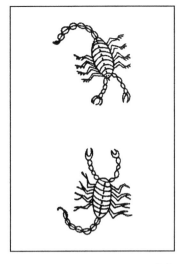

图819 《大观》《政和》蝎[2]

绍兴校定：蝎，本经已载主治，但疗诸风邪毒，用之颇效。然蝎稍尤胜[3]全蝎也。当云味甘、辛，温，有毒为定。北地多产之，青州[4]者尤佳。

【校注】

[1] 良　其后，《大观》《政和》有"出青州者良"5字。

[2] 《大观》《政和》蝎　该图中蝎的数目比《绍兴本草》图中蝎的数目少。

[3] 胜　原缺，据文理补。

[4] 青州　今山东青州。

630　水蛭蛭，音质

味咸、苦，平、微寒，有毒。主逐恶血，瘀血，月闭，破血癥积聚，无子，利水道，又堕胎。一名蚑，一名至掌。生雷泽[1]池泽。五月、六月采，暴干。

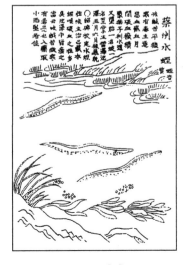

图820　蔡州[2]水蛭

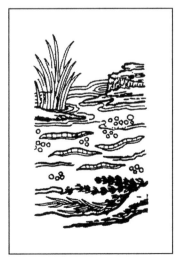

图821　《大观》《政和》蔡州水蛭[3]

绍兴校定：水蛭，性味、主治已载本经，唯破血之性多矣。池泽中皆产之。当云味咸、苦，微寒，有毒是也。入药取小而坚者佳。

【校注】

［1］**雷泽** 今河南濮城。

［2］**蔡州** 今河南汝南。

［3］**《大观》《政和》蔡州水蛭** 该图与《绍兴本草》蔡州水蛭图中水蛭纹、水蛭数目、水蛭的生活环境皆小异。

631 蛴螬

味咸，微[1]温、微寒，有毒。主恶血，血瘀，痹气，破折血在胁下坚满痛，月闭，目中淫肤，青翳白膜，疗吐血在胸腹不去，及破骨踒折血结，金疮内塞，产后中寒，下乳汁。一名蟦扶文切蛴，一名蠜音肥蛴，一名敦齐。生河内[2]平泽及人家积粪草中。取无时，反行者良。

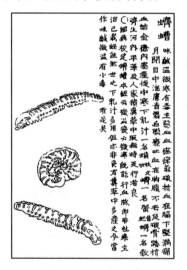

图 822 蛴螬

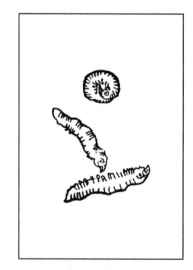

图 823 《大观》《政和》蛴螬[3]

绍兴校定：蛴螬，本经云微温，复云微寒，既能行血脉，即非性寒。主治已载经注，然世之下乳汁多用，但亦非良方。粪草中多产之。今当作味咸，微温，有小毒者是矣。

【校注】

［1］**微** 原脱，据《大观》《政和》及下文补。

［2］**河内** 今河南省。

[3] 《大观》《政和》蛴螬 该图中蛴螬无气孔，而《绍兴本草》蛴螬图中有气孔。

632 蚱蝉蚱，音笮，又音侧

味咸、甘，寒，无毒。主小儿惊痫、夜啼，癫病寒热，惊悸，妇人乳难[1]，胞衣不出，又堕胎。生杨柳上。五月采，蒸干之，勿令蠹。

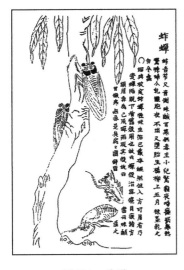

图 824 蚱蝉

图 825 《大观》《政和》蚱蝉[2]

绍兴校定：蚱蝉，性味、主治已载本经，然但入方可用者，乃变蝉而脱下者旧壳用也，故云蝉壳。治风疗目疾诸方颇用，非为已成蝉而取其壳，故云。当云味咸、甘，微寒，无毒是矣。处处园野皆产之。

【校注】

[1] 乳难 即产难。

[2] 《大观》《政和》蚱蝉 该图中仅画一蝉，蝉栖在树枝上，枝的叶子无叶脉，而《绍兴本草》蚱蝉图中画二蝉，蝉栖在树干上，树的叶子有叶脉。

633 蝉花

味甘，寒，无毒。主小儿天吊惊痫，瘰疬，夜啼，心悸。所在皆有，七月采。生苦竹林者良，花出头上[1]。

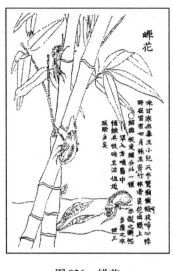

图826　蝉花

图827　《大观》《政和》蝉花[2]

绍兴校定：蝉花，虽分此一种，亦壳之类，然罕入方。唯蜀中多产之。本经虽具性味、主治，但近世止取验多矣。

【校注】

[1] **花出头上**　《大观》《政和》作"花出土上"。《政和》引《本草图经》云："今蜀中有一种蝉，其蜕壳头上有一角如花冠状，谓之蝉花，西人有贵至都下者，医工云入药最奇。"

[2] **《大观》《政和》蝉花**　此为《大观》《政和》图，与《绍兴本草》蝉花图小异。《绍兴本草》蝉花图中有竹子，而《大观》《政和》蝉花图中无竹子。

634　蜣蜋

图828　蜣蜋

味咸，寒，有毒。主小儿惊痫，瘈疭，腹胀寒热，大人癫疾狂易音羊，手足端寒，肢满贲豚。一名蛣蜣蛣音诘，蜣音羌。火熬之良。生长沙[1]池泽。五月五日取，蒸藏之，临用当炙，勿置水中，令人吐。

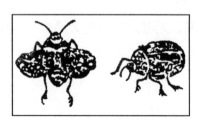

图829　《大观》《政和》蜣蜋[2]

绍兴校定：蜣螂，本经虽载性味、主治，但外傅疮肿等疾，及古方间有服饵，唯登木而蜕壳，谓之蝉壳[3]。故治风家诸方多用之。作蜣螂者，固有毒，已变蝉壳，用之即无毒矣。蚱蝉条下已具证之。

【校注】

[1] **长沙** 今湖南长沙。

[2] **《大观》《政和》蜣螂** 该图中蜣螂数目为2，《绍兴本草》图中蜣螂数目为4。

[3] **唯登木而蜕壳，谓之蝉壳** 因当时科学水平所限，误蝉为蜣螂所变。

635 蝼蛄上音娄，下音古

味咸，寒，无毒。主产难，出肉中刺，溃痈肿，下哽噎，解毒，除恶疮。一名蟪蛄，一名天蝼，一名螜音斛。生东城[1]平泽，夜出者良。夏至取，暴干。

图 830　蝼蛄

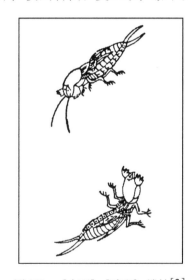

图 831　《大观》《政和》蝼蛄[2]

绍兴校定：蝼蛄，性味、主治虽载本经，然但利水方间有用之，余未闻验据。处处产之。当云味咸，冷，有小毒为定。

【校注】

[1] **东城** 今安徽定远东南。

[2] **《大观》《政和》蝼蛄** 该图中蝼蛄数目为2，比《绍兴本草》图中蝼蛄数少1。

636 衣鱼

味咸，温，无毒。主妇人疝瘕，小便不利，小儿中风项强巨两切，背起摩之。

又疗淋，堕胎，涂疮，灭瘢。一名白鱼，一名蟫音谈。生咸阳[1]平泽。

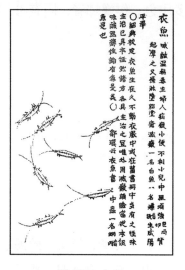

图832 衣鱼

图833 《大观》《政和》衣鱼[2]

绍兴校定：衣鱼，生在久不动衣服中，或在旧书册中多有之。性味、主治已具本经，然诸方各具主治之宜，唯外用灭瘢颇验。当从本经味咸，温，《药性论》有毒是矣。郭璞云：衣鱼书中虫，一名蛃音丙鱼是也。

【校注】

[1] **咸阳** 今陕西咸阳。

[2] **《大观》《政和》衣鱼** 该图中衣鱼数为5，比《绍兴本草》图中衣鱼数少2。

637 鼠妇

图834 鼠妇

味酸，温、微寒，无毒。主气癃，不得小便，妇人月闭，血瘕，痫痓寒热，利水道。一名负蟠音烦，一名蚜音伊蝛音威，一名蜲蟪。生魏郡[1]平谷及人家地上。五月五日取。

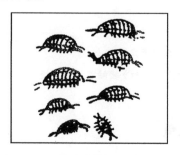

图835 《大观》《政和》鼠妇[2]

绍兴校定：鼠妇，世呼湿生虫是也。性味、主治已载本经，然但利水道方亦间用之，余未闻验据。此即非无毒。多生湿地。当作微寒，有毒是也。

【校注】

[1] **魏郡** 今河北临漳。

[2] **《大观》《政和》鼠妇** 该图中鼠妇数为8，比《绍兴本草》图中鼠妇数少1。

638 䗪音柘虫

味咸，寒，有毒。主心腹寒热洗洗，血积癥瘕，破坚，下血闭，生子，大良。一名地鳖，一名土鳖。生河东[1]川泽及沙中，人家墙壁下土中湿处。十月取[2]，暴干。

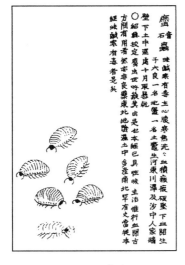

图836 䗪虫

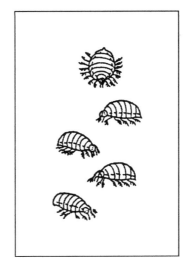

图837 《大观》《政和》䗪虫[3]

绍兴校定[4]：䗪虫，世呼簸箕虫是也。本经已具性味、主治，惟行血闭。古方间有用者。然亦非良药。东[5]北地阴湿土中多产，南北罕有之。当从本经味咸，寒，有毒者是矣。

【校注】

[1] **河东** 今山西省。黄河流经山西、陕西之间，呈南北向。山西省位于黄河之东，故名河东。

[2] **取** 郑杨本脱。

[3] **《大观》《政和》䗪虫** 该图中䗪虫数为5，比《绍兴本草》图中䗪虫数少1。

[4] **绍兴校定** 郑杨本注云："本条见龙谷本……神谷本仅余最后两句。"但《中国本草全书》中影印神谷本有"绍兴校定"全文。

[5] **东** 其后，郑杨本有"地"字。

639 木虻

味苦，平，有毒。主目赤痛，眦伤泪出，瘀血血闭，寒热酸惭音西，无子。一名魂常。生汉中[1]川泽。五月取。

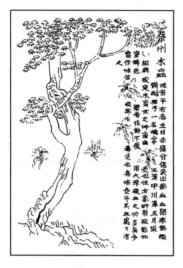

图 838 蔡州[2]木虻

图 839 《大观》《政和》蔡州[3]木虻

绍兴校定：木虻，世之呼虻虫是也。但方家所用，取形如蜜蜂，色碧者佳，余不复用。大率破血之功多矣，今当作味苦，微寒，有毒是也。喜咂食牛马血，处处有之。

【校注】

[1] **汉中** 今陕西汉中。

[2] **蔡州** 今河南汝南。

[3] **《大观》《政和》蔡州木虻** 该图中树干挺直，木虻数为4，而《绍兴本草》蔡州木虻图中树干微曲，木虻数为5。

640 虾蟆

味辛，寒，有毒。主邪气，破癥坚血，痈肿阴疮。服之不患热病，疗阴蚀疽疠音赖恶疮，猘犬[1]伤疮。能合玉石。一名蟾千占切蜍常余切，一名醌音秋，一名去甫，一名苦蠪。生江湖池泽。五月五日取，阴干，东行者良。

图 840　虾蟆

图 841　《大观》《政和》虾蟆[2]

　　绍兴校定：虾蟆[3]，性味、主治已载本经。然但疗小儿疳方颇用，余未闻验据。种类形质不一，唯色青者，南人多作食品，即蛙之类也。后自有条。土色者堪入药用。今当作味甘，冷，无毒是矣。其眉间白膏谓之蟾酥，性微毒，治齿痛，杀疳虫亦多用之。

【校注】

[1] 猘犬　即狂犬，能传染狂犬病。

[2] 《大观》《政和》虾蟆　该图中虾蟆前后趾呈并拢状，而《绍兴本草》虾蟆图中趾呈张开状。

[3] 虾蟆　“绍兴校定”所言虾蟆包含青蛙与蟾蜍两物。《大观》《政和》所言虾蟆专指蟾蜍。

641　蛙

　　味甘，寒，无毒。主小儿赤气，肌疮，脐伤，止痛，气不足。一名长股。生水中，取无时。

　　绍兴校定：蛙乃青绿虾蟆，其性一矣。本经虽具性味、主治，然疗小儿疳方亦用之。此一种南地人多以为食品，当云味甘，微寒，无毒是矣。

图 842　蛙

图 843　《大观》《政和》蛙[1]

【校注】

[1]　《大观》《政和》蛙　该图中蛙数为 2，《绍兴本草》蛙图中蛙数为 4。另外，关于蛙的皮上点、活动状态以及蛙所栖处的草等，二者所画均不相同。

642　蜈蚣

味辛，温，有毒。主鬼疰蛊毒，啖诸蛇虫鱼毒，杀鬼物老精，温疟，去三虫。疗心腹寒热，积聚，堕胎，去恶血。生大吴[1]川谷及江南。头足赤者良。

图 844　蜈蚣

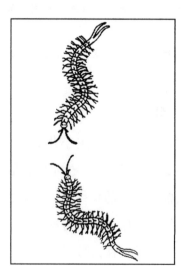

图 845　《大观》《政和》蜈蚣[2]

绍兴校定：蜈蚣，性味、主治已载本经。然但治虫毒疰痛[3]，惊痫诸方多用之。当从本经味辛，温，有毒是矣。南地多产之。大而赤足者佳。

【校注】

[1] **大吴** 今江苏南部。

[2] 《**大观**》《**政和**》**蜈蚣** 该图中蜈蚣背无色、身短，而《绍兴本草》图中蜈蚣背有色、身长。

[3] **疰痛** 郑杨本作"疰毒"。

643 白颈蚯蚓

味咸，寒、大寒，无毒。主蛇瘕，去三虫，伏尸，鬼疰，蛊毒，杀长虫。仍自化为水。疗伤寒伏热狂谬，大腹黄疸[1]。一名土龙。生平地。三月取，阴干。

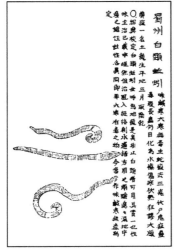

图 846　蜀州[2]白颈蚯蚓

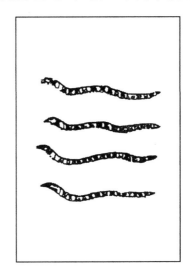

图 847　《大观》《政和》蜀州白颈蚯蚓[3]

绍兴校定：白颈蚯蚓，世呼为地龙是矣。非止白颈者可用，其实一也。性味、主治已载本经，然但治风入经络、利水道诸方，用之颇验。处处湿地中产之。虽经注性各异同，即非大寒、有毒之物[4]。今当作味咸，寒，无毒为定。

【校注】

[1] **黄疸** 郑杨本作"劳疸"。

[2] **蜀州** 今重庆。

[3] 《**大观**》《**政和**》**蜀州白颈蚯蚓** 该图中蚯蚓数为4，而《绍兴本草》图中蚯蚓数为3。又二者所画蚯蚓皮纹及活动状况亦不同。

[4] **物** 郑杨本讹作"功"。

644 蛞蝓

味咸，寒，无毒。主贼风㖞口乖切僻、轶音益筋及脱肛，惊痫挛缩。一名陵蠡，一名土蜗，一名附蜗。生泰山[1]池泽及阴地沙石垣下。八月取。

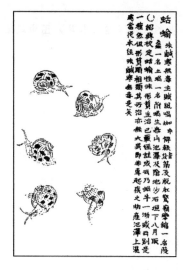

图848 蛞蝓

图849 《大观》《政和》蛞蝓[2]

绍兴校定：蛞蝓，性味、形质、主治已载经注。或云乃蜗牛一物，或云别是一种。然但形质颇相类，其所治亦无大异，即非专起疾之物。产池泽土[3]湿处。当从本经味咸，寒，无毒是矣。

【校注】

[1] **泰山** 今山东泰山。

[2] **《大观》《政和》蛞蝓** 该图中蛞蝓数为3，而《绍兴本草》图中蛞蝓数为6。

[3] **土** 原作"上"，据文理改。

645 蜗牛

味咸，寒。主贼风，喎僻，踠跌，大肠[1]脱肛，筋急及惊痫。

绍兴校定：蜗牛，虽别分此一种，所主与上条蛞蝓同矣。大率形质小大少异，其实一也，然非起疾良药矣。今当作味咸，寒，无毒为定。

【校注】

[1] **肠** 其后，《大观》《政和》有"下"字。

646 萤火

味辛，微温，无毒。主明目，小儿火疮伤热气，蛊毒鬼疰，通精神。一名夜光，一名放光，一名熠以入切耀以灼切，一名即炤音照。生阶地池泽。七月取，阴干。

绍兴校定：萤火，世呼夜明虫是矣。性味、主疗虽载本经，然古方亦载，今罕见用。此乃腐草所化，固非起疾之物也。处处有之。

647　马陆

味辛，温，有毒。主腹中大坚癥瘕，积聚息肉，恶疮，白秃，疗寒热痞结，胁下满。一名百足，一名马轴。生玄菟[1]川谷。

绍兴校定：马陆乃蚰蜒之类，别是一种。本经虽有性味、主治，今未闻诸方用据。但可以毒人，而无起疾之功矣。

【校注】

[1]　**玄菟**　今朝鲜咸镜道及中国吉林南。

648　龙骨

味甘，平、微寒，无毒。主心腹鬼疰，精物老魅，咳逆，泄痢脓血，女子漏下，癥瘕坚结，小儿热气惊痫。疗心腹烦满，四肢痿枯，肠痈内疽，阴蚀，止汗，缩小便，溺血，养精神、定魂魄、安五脏。白龙骨：疗梦寐泄精，小便泄精。齿：主小儿大人惊痫，癫疾狂走，心下结气不能喘息，诸痉，杀精物，小儿五惊十二痫，身热不可近，大人骨间寒热，又杀蛊毒。角：主惊痫瘈尺曳切疭子用切，身热如火，腹中坚及热泄。久服轻身，通神明，延年。生晋地[1]川谷及泰山[2]岩水岸土穴中死龙处。采无时。

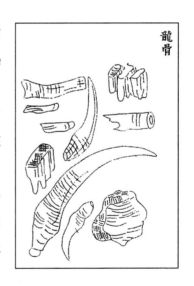

图850　龙骨

绍兴校定：龙骨、齿、角形色不一，然主疗大同小异。大率收固之性多矣，治热即未闻验据。性味经注不等。详世之主疗，即非性寒。今当作味苦涩，平，无毒为定。但上舌紧涩，产河东[3]佳。又有紫梢花，补助下经，多以外用。其形色、主治已载《图经》，乃无毒之药矣。

【校注】

[1] **晋地** 今山西省境。

[2] **泰山** 今山东泰山。

[3] **河东** 今山西省境。黄河流经山西、陕西之间，呈南北向。山西省位于黄河东，故名河东。

649 鲮鲤甲

味微寒。主五邪，惊啼悲伤。烧之作灰，以酒或水和方寸匕，疗蚁瘘。

图851 鲮鲤甲

图852 《大观》《政和》鲮鲤甲[1]

绍兴校定：鲮鲤甲，世呼穿山甲也。主治已载本经。然疗惊邪及破痈肿毒气，方家亦间用之。本经但云微寒，不载其味。当云味苦，微寒，有毒为定。湖岭及金房山谷多产之。

【校注】

[1] **《大观》《政和》鲮鲤甲** 该图中鳞甲片无纹，而《绍兴本草》鲮鲤甲图中甲片有纹。两图中的山亦不同。

650 石龙子

味咸，寒，有小毒。主五癃邪结气，破石淋，下血，利小便水道。一名蜥音锡蜴音亦，一名山龙子，一名守宫，一名石蜴。生平阳[1]川谷及荆山[2]山石间。五月取，著石上令干。

图 853　石龙子

图 854　《大观》《政和》石龙子[3]

绍兴校定：石龙子，乃蜥蜴，或称蛇师是矣。性味、主治已载本经，但治淋方家亦间有用者。生[4]山石草土间，处处产之。当从本经味咸，寒，有小毒是矣。

【校注】

[1]　**平阳**　今山西临汾。

[2]　**荆山**　在湖北荆州（江陵）之北。

[3]　**《大观》《政和》石龙子**　该图与《绍兴本草》石龙子图中石龙子的颜色及活动状态小异。

[4]　**生**　原缺，据本条正文补。

651　蛤蚧

味咸，平，有小毒。主久咳嗽，肺劳传尸，杀鬼物邪气，下淋沥，通水道。生岭南[1]山谷及城墙或大树间，身长四五寸，尾与身等，形如大守宫，一雄一雌，常自呼其名曰蛤蚧。最护惜其尾，或见人欲取之，多自啮断其尾，人即不取之。凡采之者，须存其尾，则用之力全故也。方言曰桂林[2]之中，守宫能鸣者谓蛤蚧，盖相似也。

图 855　蛤蚧

绍兴校定：蛤蚧形如蝎虎，但颇大数倍矣。性味、主治已载本经，然但疗劳嗽方中多用。本经云味咸，平，有小毒是矣。岭南多产之。

图856　《大观》《政和》蛤蚧[3]

【校注】

[1] **岭南**　今广西、广东一带。

[2] **桂林**　今广西桂林。

[3] **《大观》《政和》蛤蚧**　该图中蛤蚧数为2，而《绍兴本草》蛤蚧图中蛤蚧数为1。

652　蚺音髯蛇胆

味甘、苦，寒，有小毒。主心腹䘌痛，下部䘌疮，目肿痛。膏：平，有小毒。主皮肤风毒，妇人产后腹痛余疾。

图857　蚺蛇胆

图858　《大观》《政和》蚺蛇胆[1]

绍兴校定：蚺蛇胆及膏，本经虽各分性味、主治，但近世未闻用验之据。产广南[2]。其性俱有毒者是矣。

【校注】

[1] **《大观》《政和》蚺蛇胆**　该图中蚺蛇闭着口，牙齿不露，而《绍兴本草》图中蚺蛇口张开，露出锋利牙齿。

[2] **广南**　今广东、广西南部。

653　白花蛇

味甘、咸，温，有毒。主中风湿痹不仁，筋脉拘急，口面㖞斜，半身不遂，骨节疼痛，大风疥癞，及暴风瘙痒，脚弱不能久立。一名褰鼻蛇，白花者良。生南地及蜀郡[1]诸山中。九月、十月采捕之，火干。

图 859　蕲州[2]白花蛇　　　　图 860　《大观》《政和》蕲州白花蛇[3]

绍兴校定：白花蛇取肉用，性味、主治具于本经，然但疗风诸方，用之颇验。当云味甘，温，有毒是矣。唯产蕲州者入方用之，取效的矣。

【校注】

[1] **蜀郡**　今四川成都。

[2] **蕲州**　今湖北蕲春。

[3] **《大观》《政和》蕲州白花蛇**　该图中蛇无花纹，舌不伸出，尾尖卷曲，而《绍兴本草》蕲州白花蛇图中蛇有花纹，舌伸出很长，尾尖不卷。

654　乌蛇

无毒。主诸风瘙瘾疹疥，皮肤不仁，瘰痹诸风用之，炙，入丸散，浸酒合膏。背有三棱，色黑如漆，性善，不噬物。江东有黑梢蛇，能缠物至死，亦是其类。生商洛[1]山。

图 861　蕲州[2]乌蛇

绍兴校定：乌蛇，俗呼剑脊乌是也。出产、主治已载本经，然在古今方中疗头面皮肤诸风，用之颇验。详本经不载味及寒温，而但云无毒。今定当作味甘，温，有小毒者是矣。

图862　《大观》《政和》蕲州乌蛇[3]

【校注】

[1]　**商洛**　今陕西商州以东。

[2]　**蕲州**　今湖北蕲春。

[3]　**《大观》《政和》蕲州乌蛇**　该图中乌蛇口不开，舌伸出，鳞纹不明显，而《绍兴本草》图中乌蛇张口露齿，鳞纹清晰。

655　金蛇

无毒。解生金毒。人中金药毒者，取蛇四寸，炙令黄，煮汁饮，频服之，以差为度。大如中指，长尺许。常登木饮露，身作金色，照日有光。亦有银蛇，解银药毒。人中金毒候之法，合瞑，取银口中含，至烧银变为金色者是也。令人肉作鸡脚裂。生宾[1]、澄州[2]。

图863　金蛇

图864　《大观》《政和》金蛇[3]

绍兴校定：金蛇与银蛇二种，本经止云解金银毒，余无为用，然近世亦未见入方，固非起疾之药矣。

【校注】

[1]　**宾**　今广西宾阳。

[2] **澄州** 今广西上林。

[3] **《大观》《政和》金蛇** 该图中金蛇鳞片不清楚，而《绍兴本草》金蛇图中鳞片清晰。又两图中金蛇活动状态小异。

656 蛇蜕音税

味咸、甘，平，无毒。主小儿百二十种惊痫，瘈尺曳切疭子用切，癫疾，寒热，肠痔，蛊毒，蛇痫，弄舌摇头，大人五邪，言语僻越，恶疮，呕逆，明目，火熬之良。一名蛇符，一名龙子皮，一名龙子单衣，一名弓皮。生荆州[1] 川谷及田野。五月五日、十五日取之良。

绍兴校定：蛇蜕，即蛇所蜕之皮也。治难产及小儿惊风诸方颇用之。唯头尾全长者可用。当从本经味咸、甘，平，无毒是矣。

【校注】

[1] **荆州** 今湖北江陵。

657 蝮蛇胆

味苦，微寒，有毒。主䘌疮。肉：酿作酒，疗癫疾，诸瘘，心腹痛，下结气，除蛊毒。其腹中吞鼠，有小毒，疗鼠瘘。

绍兴校定：蝮蛇胆及肉，本经虽各分主治，然罕入于方。此至毒之物，非良药。但未能起疾而致伤人者有之，云有毒是矣。形质出产已具于经[1]注也。其腹中鼠，亦有主疗，固不可为据。

【校注】

[1] **经** 原缺，据文理补。

绍兴校定经史证类备急本草卷之十八终

658　丹雄鸡[1]

味甘，微温，无毒。主女人崩中漏下赤白沃，补虚，温中止血，能愈久伤之疮，通神，杀恶毒，辟不祥。

图 865　诸鸡

图 866　《大观》《政和》诸鸡[2]

○肪　主耳聋。

○肠　主遗溺，小便数不禁。

○肝及左翅毛　主起阴。

○冠血　主乳难。

○头　主杀鬼。东门上者尤良。

○白雄鸡肉　味酸，微温。主下气，疗狂邪，安五脏，伤中消渴。

○心　主五邪。

○血　主蹉折骨痛及痿痹。

○乌雄鸡肉　微温。主补中止痛。

○胆　微寒。主疗目不明，肌疮。

○黄雌鸡　味酸、甘，平。主伤中消渴，小便数不禁，肠澼泄痢，补益五脏，绝伤，疗五劳，益气力。

○脏胵里黄皮　微寒。主泄痢，小便频遗，除热止烦。

○屎白　微寒。主消渴，伤寒，寒热，破石淋及转筋，利小便，止遗溺，灭瘢痕。

○黑雌鸡　主风寒湿痹，五缓六急，安胎。

○肋骨　主小儿羸瘦，食不生肌。

○血　无毒。主中恶腹痛及蹉折骨痛，乳难[3]。

○鸡子　主除热火疮，痫痉。可作虎魄神物。

○卵白　微寒。疗目热赤痛，除心下伏热，止烦满咳逆，小儿下泄，妇人产难，胞衣不出，醋浸之一宿，疗黄疸，破大烦热[4]。

【校注】

[1] 丹雄鸡　《绍兴本草》卷19目录以"诸鸡"为正名，"丹雄鸡"是"诸鸡"中之一种。

[2] 《大观》《政和》诸鸡　该图与《绍兴本草》图中鸡的活动状态小异。

[3] 乳难　其后，《大观》《政和》有"翮羽：主下血闭"。

[4] 烦热　其后，《大观》《政和》有"卵中白皮：主久咳结气，得麻黄、紫菀和服之，立已。鸡白蠹肥脂：生朝鲜平泽"。

659　雉

肉：味酸，微寒，无毒。主补中，益气力，止泄痢，除蚁瘘。

图 867　雉

图 868　《大观》《政和》雉[1]

绍兴校定：雉肉，乃野生鸡之类也。经注虽具性味、主治，但罕闻验据。作食品，能发痼疾即有之。经注皆[2]治下痢，明非所宜也。今当作有微毒者是矣。

【校注】

[1] **《大观》《政和》雉** 该图中雉的羽毛花纹不及《绍兴本草》雉图清晰。

[2] **皆** 其后，郑杨本有"云"字。

660 鹧鸪

味甘，温，无毒。主岭南野葛、菌子毒、生金毒，及温疟久病欲死者，合毛熬酒渍服之，或生捣汁服最良。生江南[1]。形似母鸡，鸣云钩辀格磔者是。

图 869　鹧鸪　　　　　　图 870　《大观》《政和》鹧鸪[2]

绍兴校定：鹧鸪，性味已载本经，虽有主治之说，固非起疾之物也。闽、广、川、蜀多产之。当从本经味甘，温，无毒者是矣。及云生捣取汁服最良，尤不可为据矣。

【校注】

[1] **江南** 指长江以南。

[2] **《大观》《政和》鹧鸪** 该图中鹧鸪的羽毛花纹不清晰，口不开，而《绍兴本草》鹧鸪图中的羽毛花纹清晰，口张开。

661 雀

雀卵：味酸，温，无毒。主下气，男子阴痿不起，强之令热，多精有子。脑：

主耳聋。头血：主雀盲。雄雀屎：疗目痛，决痈[1]，女子带下，溺不利，除疝瘕。五月取之良。

绍兴校定：雀卵，本经已具性味，及脑并头血、屎各分主治。其卵虽有强阴之说，须借之以它药为用，亦非独恃此物，唯破者有力矣。当从本经味酸，温，无毒是也。其屎世呼为白丁香，破积决痈[2]引脓用之颇验。脑并头血皆无验据矣。

图871　雀

【校注】

[1] 痛　其后，《大观》《政和》有"疝"字。

[2] 痈　原作"疗方"，据本条正文改。

662　伏翼

味咸，平，无毒。主目瞑痒痛，疗五[1]淋，利水道，明目，夜视有精光。久服令人熹乐媚好无忧。一名蝙蝠。生泰山川谷及人家屋间。立夏后采，阴干。

绍兴校定：伏翼乃蝙蝠也。本经虽具性味、主治，但罕入于方。本经云咸，平，无毒。《药性论》云有毒。此物虽不致毒人，但食之而中气不得为不恶矣，当作有小毒是也。又目及胆、脑、血，而注亦具主治，悉未闻验据。唯屎名夜明沙，近世诸方亦间用之，即非专起疾之物。后条又有天鼠屎，虽主治颇异，固非两物，只蝙蝠屎是也。

图872　伏翼

【校注】

[1] 五　《大观》《政和》无。

[2] 《大观》《政和》伏翼　该图中伏翼的爪数目为4，毛色排列不齐，而《绍兴本草》伏翼图中爪数目为3，毛色排列整齐。

图873　《大观》《政和》伏翼[2]

663　鼺鼠

主堕胎，令易产。生山都[1]平谷。

绍兴校定：鼺鼠如蝙蝠而大矣。经注虽云微温，能令[2]易产，而别无疗疾，乃世人罕用之物。本经不载有无毒，今当同鼹鼠，为无毒矣。

图 874　黔州[3]鼺鼠　　　　　　　　图 875　《大观》《政和》黔州鼺鼠[4]

【校注】

[1] **山都**　今湖北襄阳西北。

[2] **令**　原作"合"，据本条正文改。

[3] **黔州**　今重庆彭水。

[4] **《大观》《政和》黔州鼺鼠**　该图中鼺鼠有 4 爪，而《绍兴本草》图中鼺鼠为 1 爪。

664　五灵脂

味甘，温，无毒。主疗心腹冷气，小儿五疳，辟疫，治肠风，通利气脉，女子血闭。出北地。此是寒号虫粪也。

图 876　潞州[1]五灵脂　　　　　　　图 877　《大观》《政和》潞州五灵脂[2]

绍兴校定：五灵脂，寒号虫粪是也。性味、主治已载本经，然但破血之性极猛利矣，固非无毒之物。北地多产之。当云味甘、苦，温，有毒是矣。

【校注】

[1] **潞州** 今山西长治。

[2] **《大观》《政和》潞州五灵脂** 该图与《绍兴本草》潞州五灵脂图中五灵脂的形态小异。

665 鸬鹚

屎：一名蜀水花。去面上黑黚䵟痣。头：微寒，主哽及噎，烧研酒服[1]。

图 878 鸬鹚

图 879 《大观》《政和》鸬鹚[2]

绍兴校定：鸬鹚屎，主治已载本经，此物每于水边捉鱼食之，传化为水花[3]，即非性冷，又非无毒。其屎近世未闻用之，当作微温、有小毒是矣。及云头疗哽及噎，烧服，盖借意[4]为用，亦无验矣。

【校注】

[1] **烧研酒服** 《大观》《政和》作"烧服之"。

[2] **《大观》《政和》鸬鹚** 该图中鸬鹚羽毛的花纹不明显，而《绍兴本草》鸬鹚图中的羽毛花纹很清晰。又前者全身毛色皆黑，后者除翅与尾为黑色外，余皆为白色。

[3] **花** 原缺，据本条正文补。

[4] **借意** 义同取类比象。自古误传鸬鹚胎生，口吐其雏，因此认为鸬鹚亦能吐骨鲠。

666 乌鸦

平，无毒。治瘦病咳嗽，骨蒸劳疾，腊月以瓦瓶[1]泥煨烧为灰，饮下，治小儿痫及鬼魅。目睛：注目中，通治目。

图 880　乌鸦　　　　　　　　图 881　《大观》《政和》乌鸦[2]

绍兴校定：乌鸦，本经虽云平、无毒，而所主治，及诸方间亦用之，然未闻的验之据，固非专起疾之物矣。

【校注】

[1] 瓶　《大观》《政和》作"缸"。

[2] 《大观》《政和》乌鸦　该图与《绍兴本草》乌鸦图中乌鸦头的活动状态不同。

667　雄鹊[1]

味甘，寒，无毒。主石淋，消结热，可烧作灰，以石投中，解散者是雄也。

图 882　雄鹊　　　　　　　　图 883　《大观》《政和》雄鹊[2]

绍兴校定：雄鹊，本经虽具性味、主治及辨雄雌，但诸方罕见为用，固非专起疾之物矣。

【校注】

[1] **雄鹊** 《大观》《政和》作"雄鹊肉"。

[2] **《大观》《政和》雄鹊** 该图中雄鹊在地上，表现为寻物状态，而《绍兴本草》图中雄鹊栖在树枝上，呈观望状态。

668 雁肪

味甘，平，无毒。主风挛拘急，偏枯，血[1]气不通利，久服长毛发须眉。益气，不饥，轻身耐老。一名鹜肪。生江南[2]池泽。取无时。

绍兴校定：雁肪，性味、主治、出产已载本经，而近世罕入于方，未闻的验之据，此乃厌物，亦非宜作食品矣。

【校注】

[1] **血** 《大观》《政和》无。

[2] **江南** 指长江以南。

669 孔雀屎

微寒。主女子带下，小便不利。

绍兴校定：孔雀屎，经注虽具性及主治，但未闻方用验据。此物产于广南，如鸡。食诸毒虫。当云性温，有毒是矣。

670 练鹊

味甘，温、平，无毒。主益气，治风疾。冬春间取[1]，细剉炒香，袋盛浸酒中，每朝取酒，温饮服之。似鸲鹆，小黑褐色，食槐子者佳。

绍兴校定：练鹊，世呼麻练鹊是也。此鹊别是一种，世亦间作食品。本经虽有性味、主治，即无验据，今未闻入方之用矣。

【校注】

[1] **取** 郑杨本无。

671　鸲鹆肉

味甘，平，无毒。主五痔，止血，炙食或为散、饮服之。

绍兴校定：鸲鹆肉，性味、主治虽载本经，及诸家注说，亦有主治，但近世罕入于方用，未闻验据。亦曰目睛和乳汁滴目中，能见云外之物，尤无据矣。

672　鹳骨

味甘，无毒。主鬼蛊，诸疰毒，五尸，心腹痛[1]。

绍兴校定：鹳骨，本经云味甘、无毒，虽载主治，但诸方未闻用验之据。然此物食诸毒物，及注云能落人毛发，固非无毒矣。今当作味甘，寒，有小毒为定。

【校注】

[1]　痛　《大观》《政和》作"疾"。

673　白鸽

味咸，平，无毒。肉：主解诸药毒，及人、马久患疥。屎：主人、马疥疮一云犬疥。鸠类也。鸽、鸠类翔集屋间，人患疥食之，立愈。马患疥入[1]鬃尾者，取屎炒令黄，捣为末，和草饲之。又云：鹁鸽，暖，无毒。调精益气，治恶疮疥并风瘙，解一切药毒。病者食之虽益人，缘恐食多减药力。白癜疬疡风，炒，酒服。傅驴、马疥疮亦可。新补

【校注】

[1]　入　原讹作"人"，据《大观》《政和》改。

674　鹰屎白

主伤挞灭痕。

675　鸱尺脂切头

味咸，平，无毒。主头风目[1]眩颠倒，痫疾。

【校注】

[1] 目 《大观》《政和》无。

676 天鼠屎

味辛，寒，无毒。主面痈肿，皮肤洗洗时痛，腹中血气，破寒热积聚，除惊悸，去面上[1]黑䵟。一名鼠法，一名石肝。生合浦山谷。十一月、十二月取。

绍兴校定：天鼠屎，性味、主治虽载本经，乃夜明砂，已具伏翼条下校定矣。

【校注】

[1] 上 《大观》《政和》无。

677 豚卵

味甘，温，无毒。主惊痫癫疾，鬼疰蛊毒，除寒热，贲豚，五癃，邪气挛缩。一名豚颠。阴干藏之，勿令败。悬蹄：主五痔，伏热在腹中[1]，肠痈内蚀。齿：主小儿惊痫。五月五日取。

图884 豚卵

图885 《大观》《政和》豚卵[2]

【校注】

[1] 腹中 《大观》《政和》作"肠"。

[2] 《大观》《政和》豚卵 该图与《绍兴本草》图中豚卵形态不同。

678　羖羊角

角：味咸、苦，温、微寒，无毒。主青盲，明目，杀疥虫，止寒泄，辟恶鬼虎狼。止惊悸，疗[1]百节中结气，风头痛及蛊毒，吐血，妇人产后余痛。烧之，杀鬼魅，辟虎狼。久服安心益气，轻身。生河西川谷，取无时。勿使中湿，湿即有毒。髓：味甘，温，无毒。主男女伤中，阴阳[2]气不足。利血脉，益经气，以酒服之。青羊胆：主青盲，明目。肺：补肺，止咳嗽。心：止忧恚隔气。肾：补肾气虚弱[3]，益精髓。齿：主小儿羊痫寒热。三月三日取之。肉：味甘，大热，无毒。主暖中，字乳余疾，及头脑大风汗出，虚劳寒冷，补中益气，安心止惊。骨：热。主虚劳，寒中赢瘦。屎：燔之，主小儿泄痢，肠鸣，惊痫。

图 886　羖羊角

图 887　《大观》《政和》羖羊角[4]

绍兴校定：羖羊，牡羊也。其角、髓、胆、肺、心、肾、齿、肉、骨、屎，虽各分主治之宜，固无起疾之验。但羊体诸物皆温，只肉大热，俱无毒是矣。本经角微寒者非也。其头蹄与肉及腹内之物，世之常食。所在皆产之，唯江南产者善发瘴热之疾，不可不慎。虽分牡牝，其性一矣。

【校注】

[1]　**疗**　原脱，据《大观》《政和》补。

[2]　**阳**　《大观》《政和》无。

[3]　**虚弱**　《大观》《政和》无。

[4]　《**大观**》《**政和**》**羖羊角**　该图中羊腹不及《绍兴本草》图中羊肥大。

679 牛黄

味苦，平，有小毒。主惊痫寒热，热盛狂痉，除邪逐鬼，疗小儿百病，诸痫热口不开，大人狂颠，又堕胎。久服轻身增年，令人不忘。生晋地[1]平泽，特牛胆中得之[2]，即阴干百日，使燥[3]，无令见日月光。

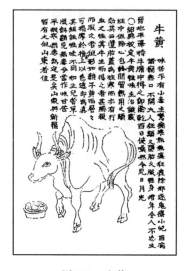

图888　牛黄

图889　《大观》《政和》牛黄[4]

绍兴校定：牛黄，性味、主治虽载经中[5]，但除心包络间留热，用之颇效。其云堕胎，盖为性寒，而亦有行血之性。其牛生而得之者甚胜，杀而取之者，但形如鸡子黄而层层可揭，摩于指甲上，以[6]色透即为真。其经注性味不同，初生儿尝单服饵，显见无毒。今当作味甘、苦，平、微寒，无毒为定是矣。山东与新罗皆有之，但山东者佳。

【校注】

[1] **晋地**　今山西省。

[2] **特牛胆中得之**　《大观》《政和》作"于牛得之"。

[3] **使燥**　《大观》《政和》作"使时燥"。

[4] **《大观》《政和》牛黄**　该图中牛耳未画出，而《绍兴本草》图中有牛耳。

[5] **中**　郑杨本作"注"。

[6] **上，以**　郑杨本作"以上"。

680 水牛[1]

角：疗时气，寒热头痛。臣禹锡等谨按，《药对》云：水牛角，平。《药诀》云：水牛角，味苦，冷，无毒。[2]髓：补中，填骨髓。久服增年。味甘，温，无毒。主安五脏，平三焦，续绝伤，益气力，止泄利，去消渴。皆以清酒暖服之。[3]

图 890　郓州[4]水牛

图 891　《大观》《政和》郓州水牛[5]

【校注】

[1] **水牛**　《大观》《政和》将其附在"牛角鰓"条下，不单独立为一条。

[2] **臣禹锡……无毒**　以上24字为注文，非原文。

[3] **皆以清酒暖服之**　《大观》《政和》作"以酒服之"。又"之"字后，《大观》《政和》有"心：主虚忘。肝：主明目。肾：主补肾气，益精。齿：主小儿牛痫。肉：味甘，平，无毒。主消渴，止哕泄，安中益气，养脾胃，自死者不良。胆：可丸药。胆：味苦，大寒。除心腹热渴，利口焦燥，益目精。屎：寒。主水肿，恶气。用涂门户，著壁者。燔之，主鼠瘘，恶疮"。

[4] **郓州**　今湖北钟祥。

[5] **《大观》《政和》郓州水牛**　该图中牛毛无纹，而《绍兴本草》图中的牛毛有纹，而且纹路整齐。

681　阿胶

味甘，平、微温，无毒。主心腹内崩，劳极洒洒音薛如疟状，腰腹痛，四肢酸痛。女子下血，安胎，丈夫小腹痛，虚劳羸瘦，阴气不足，脚酸不能久立，养肝气。久服轻身益气。一名傅致胶。出东平郡[1]东阿县[2]，煮牛皮作之。

绍兴校定：阿胶，性味、主疗已具本经，谓用东平阿井水而熬成，然皆以驴、牛皮可就。若以固虚、

图 892　阿胶

养冲任、滋补，其效不及鹿角胶多也。其阿胶，但取濡润之性即可矣。盖鹿角与驴、牛皮本性所宜，各颇远矣，当云味苦、甘，平、微温，无毒为定是也。

图893　《大观》《政和》阿胶[3]

【校注】

[1] **东平郡**　今山东东平。

[2] **东阿县**　今山东阳谷。

[3] **《大观》《政和》阿胶**　该图中阿胶无纹，而《绍兴本草》图中阿胶有编织纹。

〔附〕　阿井[1]

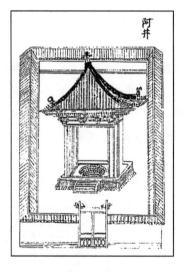

图894　阿井

图895　《大观》《政和》阿井[2]

【校注】

[1] **阿井**　《绍兴本草》目录将"阿井"单列为一条，《大观》《政和》将"阿井"附在"阿胶"的注文中，不单独立为一条。阿井不是药，故不能独立成条。陈藏器本草云："阿井水煎成胶，人间用者多非真也。"《本草图经》云："以阿县城北井作者为真。造之，用阿井水煎乌驴皮。如常煎胶法。其井官禁，真胶极难得，都下货者甚多，恐非真。"

[2] **《大观》《政和》阿井**　该图中井的四周仅有亭，而《绍兴本草》图中亭的外周有四合院围着。

682 虎骨

主除邪恶气，杀鬼疰毒，止惊悸，治恶疮，鼠瘘，头骨尤良。膏：主狗啮疮。爪：辟恶魅。肉：主恶心欲呕，益气力。味辛，微热，无毒。[1]

图 896　虎骨

图 897　《大观》《政和》虎骨[2]

绍兴校定：虎骨，唯头骨尤良。治风、理筋骨不利，诸方多用之。本经虽不载性味及有无毒，以近世经用之性，今当作味辛、温、微毒是矣。膏、爪、肉亦各分主治，其性一也。但未闻诸方为用验据。惟虎睛多入小儿惊痫方中用之矣。

【校注】

[1] **味辛，微热，无毒**　以上6字，《大观》《政和》无。又本条"绍兴校定"文中亦云"本经虽不载性味及有无毒"，故不知此6字出于何处。按，此6字疑转引自《纲目》虎骨之气味项。

[2] **《大观》《政和》虎骨**　该图中虎尾不曲，而《绍兴本草》图中虎尾弯曲。

683 豹肉

味酸，平，无毒。主安五脏，补绝伤，轻身益气。久服利人。

绍兴校定：豹肉，本经虽载性味、主治，然此等肉不唯疗病无据，而性味世亦罕尝之。若以猛兽言之，从微毒是矣。未闻诸方的用之物也。

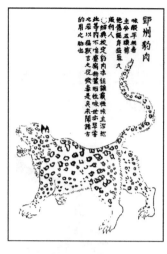

图898　郢州[1]豹肉　　　　　　图899　《大观》《政和》郢州豹肉[2]

【校注】

[1] **郢州**　今湖北钟祥。

[2] **《大观》《政和》郢州豹肉**　该图中豹的后腿欲呈站立状，而《绍兴本草》图中豹张口露齿，呈行走状。

684　象牙

无毒。主诸铁及杂物入肉，刮取屑，细研，和水傅疮上，及杂物刺等立出。齿：主痫病，屑为末，炙令黄饮下。肉：味淡，不堪啖，多食令人体重。主秃疮，作灰和油涂之。睛[1]：主目疾，和人乳滴目中。胸前小横骨：令人能浮水，作灰酒服之。身有百兽肉，皆自有分段，惟鼻是其本肉，余并杂。

绍兴校定：象牙，本经止云无毒，虽有主治，取诸刺入肉，亦无的验。其齿、肉、睛等亦各分主治，但近世皆罕入于方。唯将牙作简笏等用，固[2]非起疾之物矣。

图900　象牙　　　　　　图901　《大观》《政和》象牙[3]

【校注】

[1] **睛** 《本草拾遗》作"胆"。《雷公炮炙论》云"象胆挥粘",即此义也。

[2] **固** 郑杨本缺。

[3] 《**大观**》《**政和**》**象牙** 该图中象的牙呈水平状伸出,而《绍兴本草》图中象的牙微呈下垂状。

685 犀角

味苦、酸、咸,寒,微寒,无毒。主百毒蛊疰邪鬼,瘴气,杀钩吻、鸩羽、蛇毒,除邪,不迷惑,魇寐,疗伤寒温疫、头痛寒热,诸毒气。久服轻身,令人骏健。生永昌[1]山谷及益州[2]。

图 902　犀角

图 903　《大观》《政和》犀角[3]

绍兴校定:犀角,性味、主治已载本经,然但除涤风热,散诸毒气颇验。今当作味苦、酸、咸,微寒,无毒是矣。西蜀[4]与海南[5]皆产之。唯不经火者可用,西蜀大而气足者佳。

【校注】

[1] **永昌** 今云南保山。

[2] **益州** 今四川省境。

[3] 《**大观**》《**政和**》**犀角** 该图中犀口含着草,足端呈爪状,非蹄状,而《绍兴本草》图中犀口不含草,足端呈蹄状。

[4] **西蜀** 今四川西部。

[5] **海南** 今广东、广西以南近海处。

686 熊脂

味甘，微寒、微温，无毒。主风痹不仁，筋急，五脏腹中积聚，寒热羸瘦，头疡白秃，面上䵟皰，饮食呕吐。久服强志，不饥，轻身长年。生雍州[1]山谷。十一月采。

图904 熊脂

图905 《大观》《政和》熊脂[2]

绍兴校定：熊脂谓背脂，即熊白是也。出产、性味、主治本经已载，但用以涂疮，亦作面药，余无起疾验据。即非性温，当作味甘，微寒，无毒为定。其胆味苦，寒，无毒。阴干用之，治疳，杀虫及疗癫痫颇效。唯多作伪，虽有说取一粟许放水上，彻下如黄线在水中者为真，亦不能得其的，盖他胆亦可如是。但得之来理可据，用之即验。其脑髓等虽分其主治，而近世亦[3]罕用矣。

【校注】

[1] **雍州** 今陕西长安西北。

[2] **《大观》《政和》熊脂** 该图与《绍兴本草》图中熊的活动状态不同，前者的熊在原地玩耍，后者的熊呈跑步状。

[3] **亦** 原作"又"，据文理改。

687 羚羊角

味咸、苦，寒、微寒，无毒。主明目，益气，起阴，去恶血注下，辟蛊毒恶气[1]不祥，安心气，常不魇寐，疗伤寒时气寒热，热在肌肤，温风注毒伏在骨间，除邪气惊梦，狂越僻谬及食噎不通。久服强筋骨，轻身，起阴，益气，利丈夫。生石城[2]及华阴[3]山谷。采无时。

图 906　羚羊角

图 907　《大观》《政和》羚羊角[4]

绍兴校定：羚羊角，性味、主治已载经注，然但明目，破毒，利经络用之颇验。亦有山羊角杂伪者，其形自顶根至尖，如竹节坚实者真矣。产西蜀[5]。今当作味咸、苦，微寒，无毒是也。

【校注】

[1]　**恶气**　《大观》《政和》作"恶鬼"。

[2]　**石城**　今河南林州。

[3]　**华阴**　今陕西华阴。

[4]　**《大观》《政和》羚羊角**　该图中羊角末端弯曲，而《绍兴本草》图中羊角末端不弯曲。

[5]　**西蜀**　今四川西部。

688　鹿茸

味甘、酸，温、微温，无毒。主漏下恶血，寒热惊痫，益气强志，生齿不老。疗虚劳洒洒如疟，羸瘦，四肢酸疼，腰脊痛，小便数利，泄精溺血，破瘀血在腹，散石淋，痈肿，骨中热，疽痒[1]，安胎，下气，杀鬼精物，不可近丈夫阴，令痿，久服耐老。四月、五月解角时取，阴干，使时燥。角：味咸，无毒。主恶疮痈肿，逐邪恶气，留血在阴中，除少腹血痛，腰脊痛，折伤恶血，益气。七月采。髓：味甘，温，主丈夫女子伤中，绝脉，筋急痛，咳逆，以酒和服之良。肾：平。主补肾。肉：温。补中，强五脏，益气力。生者疗口僻，割薄之。

图908　郓州[2]鹿茸　　　　　　　　图909　鹿茸

绍兴校定：鹿茸，性味、主治已载本经。未成角者为茸，补助水脏，用之多验。本经云破留血在腹，以医之用验，固非破血之物。然有茄茸、鞍茸、麻茸，其茄与鞍以形言之，但气之未足，不及麻茸气之已足。今当作味酸，温，无毒是矣。但角者熬白胶作霜是也。骨髓、肉、肾性皆暖，虽有主治，亦未闻起疾验据。

【校注】

[1] 痒　其后，《大观》《政和》衍"骨"字，以冠下文内容。其下文"安胎，下气……使时燥"原属鹿茸的内容，并非鹿骨的内容。因条末明言"四月、五月解角时取"，其义取鹿茸，并非取鹿骨。郑杨本在"痒"字后亦增"骨"字，此乃沿袭《政和》之误。

[2] 郓州　今湖北钟祥。

689　獐骨

微温。主虚损泄精，益精髓[1]。肉：温[2]，补益五脏。髓[3]：益气力，悦泽人面。

绍兴校定：各分主治而未闻起疾验据，但肉多食颇涩肠胃。今当作味甘，温，无毒是也。

图910　郢州[4]獐骨

图911　《大观》《政和》郢州獐骨[5]

【校注】

[1]　**益精髓**　以上3字，《大观》《政和》无。

[2]　**肉：温**　原缺，据《大观》《政和》补。

[3]　**髓**　原缺，据《大观》《政和》补。

[4]　**郢州**　今湖北钟祥。

[5]　**《大观》《政和》郢州獐骨**　该图中的獐在平地跑，而《绍兴本草》中的獐在山脚边行走。

690　麝香

味辛，温，无毒。主辟恶气，杀鬼精物，去三虫，蛊毒，温疟，惊痫[1]。疗诸凶邪，鬼气中恶，心腹暴痛，胀急痞满，风毒。去面䵟音孕，目中肤翳。妇人产难，堕胎，久服除邪，不梦寤魇寐，通神仙。生中台山谷及益州[2]、雍州[3]山中。春分取香，生者益良。

图912　文州[4]麝香

图913　《大观》《政和》文州麝香[5]

425

绍兴校定：麝香，性味、主治载于经注，然理痛散诸恶气用之颇验。其云堕胎，盖为有通行血脉之性，即非有毒之药。当作味苦、辛，温，无毒。产文州者佳，其中作伪者甚多，但别之。皮毛圆备，取之色紫黄明，嚼而聚于手指，摊于肌肉上，随指而起者，即无伪物矣。入药当宜审详之。

【校注】

[1] **痛** 《大观》《政和》作"痉"。

[2] **益州** 今四川省境。

[3] **雍州** 今陕西凤翔。

[4] **文州** 今甘肃文县。

[5] **《大观》《政和》文州麝香** 该图中麝的两耳短，分生头上两侧，而《绍兴本草》图中麝的两耳长，并生头顶近前额处。

691 麂

味甘，平，无毒。主五痔病，煤熟[1]以姜醋进之，大有效。又云多食能动人瘤疾。头骨为灰，饮下主飞尸[2]。生东南山谷。

图 914 麂

图 915 《大观》《政和》麂[3]

绍兴校定：麂亦獐之类也。本经云食之主五痔，又云多食能动瘤疾。然痔者，盖非新疾尔，但动瘤病者有之，起疾者未闻也。头骨亦未见用验之据。其肉当从本经味甘，平，无毒是矣。

【校注】

[1] **煤熟** 《大观》《政和》作"炸出"。

［2］**飞尸**　指传染病，死后复易旁人，如肺结核等。

［3］**《大观》《政和》麂**　该图中鹿的左前腿直立，右前腿微曲，而《绍兴本草》中鹿的左前腿曲起，右前腿直立。

692　狸骨

味甘，温，无毒。主风痊、尸痊、鬼痊，毒气在皮中，淫跃如针刺者，心腹痛，走无常处，及鼠瘘，恶疮。头骨尤良。阴茎：主月水不通，男子阴癫，烧之以东流水服之。肉：疗诸痊。

图916　狸骨

图917　《大观》《政和》狸骨[1]

绍兴校定：狸乃野猫之类矣。其骨性味已载本经，如肉与茎亦分主治，虽诸方间有用之，然近世未闻此物起疾之验。唯当从本经味甘，温，无毒是矣。

【校注】

［1］**《大观》《政和》狸骨**　该图中的狸尾微微上翘，尾上纹呈竹根状，而《绍兴本草》图中的狸尾呈直角状向上翘，尾上纹如牙齿尖端均匀排列且向下垂。

693　狐

阴茎：味甘，有毒。主女子绝产，阴中痒，小儿阴癫卵肿。五脏及肠：味苦，微寒，有毒。主蛊毒寒热，小儿惊痫。雄狐屎：烧之辟恶，在木石上者良[1]。

图918　狐

图919　《大观》《政和》狐[2]

绍兴校定：狐肉世亦间食之，腹内物及茎并屎，虽各有主治，显非起疾良药，俱当作微毒者是矣。

【校注】

[1] 良　《大观》《政和》作"是"。

[2] 《大观》《政和》狐　该图中狐全身及尾上毛呈行状排列，尾拖着，头不昂，而《绍兴本草》图中狐的身、尾上毛无纹，其尾环置身旁，其头昂起。

694　兔

头骨：平，无毒。主头眩痛，癫疾[1]。肉：味辛，平，无毒。主补中益气。骨：主热中消渴。脑：主冻疮。肝：主目暗。

图920　兔

图921　《大观》《政和》兔[2]

绍兴校定：兔头骨，性味、主治已载经注。如骨、脑、肝、肉亦各分主治，其性无异。虽诸方亦间用之，皆无必起疾之效。当云味甘，平，无毒是矣。然肉世之食品，但亦动痼疾，不可多食之。

【校注】

[1] **痼疾** 此2字原在肉主治之末，据《大观》《政和》移在头骨主治之末。

[2] **《大观》《政和》兔** 该图中兔的两耳伸向后，而《绍兴本草》图中兔的两耳伸向上。

695 獭

肝：味甘，有毒。主鬼疰蛊毒，却鱼鲠，止久嗽，烧服之。肉：疗疫气温病，及牛、马时行病，煮屎灌之亦良。

图922 獭

图923 《大观》《政和》獭[1]

绍兴校定：獭乃野生之物，多于江湖池泽傍作穴，能入水食鱼，其肉虽有主治，未闻起疾验据。唯肝治尸疰，诸方间用之。今当作味甘、咸，微毒是矣。

【校注】

[1] **《大观》《政和》獭** 该图中獭的身体、颈、四肢皆长，其头向上昂，而《绍兴本草》图中獭的身体、颈、四肢皆粗短，其尾向上翘。

696 腽肭脐

味咸，无毒。主鬼气尸疰，梦与鬼交，鬼魅、狐魅、心腹痛，中恶邪气，宿血结块，痃癖羸瘦等。骨䏹兽似狐而大，长尾，生西戎[1]。

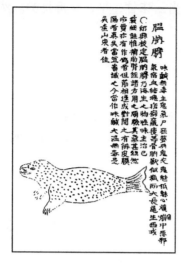

图924 腽肭脐

图925 《大观》《政和》腽肭脐[2]

绍兴校定：腽肭脐乃海生之物。性味、主治已载经注，惟补助肾经诸方，用之颇验。其气甚烈，然市贾亦有作伪者。但筋相连，成对间之有辨皮膜隔者真矣，当宜审识之。今当作味咸，大温，无毒是矣。产山东[3]者佳。

【校注】

[1] **西戎** 今我国西部少数民族居住处。

[2] **《大观》《政和》腽肭脐** 该图中腽肭脐的前肢细长，前额突出，而《绍兴本草》图中的腽肭脐前肢短、肥胖，前额平。

[3] **山东** 即今山东，其地沿海处产腽肭脐。

697 鼹音偃鼠

味咸，无毒。主痈疽诸瘘，蚀恶疮阴䘌，烂疮。在土中行。五月取，令干，燔之。

绍兴校定：鼹鼠即大鼢鼠也。性味、主治经注载之。盖治疽瘘及汤火疮，以腊日者取膏熬涂之，而未闻服饵也。今当作味咸，微寒，无毒是矣。

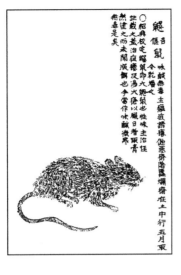

图 926　鼹鼠

图 927　《大观》《政和》鼹鼠[1]

【校注】

[1]　**《大观》《政和》鼹鼠**　该图中的鼹鼠尾短、须长，《绍兴本草》图中的鼹鼠尾细长、须短。

698　猬皮

味苦，平，无毒。主五痔，阴蚀下血，赤白五色，血汁不止，阴肿痛引腰背。酒煮杀之。又疗腹痛疝积，亦烧为灰，酒服之。生楚山[1]川谷田野，取无时，勿使中湿。

图 928　猬皮

图 929　《大观》《政和》猬皮[2]

绍兴校定：猬乃刺猬是也。其皮性味、主治已载经注，然但疗痔疾诸方颇用，余无闻验。当从本经味苦，平，无毒是矣。其脂肉虽分疗，而罕入于方。山谷田野，处处有之。

【校注】

［1］**楚山** 位于今湖北襄阳西南。

［2］**《大观》《政和》猬皮** 该图中猬的前身呈卧伏状，后身呈坐状，而《绍兴本草》图中猬呈行走状。

699 白胶

味甘，平、温，无毒。主伤中劳绝，腰痛羸瘦，补中益气，妇人血闭无子，止痛安胎。疗吐血下血，崩中不止，四肢酸疼，多汗，淋露，折音舌跌音迭伤损。久服轻身延年。一名鹿角胶。生云中^[1]。煮鹿角作之。

绍兴校定：白胶乃熬鹿角而成矣。性味、主治已载本经，然但滋养阴气，润补，方家用之多验。角大者熬用，尤有力矣。当云味苦、甘，平、温，无毒为定是也。

【校注】

［1］**云中** 今湖北安陵。

700 牛角鰓

下闭血，瘀血疼痛，女人带下血。燔之。味苦，无毒。

701 笔头灰

年久者，主小便不通，小便数难，阴肿，中恶，脱肛，淋沥。烧灰，水服之。

702 猯猪肉 ^[1]

味酸，冷。疗狂病。

○猪四足 小寒。主伤挞诸败疮，下乳汁。

○心 主惊邪，忧恚。

○肾 冷。和理肾气，通利膀胱。

○胆 主伤寒热渴。

○肚 主补中益气，止渴利。

○鬐膏 生发。

○肪膏　主煎诸膏药，解斑猫、芫青毒。

○猪屎　主寒热，黄疸，湿痹。

○凡猪肉　味苦。主闭血脉，弱筋骨，虚人肌。不可久食，病人、金疮者尤甚。

【校注】

[1] 狠**猪肉**　《大观》《政和》将其并在"豚卵"条中，不单独列为一条。《绍兴本草》将"狠猪肉"从"豚卵"条中分出，单独列为一条。

703　猯音湍

肉、胞、膏：味甘，平，无毒。主上气，乏气咳逆，酒和三合服之，日二。又主马肺病，虫颡等[1]病。肉：主久水胀不差，垂死者，作羹臛食之，下水大效。胞：干之，汤摩如鸡卵许，空腹服，吐诸蛊毒。

绍兴校定：猯乃野猪类也。肉、胞、膏、骨经注虽各分主治，皆未闻诸方验据。当从本经味甘，平，无毒是矣。如引《圣惠》治水病，用此肉与葱、椒、姜、豉作粥食之，尤非所宜也。

【校注】

[1] **等**　郑杨本作"甘"。

704　野猪黄

味辛、甘，平，无毒。主金疮，止血，生肉，疗癫痫。水研如枣核，日二，服效。

绍兴校定：野猪黄乃野猪胆中黄也。本经虽具主治，然诸方未闻验据，近世亦罕用之。今当作味辛、苦，微凉，无毒是矣[1]。

【校注】

[1] **矣**　其后，原错简"豺皮"一条，今拨出另立为一条。

705　豺皮[1]

性热。主冷痹，脚气，热之以缠病上即差。

【校注】

[1] **豺皮** 此条原错简在"野猪黄"条下，今拔出单列为一条。

706 野驼脂

无毒。主顽痹，风瘙恶疮毒肿，死肌，筋皮挛缩，踠损筋骨，火炙摩之，取热入肉。又以和米粉作煎饼，食之疗痔，勿令病人知。脂在两峰内。生塞北[1]河西[2]，家驼为用亦可。

图930 《政和》野驼[3]

绍兴校定：野驼脂，本经已具无毒、出产、主治。然但脂腊日收之外用，疗疮疡，其服饵未闻。虽有疗痔之说，亦无验据。今当作味甘、咸，温，无毒是矣。

【校注】

[1] **塞北** 古长城以北地区。

[2] **河西** 今陕西。

[3] **《政和》野驼** 此为《政和》图，《大观》《绍兴本草》皆无野驼图。

707 牡鼠

微温[1]，无毒。疗踒折，续筋骨，捣傅之，三日一易。四足及尾，主妇人堕胎易出。肉：热，无毒。主小儿哺露大腹，炙食之。粪：微寒，无毒。主小儿痫疾，大腹，时行。

绍兴校定：牡鼠足、尾、肉、粪虽分主治及诸方间有疗疾之说，但固非良药，唯世之以腊日煎鼠油作膏，以治疮疡，余无的验之据。本经云微温，无毒是矣。

【校注】

[1] **温** 原作"毒"，据《大观》《政和》及本条校定文改。又"温"，郑杨本亦作"毒"。

708 醍醐[1]

绍兴校定[2]：牛乳与酪酥、醍醐，皆出于乳，盖分而造之稍别，然精粗少异，其实一性。皆微凉，无毒是也。乃世常食之物，但论有益无损则可，若恃以起疾无验据。羊乳者，性温，无毒，但食之颇能发痼疾。

【校注】

[1] **醍醐** 精制的奶酪。其后，《大观》《政和》有"味甘，平，无毒。主风邪痹气，通润骨髓。可为摩药。性冷利，功优于酥。生酥中"。

[2] **绍兴校定** 其下文"牛乳……发痼疾"辑自《永乐大典》卷2259"醐"字下"醍醐"条引《绍兴本草》文（《永乐大典·医药集》页435）。按本书例，冠以"绍兴校定"4字。

绍兴校定经史证类备急本草卷之十九终　大尾

右绍兴校定经史证类备急本草十九卷文化八年辛未[1]十一月十三日誊写始业同九年壬申九月十一日

全业

伊藤弘美

右天保七年丙申[2]八月廿八日誊写始业同年十月廿九日全业

明治十五年[3]一月十日得之　吟香

神谷克桢

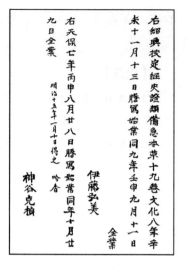

图931　抄录者信息

【校注】

[1] **文化八年辛未**　即 1811 年，相当于清嘉庆十六年。

[2] **天保七年丙申**　即 1836 年，相当于清道光十六年。

[3] **明治十五年**　即 1882 年，相当于清光绪八年。

附录一 《绍兴本草》研究资料

一、《绍兴本草》抄本内容

《绍兴本草》各抄本所记的文字包含下列内容。

（一）记在图名之下文字，含采收时节、药用部位、性味、功效等。

（二）引用《大观本草》大字正文，不分朱墨标记。

（三）引用《大观本草》小字注文，含各家注文，如陶隐居、唐本注、陈藏器、臣禹锡等谨按、今注、新补、别说等，多数是节录引用其中一两条。

（四）由校定人出的按语文，冠有"绍兴校定"标记。

（五）由校定人增的新药条文，冠有"绍兴新添"标记。

（六）各种抄本均未抄录《大观本草》的序例，也未抄录《大观本草》药物的人部、菜部中、菜部下、本草外类、有名未用类等各卷的药物图文。假如将各残抄本所存药图、正文与《大观本草》勘比，两者基本一样，所不同的是各抄本药物后多"绍兴校定"文和"绍兴新添"药。

（七）按《绍兴校定经史证类备急本草序》云"考名方五百余首"，则《绍兴本草》各药下应含有方子，但所有抄本中药物条文内均未记载方子。

（八）各抄本所录"绍兴校定"文条数并不相同。神谷本抄录357条，另有2条未冠以"绍兴校定"标记，连此2条计算，共有359条；龙谷本抄录287条；大森本抄录13条。

龙谷本所录287条中，石脂、青石脂、郁李仁、白杨、水杨5条均不见于其他各抄本中。

（九）残本《永乐大典》中亦收录《绍兴本草》校定文19条：肉苁蓉（页3）

（药名后括号内数字为 1986 年人民卫生出版社出版《永乐大典·医药集》页次，下同）、苦瓠（页 429）、醍醐（页 435）、何首乌（页 439）、白瓜子（页 447）、石龙刍（页 449）、溲疏（页 450）、梅实（页 451）、天名精（页 612）、石脑油（页 623）、卤咸（页 632）、薇衔（页 634）、马衔（页 634）、海藻（页 743）、小麦（页 1117）、大麦（页 1120）、荞麦（页 1121）、瞿麦（页 1123）、雀麦（页 1125）。

上述 19 条中，除梅实、白瓜子、石脑油、卤咸、马衔、小麦、大麦、荞麦 8 条见录于神谷本外，其余 11 条不见于神谷本。

二、《绍兴本草》药物分类

《绍兴本草》是在《大观本草》的基础上编纂的，其药物分类应与《大观本草》相同，但神谷本的药物分类和《本草纲目》相同，与《大观本草》不同，说明神谷本的药物分类是由传抄人改编过的。

若就神谷本"绍兴校定"文进行研究，仍可看出《绍兴本草》的药物分类同《大观本草》是一致的。兹举例如下。

例 1　生铁与铁锈的排列

神谷本卷一"生铁"条"绍兴校定"文末有"注说：生铁锈亦有主治，与上卷陈藏器余铁锈主治颇同"。文中所言"上卷"，当指《绍兴本草》而言，《绍兴本草》出自《大观本草》，《大观本草》卷四有"生铁"，故所言"上卷"当指《大观本草》卷三。查《大观本草》卷三陈藏器余是有"铁锈"条。这就提示，《绍兴本草》的药物分卷与《大观本草》是一致的。

例 2　消石与朴消的排列

神谷本卷三"硝石"条末"绍兴校定"云："一名芒消者，谓其初煎炼时上有细芒，故亦有芒消之名。正别有此一种尔，即非后条内朴消中芒消也。"从文中"后条" 2 字看，"绍兴校定"文之撰者将"消石"列在"朴消"之前，此与《大观本草》卷三"消石""朴消"排列次序正相同。这就说明，《绍兴本草》的药物排列与《大观本草》是一致的。

三、《绍兴本草》校定文的讨论

《绍兴本草》所注"绍兴校定"文，主要是校定药物性味良毒、药物寒温、主治功效、药用部位、药物性状、药物产地，以及对前代本草用药的评论等。在校定时，《绍兴本草》都据实陈述，不迷信旧本，不拘泥古人。正如《绍兴校定经史证类备急本草序》云："谨详古今注说，诸家论议，纷纭淆乱，异同颇多。……执而用之，所误至大，天下后世，何所折衷？"

为研究方便，今以摘录残抄本药物所注"绍兴校定"文为例，说明如下。（药名前所列卷数为神谷本卷次，药名前数字为校注本药物的编号，下同。）

1. 校定药物性味良毒

卷二"98 绿青"条，《本经》云："无毒。""绍兴校定"云："既能取吐者，宜当有小毒矣。"

又，"99 白青"条，《本经》云："无毒。""绍兴校定"云："又以取吐为用，当以……小毒为定。"

卷十七"585 河豚"条，《本经》云："无毒。""绍兴校定"云："有误食肠胃物，则可以杀人。当作……有毒者是矣。"

卷十九"664 五灵脂"条，《本经》云："无毒。""绍兴校定"云："破血之性极猛利矣，固非无毒之物。当云……有毒是矣。"

从上述例子看，《绍兴本草》校定药物的有毒无毒是根据其实际临床作用而定的。这种不迷信古人、不拘泥于书本的做法在当时确实是一大进步。

2. 校定药物寒温

卷九"288 虎杖"条，《别录》载其"微温"，"绍兴校定"论曰："俗名苦杖是也。本经止云微温，而不云其味及有无毒。大抵破血、除热，诸方多用之，即非性温。今当作味苦、甘，微寒，无毒为定。"

卷十二"399 罂子粟"条，"绍兴校定"云："其壳炒而断泄利，诸方颇用之，盖有收涩之性多矣。"

卷十三"465 荔枝子"条，《本经》云："平。""绍兴校定"云："过多喜作热疾。当云味甘，温，无毒是矣。"

卷十四"479 葡萄"条，《本经》云："平。""绍兴校定"云："多食亦喜生疮疹，当云味甘，温，无毒是矣。"

3. 校定药物主治功效

卷十"345 黄药"条，"绍兴校定"云："根世呼为黄药子是也。性味、主疗虽具本经，但治瘰疬及瘿气，外用颇验。"

查《大观本草》卷十四"黄药根"条，其正文大字不言治瘰疬及瘿气，而

《绍兴本草》校定者根据当时用药经验提出自己的看法，把黄药根治疗瘰疬的经验写入"绍兴校定"文中。

4. 校定药用部位

卷七"243 天名精"条，"绍兴校定"云："本经，但不云采何为用。……今考注文，捣汁服饵，止说苗叶及花，而不言根形，足知采茎叶为用。"

卷八"263 瞿麦"条，宋以前本草在其药用部位上并无统一意见，《绍兴本草》指出："（本经）虽云采实阴干，今方家入药，茎、叶、实皆用，但去其根矣。治诸癃闭有验。"

卷十"355 钓藤"条，"绍兴校定"云："本经虽不载采何为用，但用枝茎及皮以疗小儿惊风，诸方用之颇验。"此条言明钓藤药用部位为枝茎及皮，这是从临床疗效上得来的经验。据现代实验研究，钓藤除老茎外，整个茎部及皮部所含有效成分与钩藤并无区别，这说明"绍兴校定"文所言不谬。

5. 校定药物性状

卷二"96 空青"条，"绍兴校定"云："形如杨梅，色青翠可爱。"

卷二"92 代赭"条，"绍兴校定"云："取色如铁色朱砂，形坚实而有浮沤下者佳。故俗谓之丁头代赭。"

卷三"102 礜石"条，"绍兴校定"云："其形坚而白，小大块不一，四面如粘碎方颗粒者佳。"

6. 校定药物产地

卷十二"387 穬麦"条，"绍兴校定"云："西北地多产，南中罕有之。"

卷十三"468 椰子皮"条，"绍兴校定"云："岭南多产之。"

卷十四"480 甘蔗"条，"绍兴校定"云："江南、闽、蜀皆产。"

卷十八"649 鲮鲤甲"条，"绍兴校定"云："湖岭及金房山谷多产之。"

卷十九"685 犀角"条，"绍兴校定"云："西蜀大而气足者佳。"

7. 校定道地药材

卷十三"451 安石榴"条，"绍兴校定"云："唯西北地者佳。"

卷十八"629 蝎"条，"绍兴校定"云："北地多产之，青州者尤佳。"

卷十八"653 白花蛇"条，"绍兴校定"云："唯产蕲州者方用之，取效的矣。"

8. 校定药物佳品特点

卷二"76 白石脂"条，"绍兴校定"云："鲜腻而缀唇者佳。"

卷三"120 戎盐"条，"绍兴校定"云："然西蕃所出者，其形成块，色明净者佳。"

卷三 "134 鹏砂" 条，"绍兴校定" 云："其状光莹者佳。"

卷三 "108 礞石" 条，"绍兴校定" 云："唯色青而腻者佳。"

卷十三 "452 橘柚" 条，"绍兴校定" 云："唯橘皮以陈久者佳。"

卷十八 "630 水蛭" 条，"绍兴校定" 云："入药取小而坚者佳。"

卷十八 "642 蜈蚣" 条，"绍兴校定" 云："大而赤足者佳。"

卷十八 "648 龙骨" 条，"绍兴校定" 云："但上舌紧涩，产河东佳。"

9. 校定药物鉴别

卷二 "81 无名异" 条，"绍兴校定" 云："或云无名异有草石二种，以其形可验，明非草者矣。"

卷十 "339 何首乌" 条，古分赤白二种，"绍兴校定" 云："注说虽分赤白，而有雌雄二种，然所用无异。"《宝庆本草折衷》亦认为，首乌应用无须分赤白。近代以为白首乌即萝摩，但二者性味不同，不可混为一物。

卷十二 "405 绿豆" 条，"绍兴校定" 云："又植豆苗子，然云相似绿豆，自别是一种。"

卷十九 "690 麝香" 条，"绍兴校定" 云："产文州者佳，其中作伪者甚多，但别之皮毛圆备，取之色紫黄明，嚼而聚于手指，摊于肌肉之上，随指而起者，即无伪物矣。"

10. 批判假药

卷十二 "429 苜蓿" 条，"绍兴校定" 云："但以杂伪作黄者，世之不能辨者，多误用，宜审识之。"

卷十九 "690 麝香" 条，"绍兴校定" 云："其中作伪者甚多，但别之。"

11. 校定入药的选择

卷二 "89 阳起石" 条，"绍兴校定" 云："阳起石……以出齐州色莹白有撮纹者佳，又一种出青州，无撮纹者不堪。"

卷十六 "569 雷丸" 条，"绍兴校定" 云："实而不蛀者佳。若色赤者，但不堪入药。"

《永乐大典·医药集》"肉苁蓉" 条云："《绍兴本草》：肉苁蓉……其状有鳞甲如肉腊，厚者佳。……又有草苁蓉一种，然形颇相似，止是枯燥，全无肉性，即不堪入药矣。"

12. 校定药物炮制

卷一"39　赤铜屑"条，"绍兴校定"云："凡火锻以酒淬服之，则为无毒，若不锻淬服之，则为有毒。"

卷二"93　禹馀粮"条，"绍兴校定"云："多以烧煅醋淬，然后入药。"

卷二"89　阳起石"条，"绍兴校定"云："当须火煅用之。"

卷三"101　石胆"条，"绍兴校定"云："然未经制炼者乃名石胆，已经制炼而成者即名胆矾。"

卷十八"615　桑螵蛸"条，"绍兴校定"云："入药当须熟用。"

13. 校定药物制备

卷十二"388　曲"条，"绍兴校定"云："惟六月上寅日，清水和白面为神曲可用矣。"

卷十三"441　梅实"条，"绍兴校定"云："唯一种黄大梅，以火熏之令干，今乌梅是也。温州等处多造之。治虫、断痢诸方多用。又入盐干之为白梅。"

卷十九"699　白胶"条，"绍兴校定"云："白胶乃熬鹿角而成矣。……角大者熬用，尤有力矣。"

卷十九"707　牡鼠"条，"绍兴校定"云："唯世之以腊日煎鼠油作膏，以治疮疡。"

14. 指出药物宜忌

卷十三"445　梨"条，"绍兴校定"云："其乳妇未满百日，切不可食，若食之生疾，而必使不起，当宜谨畏之也。"

卷十七"592　蟹"条，"绍兴校定"云："其肉与壳中黄，但食之发风、动痼疾，显有验据，即非起疾之物。"

15. 对前代本草用药的评论

（1）纠谬经典医书中存在的问题。

卷一"21　自然铜"条，"绍兴校定"云："《雷公》说……若误饵之，吐煞人。窃详本草……不见有吐人之说。《雷公》之论，似无考据。"

卷十七"579　鲦鱼"条，"绍兴校定"云："食之过多，发痼疾即有之。本经云主百病，颇无据矣。"

卷十七"588　鲍鱼"条，"绍兴校定"云："《素问》有治血枯……但今未闻用验之据。"

卷十八"623　樗鸡"条，"绍兴校定"云："此物性毒，破血颇验。本经云补中益精，实非所宜。"

（2）指出前代本草中的错误。

卷一"9　白垩"条，"绍兴校定"云："唐本余云近代以白瓷为之者，诚为误也矣。"

卷二"69　理石"条，"绍兴校定"云："详主疗内云益精一说，亦未见其验。"

卷二"100　扁青"条，"绍兴校定"云："若唐注直指为绿青者，未见的据。"

卷十二"416　胡荽"条，"绍兴校定"云："其《外台》治齿痛一方，用胡荽子五升，窃详胡荽子乃枲耳子也，不应附此。"

（3）评论旧本无效验、无根据的用药。

卷六"201　豆蔻"条，"绍兴校定"云："虽云消酒毒，亦未闻的验之据。"

卷八"255　冬葵子"条，"绍兴校定"云："其根与苗叶虽功用不远，但用未闻验据。"

卷十二"392　丹黍米"条，"绍兴校定"云："本经虽具主治，亦未闻诸方用验。"

卷十二"396　黍米"条，"绍兴校定"云："本经及诸方虽各具主治，皆未闻验据。"

卷十三"443　栗子"条，"绍兴校定"云："若恃此起疾者，即未闻验据。"

（4）批判旧注谬说。

卷十八"626　葛上亭长"条，"绍兴校定"云："注云此一虫五变，若以一岁，能周游四州者，即无据矣。"

卷三"114　石燕"条，"绍兴校定"云："若称活物所化，即无考据。"

卷十九"665　鸬鹚"条，"绍兴校定"云："及云头疗哽及噎，烧服，盖借意为用，亦无验矣。"

卷十九"660　鹧鸪"条，云："久病欲死者……生捣汁服最良。""绍兴校定"云："及云生捣取汁服最良，尤不可为据矣。"

（5）批判神仙不老之说。

卷十八"610　蜜"条，"绍兴校定"云："又云久服不饥不老，延年神仙，未见的验。"

四、"绍兴校定"文中"本经"的含义

抄本"绍兴校定"文中提到"本经""经云""经注"等，其中"本经"是指当时综合性本草文献的正文而言，并不是古代的《神农本草经》的简称，"经注"是指当时综合性本草的注文而言。

例如，卷三"113 姜石"是《唐本草》新增药物，其"绍兴校定"文中提及"本经"，即指王继先校定的《绍兴本草》而言。

又如"106 金星石"是《嘉祐本草》新增药物，《绍兴本草》转录之，并作"绍兴校定"文，文中有"主疗已载本经""本经云解众毒"，这个"本经"即指《绍兴本草》而言，不是指古代的《神农本草经》。

类似的例子很多。

五、"绍兴校定"文的编写体例

"绍兴校定"文的编写体例有以下特点。

（1）首列药物名称和形态特征。

（2）次述药物在当时的实际应用情况或述本经对该药应用情况的评论，对有效者予以肯定，如云用之"有验""有效""有据""验据"，对无效者予以评论，如云"未闻其效""无验据"。

该书对前代本草所说据事实评论，不迷信古人，不拘泥于旧本。例如卷一"21 自然铜"条，"绍兴校定"云："又《雷公》说石髓铅即自然铜也，与方金牙真相似，若误饵之，吐煞人。窃详本草金牙与自然铜形色全不相类，然金牙本经味咸、无毒，亦不见有吐杀人之说。《雷公》之论似无考据。"

又如，《永乐大典·医药集》页1123"瞿麦"条云："又雷公有药壳、茎叶并使，令人气咽、小便不禁之说，无所据。"《绍兴本草》对《雷公炮炙论》所说评论为"无所据"。

（3）末述药物性味良毒，或兼言其产地及其他。所言性味都是据实记载。

该书各条"绍兴校定"文都按上述程序记述，并形成公式化，且所用词句都是一些套话。

在讨论某些问题时，《绍兴本草》说不出相应的理由就下结论，加之王继先本人是奸臣，因此，"绍兴校定"文受到贬低，当时陈振孙《直斋书录解题》和后世李时珍《本草纲目》都批评说其"辨说浅俚，无高论"。

其实，《绍兴本草》无论是在实际用药问题上，还是在文献价值方面，都有一定的参考价值，而且它的价值不比寇宗奭《本草衍义》低，陈振孙、李时珍所评有些偏激了。这也使《绍兴本草》蒙尘数百年之久，实在是冤枉。

六、各种抄本所存"绍兴校定"文条数

《绍兴本草》所记"绍兴校定"文有多少条？由于原书久佚，目前无从知晓，而各种抄本所存"绍兴校定"文条数却各不相同。

神谷本存"绍兴校定"文，注明者357条，另外有2条脱漏"绍兴校定"的标记，若计算另外2条，合共359条。

龙谷本所记"绍兴校定"文共287条，其中有些条所记"绍兴校定"文不见于神谷本，说明神谷本"绍兴校定"文有脱漏，兹举例如下。

卷二"73　石脂"条，神谷本正文与"绍兴校定"文均缺，龙谷本均有。

卷二"74　青石脂"条，神谷本正文与"绍兴校定"文均缺，龙谷本均有。

卷十五"525　水杨"条、"526　白杨"条，神谷本目录有此二味的药名，正文中仅有药名和药图，正文文学和"绍兴校定"文均缺。然龙谷本"水杨"条、"白杨"条既有正文，又有"绍兴校定"文。

卷十五"539　郁李仁"条，神谷本缺"绍兴校定"文，但龙谷本有。

另有"海蛤""自然铜""椿木"等条的"绍兴校定"文，在内容上，龙谷本亦比神谷本多，这说明神谷本所誊录"绍兴校定"文在文字上有脱漏。举例如下。

卷一"21　自然铜"条，神谷本"绍兴校定"文，校以龙谷本，则脱漏"性味、主治已载本经。虽出产土地不一，取铜色明净者佳，色青者不堪。凡入方，须当火锻醋淬，研令极细用之。味辛、平、无毒是也"49字。

卷十五"508　椿木"条，神谷本所记"绍兴校定"文不全，且无"绍兴校定"4字标记，仅注明以下文字出自异本，但龙谷本所记之文全，又有"绍兴校定"4字标记。

卷十七"600　海蛤"条，神谷本所记"绍兴校定"文，校以龙谷本，在文末脱漏"咳嗽诸方亦间用之。今从本经味咸，平，无毒是矣"19字。

《永乐大典·医药集》存"绍兴校定"文19条，兹列举如下。（药名后括号内

数字为 1986 年人民卫生出版社出版《永乐大典·医药集》的页次。）

肉苁蓉（页3）　苦瓠（页429）　醍醐（页435）　何首乌（页439）　白瓜子（页447）　石龙刍（页449）　溲疏（页450）　梅实（页451）　天名精（页612）　石脑油（页623）　卤咸（页632）　薇衔（页634）　马衔（页634）　海藻（页743）　小麦（页1117）　大麦（页1120）　荞麦（页1121）　瞿麦（页1123）　雀麦（页1125）

以上 19 味中，有 8 味见录于神谷本，如"马衔"见卷一第 36 条，"石脑油"见卷二第 87 条，"卤咸"见卷三第 122 条，"小麦"见卷十二第 384 条，"大麦"见卷十二第 385 条，"荞麦"见卷十二第 386 条，"白瓜子"见卷十二第 427 条，"梅实"见卷十三第 441 条。其他如肉苁蓉、苦瓠、醍醐、何首乌、石龙刍、溲疏、天名精、薇衔、海藻、瞿麦、雀麦 11 条不见于神谷本。

从以上所记条数看，神谷本比龙谷本少 5 条，比《永乐大典·医药集》少 11 条，共少 16 条。由此可见，神谷本所存"绍兴校定"文条数不能代表《绍兴本草》原有的"绍兴校定"文的条目总数。

七、《绍兴本草》新添药

关于《绍兴本草》新添药，神谷本共新添 6 条，其中卷一新添"炉甘石""锡蔺脂" 2 条，卷十二新添"豌豆""胡萝卜""香菜" 3 条，卷十三新添"银杏" 1 条。另外附药也有 3 条，其中卷十三"沙糖"条末附"糖霜" 1 条，卷十三"藕实茎"附"金缨草""荷叶" 2 条。

凡《绍兴本草》新添的药物，在条文末注有"绍兴新添"标记。另外 3 条是附药，注有"附之"字样。由于神谷本是残缺本，所注 6 条"绍兴新添"并不能代表《绍兴本草》新增药的总数。

为研究方便，今将神谷本《绍兴本草》新添药的条文摘录如下。

47　炉甘石　味辛，微寒，有毒。主眼睑眦赤烂、痒痛、多泪，消瘀肉，退翳晕，能制铜为鍮石，采无时。用之烧赤，以黄连水淬七遍，净地上去火毒一宿，次细研如粉，点目眦良。本草并不载此一种，今宜添入。生河东山谷，然江淮亦产，唯太原者佳。绍兴新添

48　锡蔺脂　味甘、微咸，有小毒。镇坠风痰邪实，通利经络，消散癖结，诸方中颇用之。其形块大小不定，重紫黑色。表亦有如涂金，破之者有墙壁，产铅锡

处皆有之,乃锡之矿也。入药当锻淬为用。本草不载,今宜添入。_{绍兴新添}

407　豌豆　味甘,平,无毒。调营卫,益中平气。其豆如梧桐子,小而圆。其花青红色,引蔓而生。四月、五月熟,世之有以为酱者。南人呼为蚕豆,又呼为寒豆,处处种产之。亦可代粮,固非专起疾之物矣。经注皆不载,今附米谷部中品之末。_{绍兴新添}

418　葫萝卜　味甘,平,无毒。主下气,调利肠胃,乃世之常食菜品矣。然与芜菁相类,固非一种。处处产之。以本经不载,今当收附菜部。_{绍兴新添}

419　香菜　味辛,平,无毒。乃世之菜品矣,然合诸菜食之气香,辟腥。多食即使人口爽。又呼为茴蒝蒿,处处种产之。以本经不载,今当收附菜部。_{绍兴新添}

458　银杏　世之果实。味苦、甘,平,无毒。唯炒或煮食之,生食戟人。诸处皆产,唯宜州形大者佳。七月、八月采实,暴干。以其色如银,形似小杏,故以名之。乃叶如鸭脚,而又谓之鸭脚子。生采,取皮上肉涂皯䵟,世用颇验。详本草不载,今附果部。_{绍兴新添}

以上6条是《绍兴本草》新增药。此外还有附录药3条,亦转录如下。

卷十四"481　沙糖"条附"糖霜","绍兴校定"云:"又糖霜一种,乃煎糖之精英也,然其性一矣。今经注不载,理当附之。"

卷十四"483　藕实茎"条附"金缨草""荷叶","绍兴校定"云:"又花药一名金缨草,补益心神。及荷叶敛汗,诚有验矣。以本经不载,宜当附之。"

总之,《绍兴本草》是王继先等用《大观本草》校定的。他们不仅校勘《大观本草》文字上的异同,而且对书中各方面的内容亦进行了校定。正如《绍兴校定经史证类备急本草序》所云:"考名方五百余首,证舛错八千余字""物性寒热补泻,有毒无毒,或理之倒置、义之相反者,辨其指归,务从至当"。

王继先等根据临床实际,辨别旧本中药物在当时是常用还是不常用,用于什么病,疗效如何,并据药物功效考订药物性味良毒,陈述药物各方面问题,含药物释名、性味、主治功用、药物性状、品质优劣、品种鉴别、药用部位、产地,以及对前代本草评论等,并将之写成按语,冠以"绍兴校定"标记,置于各药物条文之末。

由于校定者有丰富的临床实践经验,他们所撰写的"绍兴校定"文都切合临床应用实际。他们不迷信古人,不拘泥于书本,对前人和书本中的错误均予以指出,并写在"绍兴校定"文中。因此《绍兴本草》所出"绍兴校定"注文不仅有临床实用价值，而且有很好的文献历史价值，可以反映宋代用药实际情况。

由于王继先是个佞臣，《绍兴本草》经过王继先校定后，该书也受到世人的歧视。南宋·陈振孙《直斋书录解题》说："每药为数语，辨说浅俚，无高论。"这种提法可能是因为王继先等人名声不好，从而导致他们所校的书也被贬低。其实该书"绍兴校定"文中所讲的都是药物中存在的实际问题，其内容不比寇宗奭《本草衍义》价值低。不论在药物生产供应方面，还是在药物临床应用方面，《绍兴本草》所撰的"绍兴校定"文都有它特定的价值。

八、《绍兴本草》刊本概况

《绍兴本草》是《绍兴校定经史证类备急本草》的简称，全书 32 卷，由医官王继先等奉诏撰。

1. 关于作者

书首载"绍兴校定经史证类备急本草序"，题绍兴二十九年（1159）二月日上进。序末有：

检阅校勘官翰林医候御医兼权太医局教授赐紫臣高绍功

检阅校勘官翰林医效诊御脉兼权太医局教授赐绯鱼袋臣柴源

检阅校勘官成和郎御医兼权太医局教授臣张孝直

详定校正官昭庆军承宣使太原郡开国侯食邑一千七百户食实封一百户致仕臣王继先

《宋史》卷 470"王继先传"云，王继先，开封人。奸黠善佞。建炎（1127—1130）初，以医得幸，其后浸贵宠，世号王医师。官荣州防御使，主管翰林医官局，迁奉宁军承宣使，其权势与秦桧埒（音劣，同等）。又进昭庆军承宣使，又欲得节钺使，其徒张孝直等校本草以献。继先富埒列王室子弟。后被勒停，籍其赀以千万计，鬻其田园及金银。淳熙八年（1181）卒。

2. 关于绘图

《绍兴本草》是据《大观本草》校定的，该书中所绘药图亦是据《大观本草》复刻的，所以该书序称"形象本于旧绘"。该书所存药图 801 幅，较《大观本草》少菜部中、菜部下及图经外类，其图形精美胜过《大观本草》，这与传抄过程中加工描绘润饰有关，具有较高的参考价值。

3. 关于卷数

《四库全书总目》卷103《证类本草》条中引王应麟《玉海》云："绍兴二十七年（1157）八月十五日王继先进校定《大观证类本草》三十二卷，释音一卷，诏秘书省修润，付胄监镂版行之。"

南宋·陈振孙《直斋书录解题》所记不同，云："《绍兴校定本草》二十二卷，医官王继先等奉诏撰。绍兴二十九年（1159）上之，刻版修内司。"

按，现存该书原序可见，该书当成于1159年，原书卷数当是31卷，目录1卷。世传22卷皆为节略本。明·陈第《世善堂藏书目录》和毛晋《汲古阁毛氏藏书目录》皆著录该书为22卷。

4. 关于抄本

《绍兴本草》在国内未见有重刊，日本存有节录《绍兴本草》的多种抄本。

（1）日本文化八年（1811），伊藤弘美据节录《绍兴本草》誊抄。其后，日本天保七年（1836），神谷克桢予以重抄。神谷本，19卷，藏于北京大学图书馆。该本是抄本中最好的。由于它属于珍贵的善本，一般人难以借阅。

（2）日本东京春阳堂1933年影印旧抄本。《续中国医学书目》著录《绍兴校定经史证类备急本草画卷》5卷5册，解题1册，行字数不定，每页1图，无框，高26.5 cm，宽19.2 cm。昭和八年（1933）七月，春阳堂影印大森文库5册本，比神谷本少小麦、丹黍米、粱米、赤小豆、扁豆等5图，收藏有药图的药品861种。其药图与《大观本草》《政和本草》相较，互有粗恶与精美的不同，其线图明晰程度胜过《大观本草》与《政和本草》。

"解题"，是日本昭和八年中尾万三为本书所作，名"绍兴校定本草解题"，四万三千二百余言，附于本书之末。该解题考证详博，对唐慎微著书时间及《大观本草》与《绍兴本草》的关系有详细的论述。

（3）1971年，日本春阳堂又影印龙谷大学藏残抄本（19卷），附刊冈西为人《绍兴本草解题》。

（4）《绍兴校定经史证类本草图卷》（识语），日本白井光太郎于大正十四年（1925）印。按，此本据大森文库所藏本影印。原本5册，题云"备急本草"，有王继先序及目录，记文少，绘图不佳，由白井光太郎博士题于大正十四年（1925）。1933年，中尾万三作"解题"1册，于1933年合刊为6册。

《绍兴本草》的日本抄本有很多种。据中尾万三《绍兴校定本草解题》云，日本现存该书抄本有14种，诸本各有同异，大致分3类（《宋以前医籍考》页1338

到页 1339）：①记文多的抄本；②彩色本；③记文少的抄本。

台湾学者那琦在《本草学》中提到，台湾故宫博物院图书馆藏杨守敬从日本持归的该书日本残抄本。

国内所存的 22 卷《绍兴本草》抄本，有北京大学所藏神谷克桢抄本。1999 年由华夏出版社出版的《中国本草全书》影印了 3 种。

（1）《中国本草全书》卷十三影印日本龙谷大学所藏日本佚名氏抄本，是内容较多的一种抄本。

（2）《中国本草全书》卷十四影印美国国家医学图书馆所藏日本佚名氏抄绘本，药图较精，共 5 卷。

（3）《中国本草全书》卷十五、卷十六影印北京大学所藏日本神谷克桢于 1836 年所抄本（该抄本原据 1811 年伊藤弘美抄本所誊录），是记文较多的抄本，也是本书校注所据的底本。

关于《绍兴本草》辑本，1991 年，郑金生教授和杨梅香合辑《绍兴本草》，该书汇集现存各种抄本中所存"绍兴校定"文和"绍兴新添"药。

《英国博物院图书馆中国书籍抄本目录》载有《绍兴本草图》105 页。

据研究，中国、日本残存该书抄本有 20 余种。最常见的是下列几种：①1836 年神谷克桢抄本，简称神谷本；②1933 年日本东京春阳堂影印大森文库藏残抄本，简称大森本；③1977 年日本东京春阳堂影印龙谷大学藏残抄本，简称龙谷本。

大森本文字说明极为简单，"绍兴校定"的条文寥寥无几，是记文较少的抄本。大森本虽略于文，但精于药图绘制，所以又被称为"画卷"。该抄本共 5 卷，其中卷一为玉石部，载药 80 种，起自辰州丹砂，终于蛇黄；卷二、卷三皆为草部，载药 497 种，起自滁州黄精，终于萱草；卷四为木部，载药 130 种，起自桂花及桂，终于芫花；卷五为兽禽虫鱼部，98 种，起自龙骨，终于甲香，以及果米谷菜部，56 种，起自宜州豆蔻，终于龙葵。该抄本总计载药 861 种。

神谷本记文多，共 6 万余字，属记文多的抄本。因记文较多，故神谷本可以作为研究《绍兴本草》的重要参考书。

九、22 卷本《绍兴本草》在日本流传概况

22 卷本《绍兴本草》有的是通过朝鲜东渡传入日本的。

冈西为人《宋以前医籍考》页 1339 记有日本杏雨书屋所藏《绍兴校定经史证

类备急本草画》四册本，缺首卷。每卷有目录，记文少，图绘亦拙。中有附记曰："证类备急本草者，古昔朝鲜（ヨリ）渡来而日本一部有之。"藏于曲直濑氏养安院。因火灾，损失第一册，尚存四册。

22 卷本《绍兴本草》中有些可能是直接传入日本，誊录者亦多，卷数、图绘精粗各不相同。兹将冈西为人《宋以前医籍考》各藏书家的藏本介绍如下：《聿修堂藏书目录》藏《绍兴校定经史证类备急本草》19 卷，8 册，抄本，宋·王继先撰；《经籍访古志》卷七载《绍兴校定经史证类备急本草》19 卷，抄本。首载绍兴二十九年上进序，末有王继先等 4 人官衔；日本曲直濑氏怀仙阁藏《绍兴本草》5 卷，宋讳缺笔，绘画亦精。盖据宋板模写之，其图一摹原样，记文仅存黑、白正文大字及"绍兴校定"文，其余皆不具载；《内阁文库图书第二部汉书目录》载《绍兴校定经史证类备急本草画》图卷一至卷五，日本写本，5 册。又载《绍兴校定经史证类备急本草》19 卷。

《东京帝室博物馆汉书目录》载有：《绍兴校定经史证类备急本草》，高绍功校，10 册，抄写和本；《绍兴校定经史证类备急本草》，8 册，日本写本；《绍兴校定经史证类备急本草》，5 册，支那本；《绍兴校定经史证类备急本草》，5 册，写本。

京都大森文库所藏《绍兴校定经史证类备急本草画》5 册，高绍功等校，有序及目录，记文少，图绘不佳。前有大正十四年（1925）白井光太郎博士题识。

《杏雨书屋图书假目录》载有：《绍兴校定经史证类备急本草图》，2 卷，写本，4 册；《绍兴校定经史证类备急本草》，存卷 2、3、4，3 册，写本；《绍兴校定经史证类备急本草图》，日本写本，1 册；《绍兴校定经史证类备急本草》，序目 19 卷，昭和七年（1932）日本写本，10 册。

《北京人文科学研究所藏书目录》载有：《绍兴校定经史证类备急本草》，不分卷，宋·高绍功等校订，日本抄本，1 函 8 册。

日本阳明文库所藏《绍兴校定经史证类备急本草》10 册，近卫豫乐院旧藏本。题云《绍兴本草》，有序文及目录，记文多，图绘多彩色。其卷数为 20 卷，书中药物分类从《本草纲目》，不从《大观本草》。

日本流传的 22 卷抄本的种类很多，在卷数上有 5 卷本、19 卷本，在药图上有精粗不等，在记文上有多寡不一。

按，22 卷本《绍兴本草》即 32 卷本《绍兴本草》的简本。该简本可依据日本现存传抄本中内容最多的本子来研究。在日本传抄本中，以神谷本的内容最多，兹以神谷抄本为例考察如下。

从内容上看，神谷克桢版的《绍兴本草》是一种节略性抄本，可能是据王继先修订的 22 卷本《绍兴本草》传抄的。

22 卷本《绍兴本草》是从 32 卷本《绍兴本草》节录而来的。32 卷本《绍兴本草》是在《大观本草》基础上增加"绍兴校定"文和"绍兴新添"药修订而成的，因此 32 卷本《绍兴本草》含有《大观本草》的内容。将神谷本《绍兴本草》和《大观本草》进行核对，发现神谷本不含《大观本草》序例文及人部药物，不含《大观本草》中各卷末所附"诸本草余"的药物，也不含《大观本草》书末所附"有名未用"药和《本草图经》草木类药物及药图等内容。

又，神谷本对《大观本草》各药所附"七情畏恶"资料未记载，对《大观本草》药条末所注的文献出处，如今附、新补、新定等文献出处标记极少记载。

神谷本所存的内容是《大观本草》各卷主要药物的正文、药物图像、"绍兴校定"文、"绍兴新添"药，以及个别药物片段注文。这些内容很可能就是 22 卷本《绍兴本草》的内容。

十、李时珍作《本草纲目》未参考过《绍兴本草》

李时珍作《本草纲目》时未参考过《绍兴本草》，可从 3 个方面来讨论：①从《本草纲目》引据书目来看；②从"绍兴新添"药来看；②从"绍兴校定"文来看。

（1）从《本草纲目》引据书目来看，《本草纲目》未参考《绍兴本草》。《本草纲目》引据书目八百余家，每家都列有书名，唯独王继先《绍兴本草》书名未见列出，说明《本草纲目》未参考过《绍兴本草》。

按，《本草纲目》卷一序例上，有三书录标题：①"历代诸家本草"标题；②"引据古今医家书目"标题；③"引据古今经史百家书目"标题。

第一标题下，列举本草书名 42 种，每种书名下都有提要，以介绍本草各方面情况。此标题下唯独没有王继先《绍兴本草》书名，仅在《本草别说》书名下写有"高宗绍兴命医官王继先等校正本草，亦有所附，皆浅俚，无高论"25 字。该 25 字似从《书志》转录而来。

南宋·陈振孙《直斋书录解题》卷十三云："《绍兴本草》二十二卷，医官王继先奉诏撰，绍兴二十九年上之，刻版修内司。每药为数语，辨说浅俚，无高论。"

比较两家所说，其内容基本相同。疑李时珍转录陈氏之言时并非参考过《绍兴本草》原书，如果李时珍参考过《绍兴本草》原书，应当将《绍兴本草》单独立为一条，并将其列入"历代诸家本草"标题之中，不应在《本草别说》书名之下记录。

第二、第三标题下所列古今医书目录和古今经史百家书目中俱无《绍兴本草》书名。

（2）从"绍兴新添"药来看，《本草纲目》未参考过《绍兴本草》。兹举例如下。

《绍兴本草》卷一新添药有"炉甘石""锡蔺脂"2条，卷十二新添药有"豌豆""胡萝卜""香菜"3条，卷十三新添药有"银杏"1条。

最早记载以上6味药物的文献应是《绍兴本草》，但《本草纲目》对于上述6味药物的文献出处记载，没有一条为"绍兴本草"，对"炉甘石""锡蔺脂""胡萝卜"3味药物，李时珍所记文献出处为"纲目"。这就提示李时珍未参考过《绍兴本草》。如果李时珍参考过《绍兴本草》原书，对此3味药物的文献出处应记"绍兴"，不应记"纲目"。对"银杏"文献出处，李时珍记为"日用"。按，"日用"为元代吴瑞《日用本草》简称。《日用本草》比《绍兴本草》成书晚，前者成书于元代，后者成书于南宋。如果李时珍参考过《绍兴本草》，对"银杏"文献出处应记"绍兴"，不应记"日用"。

又如，《绍兴本草》卷十三"藕"条末附有荷叶敛汗，以及花药名金缨草主治等资料，《纲目》"藕"条对此均未收录，说明李时珍未参考过《绍兴本草》。

又如，《绍兴本草》卷十三"沙糖"条末附"糖霜"资料，《纲目》"沙糖"条下无糖霜相关记载。

（3）从"绍兴校定"文来看，李时珍亦未参考过《绍兴本草》。

"绍兴校定"文内容丰富，都是临床实用资料，其实用价值和学术价值不低于寇宗奭《本草衍义》。《本草纲目》在很多药物条文中收录了《本草衍义》资料，但《本草纲目》全书所有药物条文中没有一条记载过《绍兴本草》资料。由此可见，李时珍作《本草纲目》时未参考过《绍兴本草》。

十一、《绍兴本草》刊本

（1）日本天保七年丙申（1836），神谷克桢抄本（残存19卷）。

（2）1933 年，日本东京春阳堂影印日本旧抄宋绍兴本（残存图卷一至卷五，附解题一卷）1 3 139 202 475A 517 541 589 590 738 746A 926A。

（3）1974 年，日本东京春阳堂影印本。

另外，从神谷本药物编排次序可以看出，该书药物目次是据《本草纲目》重排的。那么是谁重排的？疑是 1181—1182 年伊藤弘美重排的。不仅如此，对于药物条文中的某些字，伊藤弘美亦据《本草纲目》进行了更改。例如，《绍兴本草》卷十二 435 条"蒲公草……妇人乳痈水肿，煮汁饮"，其中"水肿"2 字，《本草纲目》同（见金陵本页 2449），而《大观》《政和》均作"肿水"。又如，《绍兴本草》卷十四 485 条"鸡头实……生雷池池泽"，其中"雷池"2 字，《本草纲目》同（见金陵本页 2771），而《大观》《政和》俱作"雷泽"。从这些例子可以看出，神谷本抄者，不仅对药物目次进行重新编排，而且对药物条文中某些字亦据《本草纲目》予以更改。

附录二 德版《绍兴本草》图

说　明

　　《绍兴本草》成书于南宋绍兴年间（1131—1162），国内久佚，德国、日本尚存传抄本。日本传抄本有十数种，其中神谷克桢抄本在北京大学图书馆有收藏，因属善本，一般人难以见到。

　　1956 年，德国奥特·卡洛（OTTO KAROW）译制《绍兴本草》画图（FARBENFABRIKEN BAYER AKTIENGE – SELLSCHAFT Pharmazeutisch – Wissenschaftliche Abteilung LEV – ERKUSEN 出版）31 幅，藏于德国普鲁士图书馆。段明宽先生从德国将本书加以复制，并将复制本赠送赵怀舟同志，怀舟又转赠于我。该书存药图 31 幅，不分卷，药图目次不同于《大观》《政和》，显系奥特氏选译而成。

　　德、日学者重视此书，说明该书有很高的学术价值。为了展现《绍兴本草》文献价值，特将德国译制画图残卷附于此，以供同道阅读和参考。由于德版原序及药图说明非《绍兴本草》所固有，故略而不载。

　　此外，对赠予画图残卷本的赵怀舟同志、段明宽先生表示衷心感谢。

尚志钧

2005 年 12 月 10 日

虎骨

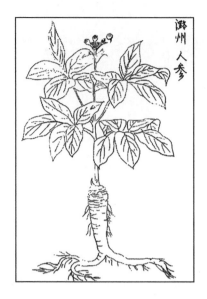

潞州 人参

雄鹊

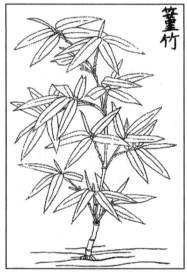

䈽竹

熊脂

卑州 菟絲子

蜀州桑螵蛸

樱桃

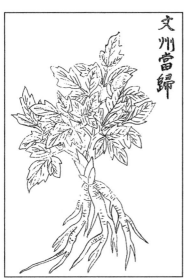

文州当归

蜻蛉 上音青下音零 一名诸乘俗呼胡蜊一名蜻蜓

眉州使君子

松脂

江陵府秦龜

廣州沉香

澤州芍藥

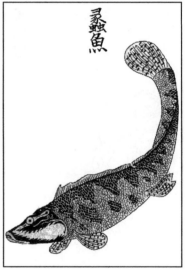

𩾌䲉魚

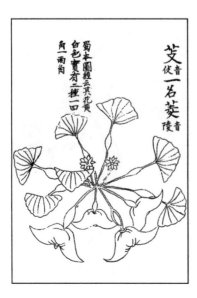

蓂音｜一名菱陵音

蜀本圖經云其花黃
白色實有二種一四
角一兩角

蚑蟬 蚑音岐又音倚

瓜蒂

府州朮草

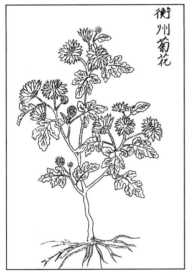

衡州菊花

蚺蛇膽

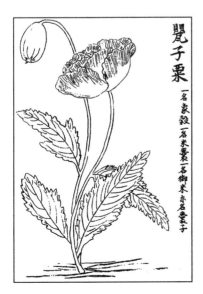

罌子粟

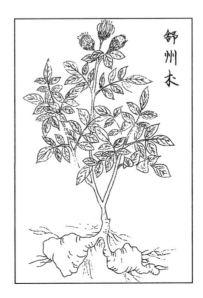

舒州朮

同州麻黃

黽音蛙
一名長股

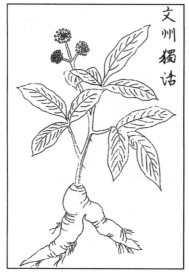

文州獨活

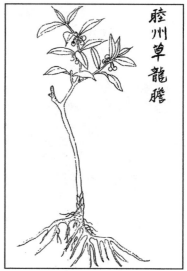

睦州草龍膽

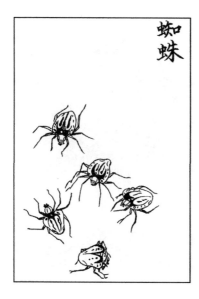

蜘蛛

兗州卷栢

附录三

《绍兴本草》校注参考文献

一、 底本

本书校注所据的底本是日本神谷克桢抄录的《绍兴本草》。该本于 1999 年由华夏出版社据北京大学图书馆所藏日本神谷克桢抄本加以影印，收入《中国本草全书》卷十五。该本早在日本文化八年辛未（1811）由日本伊藤弘美誊录，到日本天保七年丙申（1836）又由日本神谷克桢重抄。国内未重抄和刊行该抄本。

神谷克桢所抄的《绍兴本草》是记文最多的本子。本书即据该本点校注释。

二、 旁校本

（1）日本佚名氏抄绘《绍兴本草》本。该抄本于 1999 年由华夏出版社据美国国家图书馆所藏日本佚名氏抄绘本影印，收入《中国本草全书》卷十四。该抄绘本药图精，共 5 卷。

（2）日本佚名氏抄《绍兴本草》本。该抄本于 1999 年由华夏出版社据日本龙谷大学图书馆所藏日本佚名氏抄本加以影印，收入《中国本草全书》卷十三。该抄本是记录《绍兴本草》内容较多的本子。

（3）《绍兴本草》辑本。该辑本由郑金生教授同他爱人杨梅香合辑，于 1991 年由郑教授自己打印，供内部交流。该辑本将现存各种残卷抄本中凡含有"绍兴校定"文和"绍兴新添"药的条目进行了汇集，对各残卷抄本中的药图，以及不含"绍兴校定"文、"绍兴新添"药的条目皆未收录。

三、 参考本

（1）《唐·新修本草》，唐·苏敬撰，尚志钧辑校，1981 年由安徽科学技术出版社出版。

（2）《本草经集注》，梁·陶弘景撰，1955 年由群联出版社据敦煌出土本影印。

（3）《本草经集注》，梁·陶弘景撰，尚志钧辑校，1994 年由人民卫生出版社出版。

（4）《名医别录（辑校本）》，梁·陶弘景集，尚志钧辑校，1986 年由人民卫生出版社出版。

（5）《海药本草（辑校本）》，五代·李珣撰，尚志钧辑校，1997 年由人民卫生出版社出版。

（6）《开宝本草（辑校本）》，马志等撰，尚志钧辑校，1998 年由安徽科学技术出版社出版。

（7）《本草图经》，宋·苏颂编撰，尚志钧辑校，1994 年由安徽科学技术出版社出版。

（8）《本草拾遗》，唐·陈藏器著，尚志钧辑校，1983 年由皖南医学院科研科印。

（9）《日华子本草》，五代·日华子撰，尚志钧辑校，1983 年由皖南医学院科研科印。

（10）宋·唐慎微《经史证类大观本草》，清光绪三十年（1904）武昌柯逢时影印并重刊。

（11）宋·唐慎微《经史证类大观本草》，南宋嘉定四年（1211）刘甲重刊本，1999 年由华夏出版社据以影印，被收入《中国本草全书》。

（12）《重刊经史证类大全本草》，明万历二十八年（1600）籍山书院重刊宣郡王大献刻本。

（13）宋·唐慎微《经史证类备急大观本草》，日本安永四年（1775）望草玄据元大德宗文书院刊本翻刻，实际是据明宣郡王大献《大全本草》重刊。

（14）宋·唐慎微《重修政和经史证类备用本草》，1957 年由人民卫生出版社据扬州季范氏藏本影印，为四合一精装本。

（15）明·李时珍《本草纲目》，1957 年由人民卫生出版社据清光绪十一年合肥张绍棠刊本影印。

（16）明·李时珍《本草纲目》，1973—1977 年人民卫生出版社出版了刘衡如校点本。

（17）《永乐大典·医药集》，萧源等辑，1986 年由人民卫生出版社出版。

（18）《简明中医辞典》，由中国中医研究院、广州中医学院合编，1979 年由人民卫生出版社出版。

（19）《中国医籍考》，日本丹波元胤编，1956 年由人民卫生出版社出版。

（20）《宋以前医籍考》，日本冈西为人编，1958 年由人民卫生出版社出版。

（21）南宋·陈振孙《直斋书录解题》，武英殿聚珍版。

（22）明·陈第《世善堂藏书目录》，知不足斋丛书本。

（23）明·毛晋《汲古阁毛氏藏书目录》，毛晋汲古阁刊本。

（24）《中国历史地图集》，谭其骧主编，第五册、第六册，1982 年由中国地图出版社出版。

（25）《中国古今地名大辞典》，臧励龢等编，1931 年由商务印书馆出版。

（26）《海录碎事》，宋·叶廷珪撰，明万历二十六年（1598）刊本，该书卷十四至卷二十二有本草资料。

（27）《记纂渊海》，宋·潘自牧撰，明万历七年（1579）胡维新刊。

（28）《宋史·佞幸传》，元·脱脱等撰，商务印书馆影印百衲本。

药名索引

---

①药名后的数字为该药的序号。下同。

十画